메가스터디

중학국어

비문학 독해 연습

지문 구조
& 정답 및 해설

구성과 특징

+ 이 교재는 영역별, 난이도별 엄선된 42개 비문학 제재를 체계적으로 연습할 수 있는 기본서입니다.

+ 이 교재는 중학생이 알아야 할 2015 개정 교육과정의 국어 읽기 영역 성취 기준에 기반한 독해 스킬을 문제를 통해 파악할 수 있는 기본서입니다.

+ 이 교재는 중학생들이 한 번에 학습하기 적절한 분량인 두 개의 지문(제재)으로 하나의 STUDY를 구성하여 비문학 독해에서의 효율적 학습 시스템을 적용한 기본서입니다.

본문의 지문을 다시 한 번 제시하여
문제 해설을 확인할 때 더욱 편리하도록 하였습니다.

지문 내용을 문단별 판서 형태로 정리하여 보여 주면서
핵심 내용의 이해를 돕도록 하였습니다.

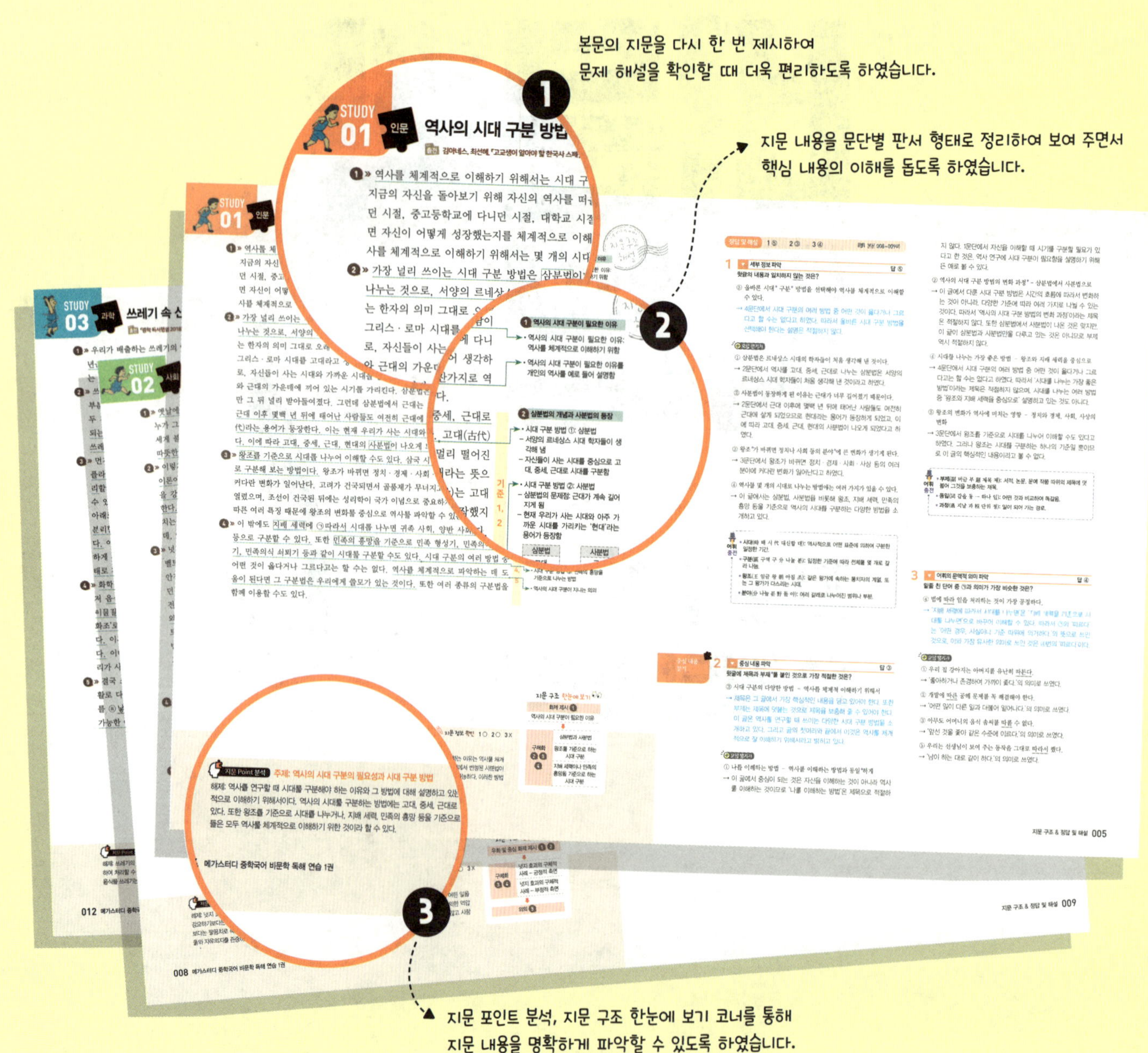

지문 포인트 분석, 지문 구조 한눈에 보기 코너를 통해
지문 내용을 명확하게 파악할 수 있도록 하였습니다.

상세한 정답 해설과 오답 챙기기 해설을 통해
문제의 정오답을 꼼꼼하게 이해할 수 있도록 하였습니다.

4

5

6

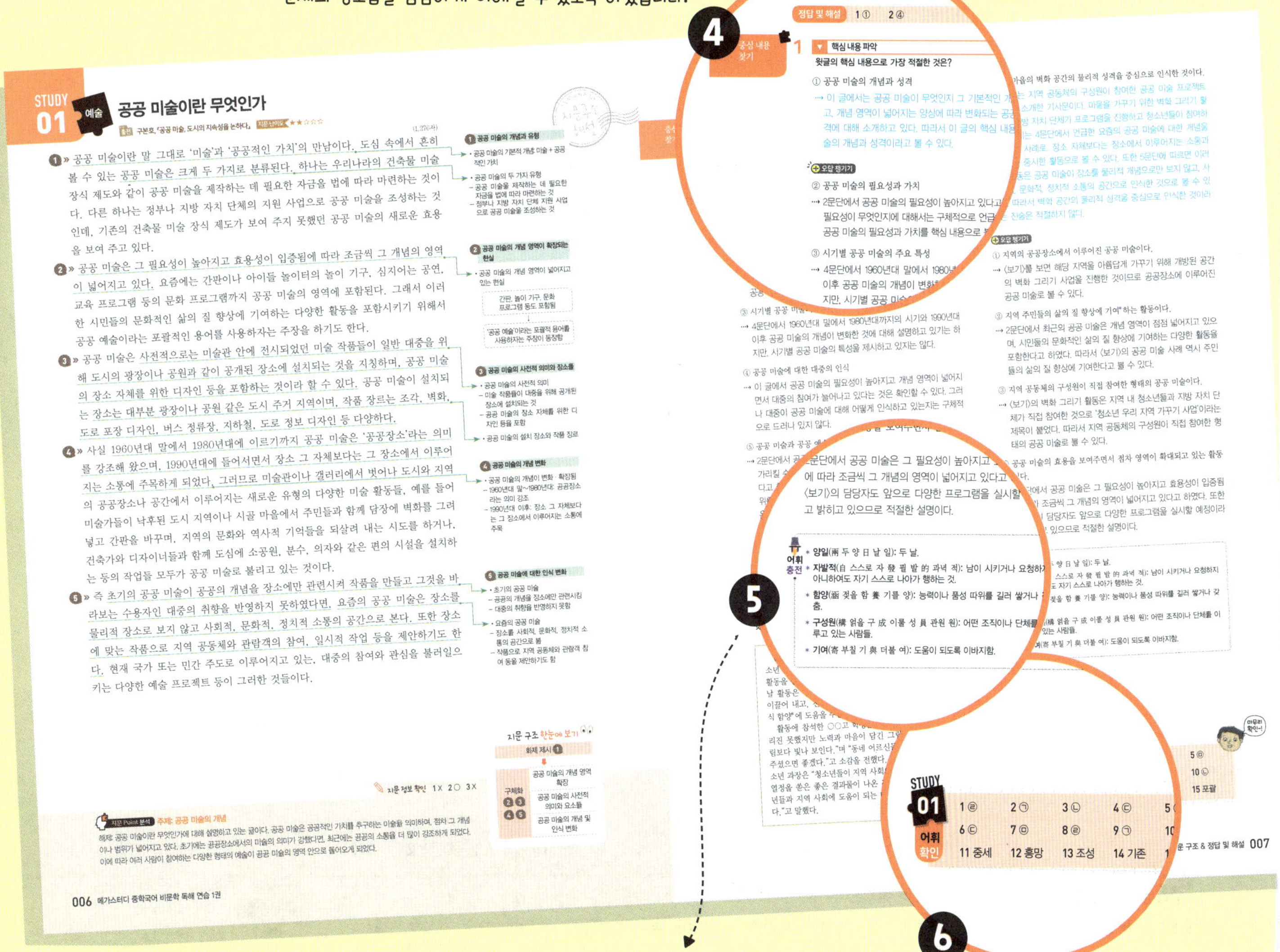

어휘 충전 코너를 통해 문제에 제시된 어려운 어휘,
개념어 등을 학습할 수 있도록 하였습니다.

본문 어휘 확인 정답을
체크하도록 하였습니다.

역사의 시대 구분 방법

출전 김아네스, 최선혜, 『고교생이 알아야 할 한국사 스페셜』　지문 난이도 ★★★☆☆

(1,134자)

1 » 역사를 체계적으로 이해하기 위해서는 시대 구분이 반드시 필요하다. 『어떤 사람이 지금의 자신을 돌아보기 위해 자신의 역사를 떠올린다고 해 보자. 초등학교에 다니던 시절, 중고등학교에 다니던 시절, 대학교 시절과 졸업 후 등으로 나누어 생각하면 자신이 어떻게 성장했는지를 체계적으로 이해할 수 있을 것이다.』 마찬가지로 역사를 체계적으로 이해하기 위해서는 몇 개의 시대로 나누는 일이 필요하다.

2 » 가장 널리 쓰이는 시대 구분 방법은 삼분법이다. 이는 역사를 고대, 중세, 근대로 나누는 것으로, 서양의 르네상스 시대 학자들이 처음 생각해 낸 것이다. 고대(古代)는 한자의 의미 그대로 오래된 시대라는 뜻으로, 자신들이 사는 시대와 멀리 떨어진 그리스·로마 시대를 고대라고 생각한 것이다. 근대(近代)는 가까운 시대라는 뜻으로, 자신들이 사는 시대와 가까운 시대를 근대라고 부른 것이다. 중세(中世)는 고대와 근대의 가운데에 끼어 있는 시기를 가리킨다. 삼분법은 서양에서 처음 시작했지만 그 뒤 널리 받아들여졌다. 그런데 삼분법에서 근대는 계속 길어질 수밖에 없다. 근대 이후 몇백 년 뒤에 태어난 사람들도 여전히 근대에 살게 되었으므로, 현대(現代)라는 용어가 등장한다. 이는 현재 우리가 사는 시대와 아주 가까운 시대를 뜻한다. 이에 따라 고대, 중세, 근대, 현대의 사분법이 나오게 되었다.

3 » 왕조를 기준으로 시대를 나누어 이해할 수도 있다. 삼국 시대, 고려 시대, 조선 시대로 구분해 보는 방법이다. 왕조가 바뀌면 정치·경제·사회·사상 등의 여러 분야에 커다란 변화가 일어난다. 고려가 건국되면서 골품제가 무너지고 한층 개방된 사회가 열렸으며, 조선이 건국된 뒤에는 성리학이 국가 이념으로 중요하게 여겨졌다. 왕조에 따른 여러 특징 때문에 왕조의 변화를 중심으로 역사를 파악할 수 있는 것이다.

4 » 이 밖에도 지배 세력에 ㉠따라서 시대를 나누면 귀족 사회, 양반 사회, 시민 사회 등으로 구분할 수 있다. 또한 민족의 흥망을 기준으로 민족 형성기, 민족의식 왕성기, 민족의식 쇠퇴기 등과 같이 시대를 구분할 수도 있다. 시대 구분의 여러 방법 중 어떤 것이 옳다거나 그르다고는 할 수는 없다. 역사를 체계적으로 파악하는 데 도움이 된다면 그 구분법은 우리에게 쓸모가 있는 것이다. 또한 여러 종류의 구분법을 함께 이용할 수도 있다.

지문 구조 해설

1　역사의 시대 구분이 필요한 이유
- 역사의 시대 구분이 필요한 이유: 역사를 체계적으로 이해하기 위함
- 역사의 시대 구분이 필요한 이유를 개인의 역사를 예로 들어 설명함

2　삼분법의 개념과 사분법의 등장

기준 ① ②
- 시대 구분 방법 ①: 삼분법
  - 서양의 르네상스 시대 학자들이 생각해 냄
  - 자신들이 사는 시대를 중심으로 고대, 중세, 근대로 시대를 구분함
- 시대 구분 방법 ②: 사분법
  - 삼분법의 문제점: 근대가 계속 길어지게 됨
  - 현재 우리가 사는 시대와 아주 가까운 시대를 가리키는 '현대'라는 용어가 등장함

삼분법		사분법
고대		고대
중세	→	중세
근대		근대
		현대

3　왕조를 기준으로 시대를 나누는 방법

기준 ③
- 시대 구분 방법 ③: 왕조를 기준으로 나누는 방법
  - 왕조가 바뀌면 여러 분야에 커다란 변화가 일어나므로 시대 구분의 기준으로 삼을 수 있음
  - 고려, 조선 시대를 예로 들어 설명함

4　역사의 시대를 나누는 또 다른 방법들과 의의

기준 ④ ⑤
- 시대 구분 방법 ④: 지배 세력을 기준으로 나누는 방법
- 시대 구분 방법 ⑤: 민족의 흥망을 기준으로 나누는 방법
- 역사의 시대 구분이 지니는 의의

지문 정보 확인　1 ○　2 ○　3 X

지문 Point 분석　주제: 역사의 시대 구분의 필요성과 시대 구분 방법

해제: 역사를 연구할 때 시대를 구분해야 하는 이유와 그 방법에 대해 설명하고 있는 글이다. 시대를 구분하는 이유는 역사를 체계적으로 이해하기 위해서이다. 역사의 시대를 구분하는 방법에는 고대, 중세, 근대로 나누는 삼분법과 삼분법에서 변형된 사분법이 있다. 또한 왕조를 기준으로 시대를 나누거나, 지배 세력, 민족의 흥망 등을 기준으로 시대를 구분하는 것도 가능하다. 이러한 방법들은 모두 역사를 체계적으로 이해하기 위한 것이라 할 수 있다.

지문 구조 한눈에 보기

화제 제시 **1**
역사의 시대 구분이 필요한 이유

↓

구체화 **2 3**	삼분법과 사분법
	왕조를 기준으로 하는 시대 구분
4	지배 세력이나 민족의 흥망을 기준으로 하는 시대 구분

1 ▼ 세부 정보 파악   답 ⑤

윗글의 내용과 일치하지 <u>않는</u> 것은?

⑤ 올바른 시대* 구분* 방법을 선택해야 역사를 체계적으로 이해할 수 있다.

⋯▸ 4문단에서 시대 구분의 여러 방법 중 어떤 것이 옳다거나 그르다고 할 수는 없다고 하였다. 따라서 올바른 시대 구분 방법을 선택해야 한다는 설명은 적절하지 않다.

⊕ 오답 챙기기

① 삼분법은 르네상스 시대의 학자들이 처음 생각해 낸 것이다.

⋯▸ 2문단에서 역사를 고대, 중세, 근대로 나누는 삼분법은 서양의 르네상스 시대 학자들이 처음 생각해 낸 것이라고 하였다.

② 사분법이 등장하게 된 이유는 근대가 너무 길어졌기 때문이다.

⋯▸ 2문단에서 근대 이후에 몇백 년 뒤에 태어난 사람들도 여전히 근대에 살게 되었으므로 현대라는 용어가 등장하게 되었고, 이에 따라 고대, 중세, 근대, 현대의 사분법이 나오게 되었다고 하였다.

③ 왕조*가 바뀌면 정치나 사회 등의 분야*에 큰 변화가 생기게 된다.

⋯▸ 3문단에서 왕조가 바뀌면 정치·경제·사회·사상 등의 여러 분야에 커다란 변화가 일어난다고 하였다.

④ 역사를 몇 개의 시대로 나누는 방법에는 여러 가지가 있을 수 있다.

⋯▸ 이 글에서는 삼분법, 사분법을 비롯해 왕조, 지배 세력, 민족의 흥망 등을 기준으로 역사의 시대를 구분하는 다양한 방법을 소개하고 있다.

> 🎩 **어휘 충전**
> * **시대**(時 때 시 代 대신할 대): 역사적으로 어떤 표준에 의하여 구분한 일정한 기간.
> * **구분**(區 구역 구 分 나눌 분): 일정한 기준에 따라 전체를 몇 개로 갈라 나눔.
> * **왕조**(王 임금 왕 朝 아침 조): 같은 왕가에 속하는 통치자의 계열. 또는 그 왕가가 다스리는 시대.
> * **분야**(分 나눌 분 野 들 야): 여러 갈래로 나누어진 범위나 부분.

중심 내용 찾기

2 ▼ 중심 내용 파악   답 ③

윗글에 제목과 부제*를 붙인 것으로 가장 적절한 것은?

③ 시대 구분의 다양한 방법 – 역사를 체계적 이해하기 위해서

⋯▸ 제목은 그 글에서 가장 핵심적인 내용을 담고 있어야 한다. 또한 부제는 제목에 덧붙는 것으로 제목을 보충해 줄 수 있어야 한다. 이 글은 역사를 연구할 때 쓰이는 다양한 시대 구분 방법을 소개하고 있다. 그리고 글의 첫머리와 끝에서 이것은 역사를 체계적으로 잘 이해하기 위해서라고 밝히고 있다.

⊕ 오답 챙기기

① 나를 이해하는 방법 – 역사를 이해하는 방법과 동일*하게

⋯▸ 이 글에서 중심이 되는 것은 자신을 이해하는 것이 아니라 역사를 이해하는 것이므로 '나를 이해하는 방법'은 제목으로 적절하

지 않다. 1문단에서 자신을 이해할 때 시기를 구분할 필요가 있다고 한 것은, 역사 연구에 시대 구분이 필요함을 설명하기 위해 든 예로 볼 수 있다.

② 역사의 시대 구분 방법의 변화 과정* – 삼분법에서 사분법으로

⋯▸ 이 글에서 다룬 시대 구분 방법은 시간의 흐름에 따라서 변화하는 것이 아니라, 다양한 기준에 따라 여러 가지로 나뉠 수 있는 것이다. 따라서 '역사의 시대 구분 방법의 변화 과정'이라는 제목은 적절하지 않다. 또한 삼분법에서 사분법이 나온 것은 맞지만, 이 글이 삼분법과 사분법만을 다루고 있는 것은 아니므로 부제 역시 적절하지 않다.

④ 시대를 나누는 가장 좋은 방법 – 왕조와 지배 세력을 중심으로

⋯▸ 4문단에서 시대 구분의 여러 방법 중 어떤 것이 옳다거나 그르다고는 할 수는 없다고 하였다. 따라서 '시대를 나누는 가장 좋은 방법'이라는 제목은 적절하지 않으며, 시대를 나누는 여러 방법 중 '왕조와 지배 세력을 중심으로' 설명하고 있는 것도 아니다.

⑤ 왕조의 변화가 역사에 미치는 영향 – 정치와 경제, 사회, 사상의 변화

⋯▸ 3문단에서 왕조를 기준으로 시대를 나누어 이해할 수도 있다고 하였다. 그러나 왕조는 시대를 구분하는 하나의 기준일 뿐이므로 이 글의 핵심적인 내용이라고 볼 수 없다.

> 🎩 **어휘 충전**
> * **부제**(副 버금 부 題 제목 제): 서적, 논문, 문예 작품 따위의 제목에 덧붙여 그것을 보충하는 제목.
> * **동일**(同 같을 동 一 하나 일): 어떤 것과 비교하여 똑같음.
> * **과정**(過 지날 과 程 단위 정): 일이 되어 가는 경로.

3 ▼ 어휘의 문맥적 의미 파악   답 ④

밑줄 친 단어 중 ㉠과 의미가 가장 비슷한 것은?

④ 법에 따라 일을 처리하는 것이 가장 공정하다.

⋯▸ '지배 세력에 따라서 시대를 나누면'은 '지배 세력을 기준으로 시대를 나누면'으로 바꾸어 이해할 수 있다. 따라서 ㉠의 '따르다'는 '어떤 경우, 사실이나 기준 따위에 의거하다.'의 뜻으로 쓰인 것으로, 이와 가장 유사한 의미로 쓰인 것은 ④번의 '따르다'이다.

⊕ 오답 챙기기

① 우리 집 강아지는 아버지를 유난히 <u>따른다</u>.

⋯▸ '좋아하거나 존경하여 가까이 좇다.'의 의미로 쓰였다.

② 개발에 <u>따른</u> 공해 문제를 꼭 해결해야 한다.

⋯▸ '어떤 일이 다른 일과 더불어 일어나다.'의 의미로 쓰였다.

③ 아무도 어머니의 음식 솜씨를 <u>따를</u> 수 없다.

⋯▸ '앞선 것을 좇아 같은 수준에 이르다.'의 의미로 쓰였다.

⑤ 우리는 선생님이 보여 주는 동작을 그대로 <u>따라서</u> 했다.

⋯▸ '남이 하는 대로 같이 하다.'의 의미로 쓰였다.

공공 미술이란 무엇인가

출전 구본호, 『공공 미술, 도시의 지속성을 논하다』 **지문 난이도** ★★☆☆☆

(1,276자)

❶ » 공공 미술이란 말 그대로 '미술'과 '공공적인 가치'의 만남이다. 도심 속에서 흔히 볼 수 있는 공공 미술은 크게 두 가지로 분류된다. 하나는 우리나라의 건축물 미술 장식 제도와 같이 공공 미술을 제작하는 데 필요한 자금을 법에 따라 마련하는 것이다. 다른 하나는 정부나 지방 자치 단체의 지원 사업으로 공공 미술을 조성하는 것인데, 기존의 건축물 미술 장식 제도가 보여 주지 못했던 공공 미술의 새로운 효용을 보여 주고 있다.

❷ » 공공 미술은 그 필요성이 높아지고 효용성이 입증됨에 따라 조금씩 그 개념의 영역이 넓어지고 있다. 요즘에는 간판이나 아이들 놀이터의 놀이 기구, 심지어는 공연, 교육 프로그램 등의 문화 프로그램까지 공공 미술의 영역에 포함된다. 그래서 이러한 시민들의 문화적인 삶의 질 향상에 기여하는 다양한 활동을 포함시키기 위해서 공공 예술이라는 포괄적인 용어를 사용하자는 주장을 하기도 한다.

❸ » 공공 미술은 사전적으로는 미술관 안에 전시되었던 미술 작품들이 일반 대중을 위해 도시의 광장이나 공원과 같이 공개된 장소에 설치되는 것을 지칭하며, 공공 미술의 장소 자체를 위한 디자인 등을 포함하는 것이라 할 수 있다. 공공 미술이 설치되는 장소는 대부분 광장이나 공원 같은 도시 주거 지역이며, 작품 장르는 조각, 벽화, 도로 포장 디자인, 버스 정류장, 지하철, 도로 정보 디자인 등 다양하다.

❹ » 사실 1960년대 말에서 1980년대에 이르기까지 공공 미술은 '공공장소'라는 의미를 강조해 왔으며, 1990년대에 들어서면서 장소 그 자체보다는 그 장소에서 이루어지는 소통에 주목하게 되었다. 그러므로 미술관이나 갤러리에서 벗어나 도시와 지역의 공공장소나 공간에서 이루어지는 새로운 유형의 다양한 미술 활동들, 예를 들어 미술가들이 낙후된 도시 지역이나 시골 마을에서 주민들과 함께 담장에 벽화를 그려 넣고 간판을 바꾸며, 지역의 문화와 역사적 기억들을 되살려 내는 시도를 하거나, 건축가와 디자이너들과 함께 도심에 소공원, 분수, 의자와 같은 편의 시설을 설치하는 등의 작업들 모두가 공공 미술로 불리고 있는 것이다.

❺ » 즉 초기의 공공 미술이 공공의 개념을 장소에만 관련시켜 작품을 만들고 그것을 바라보는 수용자인 대중의 취향을 반영하지 못하였다면, 요즘의 공공 미술은 장소를 물리적 장소로 보지 않고 사회적, 문화적, 정치적 소통의 공간으로 본다. 또한 장소에 맞는 작품으로 지역 공동체와 관람객의 참여, 일시적 작업 등을 제안하기도 한다. 현재 국가 또는 민간 주도로 이루어지고 있는, 대중의 참여와 관심을 불러일으키는 다양한 예술 프로젝트 등이 그러한 것들이다.

---

1 공공 미술의 개념과 유형
- 공공 미술의 기본적 개념: 미술 + 공공적인 가치
- 공공 미술의 두 가지 유형
  - 공공 미술을 제작하는 데 필요한 자금을 법에 따라 마련하는 것
  - 정부나 지방 자치 단체 지원 사업으로 공공 미술을 조성하는 것

2 공공 미술의 개념 영역이 확장되는 현실
- 공공 미술의 개념 영역이 넓어지고 있는 현실

> 간판, 놀이 기구, 문화 프로그램 등도 포함됨
> ↓
> '공공 예술'이라는 포괄적 용어를 사용하자는 주장이 등장함

3 공공 미술의 사전적 의미와 장소들
- 공공 미술의 사전적 의미
  - 미술 작품들이 대중을 위해 공개된 장소에 설치되는 것
  - 공공 미술의 장소 자체를 위한 디자인 등을 포함
- 공공 미술의 설치 장소와 작품 장르

4 공공 미술의 개념 변화
- 공공 미술의 개념이 변화·확장됨
  - 1960년대 말~1980년대: 공공장소라는 의미 강조
  - 1990년대 이후: 장소 그 자체보다는 그 장소에서 이루어지는 소통에 주목

5 공공 미술에 대한 인식 변화
- 초기의 공공 미술
  - 공공의 개념을 장소에만 관련시킴
  - 대중의 취향을 반영하지 못함
- 요즘의 공공 미술
  - 장소를 사회적, 문화적, 정치적 소통의 공간으로 봄
  - 작품으로 지역 공동체와 관람객 참여 등을 제안하기도 함

✎ **지문 정보 확인** 1 X 2 ○ 3 X

지문 Point 분석 주제: 공공 미술의 개념

해제: 공공 미술이란 무엇인가에 대해 설명하고 있는 글이다. 공공 미술은 공공적인 가치를 추구하는 미술을 의미하며, 점차 그 개념이나 범위가 넓어지고 있다. 초기에는 공공장소에서의 미술의 의미가 강했다면, 최근에는 공공의 소통을 더 많이 강조하게 되었다. 이에 따라 여러 사람이 참여하는 다양한 형태의 예술이 공공 미술의 영역 안으로 들어오게 되었다.

지문 구조 한눈에 보기

화제 제시 ❶
공공 미술의 개념 영역 확장

구체화

❷ ❸	공공 미술의 사전적 의미와 요소들
❹ ❺	공공 미술의 개념 및 인식 변화

중심 내용 찾기

1 ▼ 핵심 내용 파악   답 ①

윗글의 핵심 내용으로 가장 적절한 것은?

① 공공 미술의 개념과 성격

⋯▶ 이 글에서는 공공 미술이 무엇인지 그 기본적인 개념을 설명하고, 개념 영역이 넓어지는 양상에 따라 변화되는 공공 미술의 성격에 대해 소개하고 있다. 따라서 이 글의 핵심 내용은 공공 미술의 개념과 성격이라고 볼 수 있다.

➕ 오답 챙기기

② 공공 미술의 필요성과 가치

⋯▶ 2문단에서 공공 미술의 필요성이 높아지고 있다고는 하였으나 그 필요성이 무엇인지에 대해서는 구체적으로 언급하지 않았으므로, 공공 미술의 필요성과 가치를 핵심 내용으로 볼 수는 없다.

③ 시기별 공공 미술의 주요 특성

⋯▶ 4문단에서 1960년대 말에서 1980년대까지의 시기와 1990년대 이후 공공 미술의 개념이 변화한 것에 대해 설명하고 있기는 하지만, 시기별 공공 미술의 특성을 제시하고 있지는 않다.

④ 공공 미술에 대한 대중의 인식

⋯▶ 이 글에서 공공 미술의 필요성이 높아지고 개념 영역이 넓어지면서 대중의 참여가 늘어나고 있다는 것은 확인할 수 있다. 그러나 대중이 공공 미술에 대해 어떻게 인식하고 있는지는 구체적으로 드러나 있지 않다.

⑤ 공공 미술과 공공 예술의 차이점

⋯▶ 2문단에서 공공 미술의 개념이 확장됨에 따라 보다 넓은 의미를 가리킬 수 있는 '공공 예술'이라는 용어를 사용하자는 주장이 있다고 한 것으로 보아, 공공 미술보다는 공공 예술이 더 넓은 범위를 지시할 수 있음을 추측해 볼 수 있다. 그러나 이 글의 핵심은 공공 미술의 개념을 밝히는 것이지, 공공 미술과 공공 예술의 차이점을 부각하는 것은 아니므로 적절하지 않다.

2 ▼ 구체적 사례에의 적용   답 ④

윗글을 바탕으로 〈보기〉의 활동을 이해한 내용으로 적절하지 않은 것은?

> 보기
>
> ○○군은 지난 25일부터 양일*간 △△ 마을에서 지역 내 청소년 60명과 함께 아름다운 ○○를 가꾸기 위해 벽화 그리기 활동을 펼쳤다. '청소년 우리 지역 가꾸기 사업'으로 실시된 이 날 활동은 청소년들에게 지역 사회에 대한 자발적*인 관심을 이끌어 내고, 친구들과 서로 협동하는 작업을 통해 공동체 의식 함양*에 도움을 주는 뜻깊은 시간이 되었다.
>
> 활동에 참석한 ○○고 학생은 "비록 전문가처럼 멋지게 그리진 못했지만 노력과 마음이 담긴 그림이라 그런지 어떤 그림보다 빛나 보인다."며 "동네 어르신들이 그림을 보고 좋아해 주셨으면 좋겠다."고 소감을 전했다. 담당자인 ○○군 문화 청소년 과장은 "청소년들이 지역 사회의 구성원*으로서 참여하며 열정을 쏟은 좋은 결과물이 나온 것 같다."며 "앞으로도 청소년들과 지역 사회에 도움이 되는 다양한 프로그램을 시행하겠다."고 말했다.

④ △△ 마을의 벽화 공간의 물리적 성격을 중심으로 인식한 것이다.

⋯▶ 〈보기〉는 지역 공동체의 구성원이 참여한 공공 미술 프로젝트 사례를 소개한 기사문이다. 마을을 가꾸기 위한 벽화 그리기 활동에 지방 자치 단체가 프로그램을 진행하고 청소년들이 참여하였다. 이는 4문단에서 언급한 요즘의 공공 미술에 대한 개념을 반영한 사례로, 장소 자체보다는 장소에서 이루어지는 소통과 참여를 중시한 활동으로 볼 수 있다. 또한 5문단에 따르면 이러한 활동은 공공 미술이 장소를 물리적 개념으로만 보지 않고, 사회적, 문화적, 정치적 소통의 공간으로 인식한 것으로 볼 수 있다. 따라서 벽화 공간의 물리적 성격을 중심으로 인식한 것이라는 진술은 적절하지 않다.

➕ 오답 챙기기

① 지역의 공공장소에서 이루어진 공공 미술이다.

⋯▶ 〈보기〉를 보면 해당 지역을 아름답게 가꾸기 위해 개방된 공간의 벽화 그리기 사업을 진행한 것이므로 공공장소에 이루어진 공공 미술로 볼 수 있다.

② 지역 주민들의 삶의 질 향상에 기여*하는 활동이다.

⋯▶ 2문단에서 최근의 공공 미술은 개념 영역이 점점 넓어지고 있으며, 시민들의 문화적인 삶의 질 향상에 기여하는 다양한 활동을 포함한다고 하였다. 따라서 〈보기〉의 공공 미술 사례 역시 주민들의 삶의 질 향상에 기여한다고 볼 수 있다.

③ 지역 공동체의 구성원이 직접 참여한 형태의 공공 미술이다.

⋯▶ 〈보기〉의 벽화 그리기 활동은 지역 내 청소년들과 지방 자치 단체가 직접 참여한 것으로 '청소년 우리 지역 가꾸기 사업'이라는 제목이 붙었다. 따라서 지역 공동체의 구성원이 직접 참여한 형태의 공공 미술로 볼 수 있다.

⑤ 공공 미술의 효용을 보여 주면서 점차 영역이 확대되고 있는 활동이다.

⋯▶ 2문단에서 공공 미술은 그 필요성이 높아지고 효용성이 입증됨에 따라 조금씩 그 개념의 영역이 넓어지고 있다고 하였다. 또한 〈보기〉의 담당자도 앞으로 다양한 프로그램을 실시할 예정이라고 밝히고 있으므로 적절한 설명이다.

어휘 충전

* **양일**(兩 두 양 日 날 일): 두 날.
* **자발적**(自 스스로 자 發 필 발 的 과녁 적): 남이 시키거나 요청하지 아니하여도 자기 스스로 나아가 행하는 것.
* **함양**(涵 젖을 함 養 기를 양): 능력이나 품성 따위를 길러 쌓거나 갖춤.
* **구성원**(構 얽을 구 成 이룰 성 員 관원 원): 어떤 조직이나 단체를 이루고 있는 사람들.
* **기여**(寄 부칠 기 與 더불 여): 도움이 되도록 이바지함.

STUDY 01

어휘 확인

1 ㉣	2 ㉠	3 ㉡	4 ㉢	5 ㉺
6 ㉢	7 ㉣	8 ㉣	9 ㉠	10 ㉡
11 중세	12 흥망	13 조성	14 기존	15 포괄

넛지, 부드러운 설득의 힘

지문 난이도 ★★★☆☆

(1,290자)

1 » 옛날에 해와 바람이 누가 더 힘이 센지 내기를 했다. 마침 지나가는 나그네를 보고 누가 그의 외투를 벗겨 낼 수 있는지 겨루기로 했다. 바람이 먼저 나섰다. 힘을 다해 세게 불었지만 그럴수록 나그네는 외투를 단단히 여미었다. 이번에는 해가 나섰다. 따뜻한 햇살을 가만히 비추자 나그네는 자연스럽게 외투를 벗었다.

2 » 이렇게 자연스럽게 사람의 행동을 변화시키는 이야기와 관련해서 '넛지 효과'라는 이론이 있다. 넛지(nudge)란 '팔꿈치로 살짝 찌르다.'라는 의미를 지닌 말로 '어떤 일을 강요하기보다는 스스로 자연스럽게 행동을 변화하도록 하는 유연한 개입'을 말한다. 다시 말해 팔을 잡아끄는 것처럼 강제와 지시에 의한 억압보다는 팔꿈치로 툭 치는 것과 같은 부드러운 개입으로 자발적인 선택을 유도하여 목적을 달성하는 것인데, 이를 ⊙'넛지 효과'라고 한다.

3 » 넛지 효과의 대표적인 예를 들어 보자. 브라질에서는 택시를 타는 승객들이 안전벨트를 착용하지 않는 것이 큰 문제였다. 그래서 유명 자동차 회사와 광고 대행사가 안전벨트 매기 공익 캠페인을 함께 실시했다. 이 캠페인 기간 동안 캠페인 대상이었던 택시를 탄 승객은 4,500명 이상이었는데, 놀랍게도 이들은 모두 자발적으로 안전벨트를 맸다. 택시 안에는 이런 안내문이 걸려 있었다. "안전벨트를 매면 무료로 와이파이가 제공됩니다." 강요나 강제가 아닌 작은 넛지를 통해 자발적으로 안전벨트를 매도록 유도한 것이다. 또 다른 예로 어느 기업이 지하철 역 계단을 피아노 건반처럼 만들었는데, 밟으면 피아노 소리가 나는 이 계단에 많은 사람이 재미를 느꼈고, 계단을 이용하도록 권장하는 특별한 조치가 없었음에도 불구하고 에스컬레이터를 타지 않고 계단을 이용하는 사람들이 66%나 늘었다고 한다. 이 피아노 계단 역시 넛지 효과를 잘 활용한 사례이다.

4 » 하지만 넛지 효과가 이처럼 긍정적인 측면만 있는 것은 아니다. 최근 많은 기업이 소비자의 이익은 뒤로 하고 기업만의 이익을 위해 넛지를 이용하는 사례가 등장하고 있기 때문이다. 소비자가 손해를 볼 수 있는 주의 사항이나 표기를 반드시 해야 하지만 꼭 알리고 싶지 않은 약점을 작게 표시하거나, 유료 이용을 무료 이용처럼 보이게 하는 유도 방식 등은 넛지를 악용한 사례이다.

5 » 그러나 넛지 효과는 이런 부작용에도 불구하고 사람의 마음을 열고 움직이는 데 큰 힘을 발휘하고 있으며, 따라서 이를 적극 활용하는 움직임이 확산되고 있다. 사람들이 선택을 할 때 부드럽게 원하는 곳으로 이끌어 내는 힘, 넛지는 큰 비용을 들이지 않고 사람들의 자유 의지를 존중하면서도 긍정적인 태도 변화를 이끌어 내는 데 그 의의가 있다.

긍정적 사례

부정적 사례

지문 구조 해설

1 중심 화제와 관련된 우화 제시
- 우화 제시 – 중심 화제에 대한 독자의 이해를 돕고 흥미를 유발하는 효과가 있음
- 자연스럽게 사람의 행동을 변화시키는 넛지의 성격과 비슷함

2 넛지와 넛지 효과의 개념
- 중심 화제 제시
- 넛지의 개념: 강요에 의해서가 아닌 스스로 행동을 변화하도록 하는 부드러운 개입
- 넛지 효과의 개념: 부드러운 개입으로 자발적 선택을 유도하여 목적을 달성하는 것

3 넛지 효과의 구체적 사례 – 긍정적 측면
- 브라질 택시의 안전벨트 매기 공익 캠페인: '안전벨트를 매면 무료로 와이파이가 제공됩니다.'라는 넛지를 활용함
- 지하철 역 피아노 계단: 지하철 역 계단을 피아노 건반처럼 만들어 사람들이 자발적으로 에스컬레이터 대신 계단을 이용하도록 유도함

4 넛지 효과의 구체적 사례 – 부정적 측면
- 넛지 효과의 부정적 사례: 기업들이 자신들의 이익을 위해 넛지를 악용함

5 넛지 효과의 의의
- 넛지 효과의 의의: 적은 비용으로 사람들의 자율성을 존중하면서도 긍정적인 태도 변화를 이끌어 냄

지문 구조 한눈에 보기

우화 및 중심 화제 제시 **1** **2**

↓

구체화 **3** **4**
- 넛지 효과의 구체적 사례 – 긍정적 측면
- 넛지 효과의 구체적 사례 – 부정적 측면

↓

의의 **5**

지문 정보 확인　1 ○　2 ○　3 X

지문 Point 분석　주제: 넛지 효과의 개념과 의의

해제: 넛지 효과의 개념과 그 의의에 대해 설명하고 있는 글이다. '넛지'란 '팔꿈치로 살짝 찌르다.'라는 의미를 지닌 말로 '어떤 일을 강요하기보다는 스스로 자연스럽게 행동을 변화하도록 하는 유연한 개입'을 말한다. '넛지 효과'는 이처럼 강제와 지시에 의한 억압보다는 팔꿈치로 툭 치는 것과 같은 부드러운 개입으로 사람들의 자발적인 선택을 유도하는 것인데, 비용을 많이 들이지 않고 사람들의 자유의지를 존중하면서도 의도된 결과를 유발한다는 데 그 의의가 있다.

1 ▼ 글쓴이의 의도 및 관점 파악   답 ②

윗글의 글쓴이가 설명하고 있는 '넛지 효과'의 의도를 반영한 계획으로 볼 수 없는 것은?

② 대여한 책의 반납 기간이 지나면 높은 연체료를 내게 해서 도서가 연체되는 것을 방지하도록 해야겠어.

⋯ 2문단에서 넛지 효과는 강제와 지시에 의한 억압보다는 부드러운 개입으로 자연스럽게 사람의 행동 변화를 유도하는 것이라고 하였다. 이로 볼 때 빌린 책의 반납 기간이 지나면 높은 연체료를 부과하여 도서가 연체되는 것을 방지하는 것은 부드러운 개입이라기보다는 강제와 지시에 의한 효과라고 볼 수 있다.

➕ 오답 챙기기

① 쓰레기 무단* 투기*가 많은 곳에 예쁜 화단*을 꾸며서 그곳에 쓰레기 버리는 사람을 줄이도록 해야겠어.

⋯ '이곳에 쓰레기를 버리지 마시오.'라는 문구보다는 예쁜 화단을 꾸며서 쓰레기 버리는 사람을 줄이겠다는 것은 부드러운 개입으로 자연스럽게 사람들의 행동 변화를 유도하는 넛지 효과의 의도를 잘 살린 계획으로 볼 수 있다.

③ 잘 팔리지 않는 상품에 '2+1', '특가 제품' 등의 광고 문구를 붙여서 해당 상품의 매출*을 늘리도록 해야겠어.

⋯ '2+1', '특가 제품' 등의 광고 문구를 통해 소비자가 자발적으로 해당 상품을 구매하도록 하겠다는 것은 넛지 효과의 의도를 잘 살린 계획으로 볼 수 있다.

④ 장난감을 넣은 투명 비누를 어린이들에게 나누어 주는 캠페인을 벌여 아이들이 즐겁게 손을 자주 씻어 감염병*을 예방하도록 해야겠어.

⋯ 감염병을 예방하기 위해 '손을 자주 씻어야 한다.'라는 말보다는 투명 비누 속에 아이들이 좋아하는 장난감을 넣어 아이들이 자주 손을 씻도록 유도하겠다는 것이므로 넛지 효과의 의도를 잘 살린 계획으로 볼 수 있다.

⑤ '세금을 내지 않으면 처벌을 받게 됩니다.'라는 안내문보다는 '주민의 90% 이상이 세금을 냈습니다.'라는 안내문을 보내서 더 많은 사람이 스스로 세금을 내도록 해야겠어.

⋯ '세금을 내지 않으면 처벌을 받게 된다.'라는 안내문은 강제와 지시의 성격이 강하므로 이보다는 '주민의 90% 이상이 세금을 냈습니다.'라는 부드러운 내용의 안내문을 통해 더 많은 사람이 스스로 세금을 내도록 하겠다는 것은 넛지 효과의 의도를 잘 살린 계획으로 볼 수 있다.

> **어휘충전**
> * **무단**(無 없을 무 斷 끊을 단): 미리 승낙을 얻지 않음.
> * **투기**(投 던질 투 棄 버릴 기): 내던져 버림.
> * **화단**(花 꽃 화 壇 단 단): 꽃을 심기 위해 흙을 높게 쌓아 꾸민 꽃밭.
> * **매출**(賣 팔 매 出 날 출): 물건을 내어 팖.
> * **감염병**(感 느낄 감 染 물들일 염 病 병 병): 병원체가 몸 안에 들어가 증식하여 일으키는 병을 통틀어 이르는 말.

2 ▼ 핵심 정보 파악   답 ④

윗글의 ㉠과 〈보기〉의 ㉡을 비교하여 이해한 내용으로 적절하지 않은 것은?

> **보기**
> 개인의 선택이 사회의 공익*이나 개인의 이익에 맞지 않는 경우 정부가 개인이 바람직한 선택을 할 수 있도록 개인의 의사 결정에 강제적 개입을 할 수 있다는 주장을 ㉡'온정적* 간섭주의'라고 한다. 정부가 안전벨트 착용을 의무화하거나 공공장소에서의 흡연을 금지하는 정책 등은 개인의 안전과 건강을 보호해 주는 측면에서 정당화*되는 대표적인 예이다.

④ ㉠과 ㉡ 모두 개인에게 유익*한 결과만을 유도하는 효과가 있다.

⋯ 4문단에서 기업들이 소비자의 이익을 뒤로 하고 기업만의 이익을 위해 넛지 효과를 악용하는 사례도 등장하고 있다고 하였다. 예를 들어 유료 이용을 무료 이용처럼 보이게 하여 소비자를 잘못된 선택으로 이끄는 것은 개인에게 유익한 결과를 유도하는 행위로 볼 수 없다. 따라서 〈보기〉의 온정적 간섭주의(㉡)는 개인에게 유익한 결과를 유도하지만 넛지 효과(㉠)는 부정적인 결과를 유도하는 사례도 있으므로 적절하지 않은 진술이다.

➕ 오답 챙기기

① ㉠이 자율적 성격을 지니고 있다면, ㉡은 강제적 성격이 강하다.

⋯ 2문단에서 넛지 효과는 부드러운 개입으로 자발적인 선택을 유도한다고 하였고, 〈보기〉에서 온정적 간섭주의는 정부가 개인의 의사 결정에 강제적 개입을 할 수 있다고 하였다.

② ㉠과 달리 ㉡은 법적 성격을 지니고 있어 의무적으로 해야 하는 것이다.

⋯ 2문단에서 넛지 효과는 강제와 지시에 의해서가 아닌 스스로 자연스럽게 행동을 변화하도록 유도하는 것이라고 하였다. 이와 달리 〈보기〉에서 온정적 간섭주의는 정부가 안전벨트 착용이나 공공장소에서의 흡연 금지를 의무화한다고 하였다.

③ ㉡과 달리 ㉠은 기업의 영리적*인 목적에도 활용되고 있다.

⋯ 〈보기〉에서 온정적 간섭주의는 사회의 공익이나 개인의 이익을 위해 정부가 개인의 의사 결정에 간섭하는 것이라고 하였다. 이와 달리 4문단을 보면 기업이 자신들의 이익을 위해 넛지 효과를 이용하는 사례가 제시되어 있으므로 넛지 효과는 기업의 영리적인 목적에도 활용되고 있음을 알 수 있다.

⑤ ㉠과 ㉡ 모두 외부의 개입에 의해 사람의 행동 변화가 나타난다.

⋯ 넛지 효과는 외부의 부드러운 개입으로, 온정적 간섭주의는 정부의 강제적 개입으로 사람들의 행동 변화를 유도한다.

> **어휘충전**
> * **공익**(公 공변될 공 益 더할 익): 사회 전체의 이익.
> * **온정적**(溫 따뜻할 온 情 뜻 정 的 과녁 적): 따뜻한 인정을 가진. 또는 그런 것.
> * **정당화**(正 바를 정 當 마땅할 당 化 될 화): 이치에 맞아 바르고 마땅한 것으로 만듦.
> * **유익**(有 있을 유 益 더할 익): 이롭거나 도움이 됨.
> * **영리적**(營 경영할 영 利 이로울 리 的 과녁 적): 재산상의 이익을 꾀하는. 또는 그런 것.

신문고는 왜 치기 어려웠을까?

지문 난이도 ★★☆☆☆

(1,290자)

❶ ❯ ㉠신문고는 조선 시대에 왕이 억울한 일을 당한 백성들의 사정을 직접 듣고 그 문제를 해결해 주기 위해 궁궐 밖에 걸어 놓은 북이다. 신문고를 칠 수 있는 경우는 두 가지였는데, 하나는 목숨에 관련되는 범죄를 신고할 때였고, 또 다른 하나는 정말 아주 억울한 일을 당했을 때였다. 하지만 ⓐ신문고를 치는 일은 쉽지 않았다.

❷ ❯ 먼저 신문고를 치려면 아주 까다로운 절차를 거쳐야 했다. 예를 들어 경상도에 사는 만수가 억울한 일이 생겨 신문고를 치기로 했다고 생각해 보자. 그러려면 만수는 먼저 자신이 살고 있는 곳의 관청에 신고를 하고 확인서를 받아야 한다. 하지만 관청의 수령들은 자기 고을의 백성이 왕에게 억울함을 하소연하는 것을 원하지 않았기 때문에 확인서를 잘 써 주지 않았다. 겨우겨우 고을 수령에게 확인서를 받으면 경상도 관찰사에게 또 확인서를 받아야 하고, 그다음에는 서울에 있는 사헌부에 가서 또 다시 확인서를 받아야 한다. 이렇게 세 장의 확인서를 들고 의금부 관리를 찾아가 허락을 받아야만 겨우 신문고를 칠 수 있었다. 이렇게 지나치게 까다로운 절차 때문에 백성들이 실제로 신문고를 치는 경우는 거의 없었다.

❸ ❯ 또 백성들이 신문고를 치기 어려웠던 이유는 신문고가 서울에 설치되어 있었기 때문이다. 교통이 발달하지 않았던 조선 시대에 신문고를 치기 위해 일부러 서울로 올라오기란 쉬운 일이 아니었던 것이다. 이외에도 조선 시대의 신분 제도로 인해 계급이 낮은 관리가 윗사람을 고발하거나 백성들이 지방 관리를 고발하기라도 하면 오히려 벌을 받았기 때문에 백성들은 신문고 치는 것을 꺼려했다.

❹ ❯ 한편 이런 힘든 과정을 거쳐서 신문고를 친다고 해도 왕이 직접 나와서 억울함을 해결해 주는 경우는 거의 없었기 때문에 신문고는 제 역할을 하지 못하고 곧 애물단지가 되고 말았다.

❺ ❯ 이후에 조정은 신문고 제도 대신에 꽹과리를 ⓑ쳐서 자신의 억울함을 알리는 ㉡'격쟁'이라는 제도를 만들었다. 그런데 격쟁 제도를 이용해서 왕에게 억울함을 호소하려면 왕이 궁궐 밖으로 나올 때까지 무작정 기다려야 했다. 마침내 왕이 궁궐 밖으로 나오면 억울한 일을 당한 백성은 꽹과리를 깨갱깨갱 쳐서 왕의 눈길을 끌어 왕이 그 이유를 물으면 그제야 겨우 자신의 억울함을 말할 수 있었다. 물론 꽹과리 외에도 높은 곳에 올라가 크게 소리를 질러 왕의 주목을 끌거나, 나뭇가지에 글을 써 붙여 왕의 눈길을 끈 후 억울함을 호소하기도 했다. 하지만 격쟁 제도도 그리 오래가지는 못했다. 왜냐하면 백성들이 지나치게 사소한 문제로도 이 제도를 이용했기 때문이다. 그러자 15세기 후반부터는 함부로 격쟁하는 것을 금지하는 법을 만들기도 했다.

지문 구조 해설

1 신문고의 설치 목적과 신문고를 칠 수 있는 경우
- 신문고의 설치 목적: 백성들의 억울한 일을 왕이 직접 해결해 주기 위함
- 신문고를 칠 수 있는 경우: 목숨에 관련된 범죄를 신고할 때와 아주 억울한 일을 당했을 때
- 중심 화제 제시

2 신문고를 치기 어려웠던 이유 ①, ②
- 신문고를 치기 어려웠던 이유 ①: 관청의 수령들이 자기 고을의 백성이 왕에게 억울함을 호소하는 것을 원하지 않았음
- 신문고를 치기 어려웠던 이유 ②: 여러 단계의 까다로운 절차를 거쳐야 했음

3 신문고를 치기 어려웠던 이유 ③, ④
- 신문고를 치기 어려웠던 이유 ③: 불편한 교통 사정으로 인해 서울에 설치된 신문고를 치기 어려웠음
- 신문고를 치기 어려웠던 이유 ④: 신분 제도로 인해 자신보다 신분이 높은 사람을 고발하면 처벌을 받았음

4 신문고 제도의 한계
- 신문고 제도의 한계: 신문고를 치더라도 왕이 직접 나와 해결해 주는 경우는 거의 없었음

5 신문고를 대신한 격쟁 제도
- 격쟁 제도: 꽹과리를 쳐서 자신의 억울함을 왕에게 호소하는 제도
- 격쟁 제도의 한계: 백성들이 지나치게 사소한 문제로도 이를 이용해 오래가지 못함

이유 ①②

이유 ③④

✏ 지문 정보 확인 1 ◯ 2 ✕ 3 ◯

지문 Point 분석 주제: 조선 시대의 다양한 상소 제도와 신문고를 치기 어려웠던 이유

해제: 조선 시대 백성들이 왕에게 자신의 억울함을 호소하는 상소 제도의 종류와 대표적 상소 제도인 신문고를 치기 어려웠던 이유에 대해 설명하고 있는 글이다. 신문고는 왕이 억울한 일을 당한 백성들의 사정을 직접 듣고 그 문제를 해결해 주기 위해 궁궐 밖에 설치한 북이었지만, 까다로운 절차와 교통 수단의 열악함, 신분 제도의 한계 등으로 인해 실제로 백성들이 북을 친 경우는 거의 없었다. 또한 북을 치더라도 왕이 직접 나와서 해결해 주는 경우가 거의 없었으므로 제 역할을 하지 못했다. 이후 조정은 신문고 제도 대신에 격쟁이라는 제도를 만들었지만 백성들이 사소한 문제로도 이를 이용했기 때문에 오래가지 못하고 오히려 격쟁하는 것을 금지하는 법이 만들어지기도 했다.

지문 구조 한눈에 보기

중심 화제 제시 **1**
↓
구체화 **2 3**
신문고를 치기 어려웠던 이유
①, ②, ③, ④
↓
한계 및 대안 제시 **4 5**
신문고 제도의 한계 및 대안 (격쟁 제도) 제시

1　▼ 세부 정보 파악　　　　　　　　　　답 ③

㉠과 ㉡에 대한 이해로 적절하지 <u>않은</u> 것은?

③ ㉠과 ㉡ 모두 정식* 절차*가 필요했던 제도이다.

⋯ 2문단에서 신문고(㉠)는 해당 관청에 신고를 하고, 고을 수령, 관찰사, 사헌부의 확인서를 각각 받은 후 의금부의 허락을 받아야만 정식적으로 칠 수 있었다고 하였다. 반면에 5문단에서 격쟁(㉡)은 왕이 궁궐 밖으로 나올 때까지 무작정 기다렸다가 왕이 궁궐 밖으로 나오면 꽹과리를 쳐서 자신의 억울함을 호소할 수 있었다고 하였으므로 정식적인 절차를 거쳤다고 볼 수 없다.

➕ 오답 챙기기

① ㉠과 달리 ㉡은 개인의 사소한* 문제를 해결하는 데도 이용되었던 제도이다.

⋯ 1문단에서 신문고를 칠 수 있는 경우는 목숨에 관련되는 범죄를 신고할 때와, 정말 아주 억울한 일을 당했을 때였다고 하였다. 반면에 5문단에서 격쟁은 백성들이 지나치게 사소한 문제로도 이 제도를 이용했다고 하였다.

② ㉡은 ㉠이 제 역할*을 하지 못했기 때문에 만들어진 제도이다.

⋯ 4문단에서 신문고를 친다고 해도 왕이 직접 나와서 억울함을 해결해 주는 경우는 거의 없었기 때문에 신문고는 제 역할을 하지 못했다고 하였다. 그래서 조정은 이후에 신문고 제도 대신에 꽹과리를 쳐서 자신의 억울함을 알리는 '격쟁'이라는 제도를 만들었다고 5문단에 제시되어 있으므로 격쟁은 신문고가 제 역할을 하지 못했기 때문에 만들어진 제도라고 볼 수 있다.

④ ㉠과 ㉡ 모두 궁궐 밖에서 이용되었던 제도이다.

⋯ 1문단에서 신문고는 궁궐 밖에 걸어 놓은 북이라고 하였고, 5문단에서 격쟁은 왕이 궁궐 밖으로 나오면 억울한 일을 당한 백성이 꽹과리를 쳐서 왕의 눈길을 끌었다고 하였다. 따라서 신문고와 격쟁은 모두 궁궐 밖에서 이루어졌던 제도라고 할 수 있다.

⑤ ㉠과 ㉡ 모두 백성들이 억울한 일을 당했을 때 왕에게 호소하는 제도이다.

⋯ 1문단에서 신문고는 정말 아주 억울한 일을 당했을 때 칠 수 있다고 하였고, 5문단에서 격쟁은 꽹과리를 쳐서 자신의 억울함을 알리는 제도라고 하였다.

어휘 충전

* 정식(正 바를 정 式 법 식): 정당한 방식이나 방법. 규정대로의 방식.
* 절차(節 마디 절 次 버금 차): 일의 순서나 방법.
* 사소(些 적을 사 少 적을 소)한: 보잘것없이 작거나 적은.
* 역할(役 부릴 역 割 나눌 할): 자기가 마땅히 해야 할 맡은 바 책임이나 임무.

2　▼ 핵심 내용 파악　　　　　　　　　　답 ②

ⓐ의 이유로 적절하지 <u>않은</u> 것은?

② 왕이 직접 나와 사건을 해결해 주는 경우가 드물었기 때문에

⋯ 4문단에서 힘들게 신문고를 친다고 해도 왕이 직접 나와서 억울함을 해결해 주는 경우는 거의 없었다고 하였는데, 이는 신문고가 제 역할을 다하지 못한 이유에 해당하는 것으로, 신문고를 치기 어려웠던 직접적인 이유에 해당하는 것은 아니다.

➕ 오답 챙기기

① 신문고를 치려면 여러 단계의 절차를 거쳐야 했기 때문에

⋯ 2문단에서 신문고를 치려면 아주 까다로운 절차를 거쳐야 했으므로 실제로 신문고를 치는 경우는 거의 없었다고 하였다.

③ 자신보다 신분이 더 높은 사람을 고발하면 벌을 받았기 때문에

⋯ 3문단에서 조선 시대의 신분 제도로 인해 계급이 낮은 관리가 윗사람을 고발하거나 백성들이 지방 관리를 고발하기라도 하면 오히려 벌을 받았기 때문에 백성들은 신문고 치는 것을 꺼려했다고 하였다.

④ 교통이 발달하지 않아 신문고를 치러 서울로 가기 어려웠기 때문에

⋯ 3문단에서 신문고는 서울에 설치되어 있어서 교통이 발달하지 않은 조선 시대에 지방에서 신문고를 치러 일부러 서울로 올라오기란 쉬운 일이 아니었다고 하였다.

⑤ 수령들이 자기 고을의 백성이 신문고 치는 것을 원하지 않았기 때문에

⋯ 2문단에서 관청의 수령들은 자기 고을의 백성이 왕에게 억울함을 하소연하는 것을 원하지 않았기 때문에 확인서를 잘 써 주지 않았다고 하였다. 고을 수령의 확인서를 받아야만 다음 단계의 상급 기관에 가서 확인서를 받을 수 있으므로 신문고를 치는 것이 사실상 어려운 일이었음을 알 수 있다.

3　▼ 어휘의 문맥적 의미 파악　　　　　　답 ①

밑줄 친 단어 중, ⓑ와 문맥적 의미가 가장 가까운 것은?

① 관중은 훌륭한 경기에 박수를 <u>쳤다</u>.

⋯ '꽹과리를 쳐서'에서 '치다'는 '소리 나게 두드리거나 악기를 연주하다.'의 뜻을 가진 단어이다. 이로 볼 때 '박수를 쳤다'에서의 '치다'도 소리 나게 두드리는 행위이므로 '꽹과리를 쳐서'에서의 '치다'와 문맥적 의미가 가장 유사하다고 볼 수 있다.

➕ 오답 챙기기

② 그는 벽에 못을 <u>쳐서</u> 박은 다음 그림을 걸었다.

⋯ '사람이 어떤 물건을 어떤 곳에 때리거나 두드리다.'의 의미이다.

③ 어린아이들이 골목길에서 딱지를 <u>치며</u> 놀고 있다.

⋯ '사람이 카드나 딱지를 가지고 놀이를 하다.'의 의미이다.

④ 앞으로는 지각도 결석으로 <u>치겠으니</u> 수업 시간에 늦지 마세요.

⋯ '사람이 무엇을 다른 무엇으로 인정하거나 가정하다.'의 의미이다.

⑤ 마른하늘에 번개가 <u>치자</u> 사람들은 놀라서 모두 집 안으로 들어갔다.

⋯ '천둥, 번개 따위가 큰 소리나 빛을 내면서 일어나다.'의 의미이다.

STUDY 02　어휘 확인

1 ㉡	2 ㉠	3 ㉢	4 ㉺	5 ㉣
6 ㉡	7 ㉢	8 ㉠	9 ㉣	10 ㉺

11 유도	12 호소	13 조정	14 주목	15 확산

쓰레기 속 신기한 화학 원리

출전 이경윤, 『중학 독서평설 2018년 3월 호』 지문 난이도 ★★★☆☆

(1,238자)

1 » 우리가 배출하는 쓰레기의 양은 어느 정도일까? 우리나라에서 한 사람이 보통 70여 년을 살면서 버리는 쓰레기의 양은 무려 55톤에 달한다. 그런 점에서 이렇게 버려지는 쓰레기들은 실제로 어떻게 처리되고 있는지 살펴볼 필요가 있다.

2 » 쓰레기는 우선 일반 쓰레기와 음식물 쓰레기로 구분할 수 있다. 일반 쓰레기는 재활용이 불가능한 쓰레기와 재활용이 가능한 쓰레기로 구분할 수 있다. 그중 재활용 쓰레기는 종이, 비닐, 플라스틱, 캔과 같은 금속이나 알루미늄으로 나뉠 수 있으며 모두 재활용이 가능하다. 그렇다면 이러한 재활용 쓰레기들은 어떤 과정을 거쳐 처리되는 것일까? 이 과정은 '혼합물의 분리 원리'를 이용해 간단히 살펴볼 수 있다. 즉 쓰레기를 각종 물질들이 섞여 있는 혼합물 상태로 보는 것이다.

3 » 먼저 재활용 쓰레기는 컨베이어 벨트를 통해 분리되는 과정을 거친다. 예를 들어 플라스틱과 철 혼합물의 경우 철만 자석에 붙는 성질이 있다는 점을 이용해 쉽게 분리할 수 있다. 또한 유리와 플라스틱 혼합물은 무게, 즉 '밀도 차'를 이용해 분리할 수 있다. 유리와 플라스틱 혼합물이 컨베이어 벨트 위를 움직일 때 무거운 유리는 아래로 떨어지고 가벼운 플라스틱은 그대로 통과하게 되는 것이다. 이후 알루미늄을 분리할 때에는 자성을 띠지 않는 알루미늄에 전기 에너지를 가해 자기장을 일으킨다. 이때 알루미늄들이 자기장에 반발해 튀어 오르면서 그 옆의 다른 공간으로 이동하게 된다. 그리고 각각의 분리된 재활용 쓰레기들은 압착돼 부피를 최대한 줄인 형태로 재활용 공장에 전달된다.

4 » 화학적 원리가 적용된 음식물 쓰레기의 처리 과정은 놀라운 변신을 보여 준다. 먼저 음식물 쓰레기를 압축·파쇄하는 과정에서 음식물에 섞인 비닐·플라스틱 같은 이물질을 제거한다. 이렇게 압축·파쇄된 음식물 쓰레기는 거대한 원통 탱크인 '소화조'로 보내지는데, 소화조는 높은 온도를 유지하여 미생물의 작용을 활발하게 한다. 이후 발효와 부패의 과정이 완료되면 '바이오 가스, 물, 슬러지(찌꺼기)'가 남는다. 이때 물은 하수 처리장으로, 슬러지는 매립장으로 보내지며, 바이오 가스는 우리가 사용하는 도시가스 및 공장, 버스의 연료로 활용된다.

5 » 결국 쓰레기는 분리와 분해 등의 과정을 거쳐 재활용품 혹은 연료가 되어 우리 생활로 다시 찾아온다. 하지만 재활용이 불가능한 쓰레기들은 여전히 환경 오염 문제를 ⓐ낳고 있는 상황이다. 쓰레기 양산을 더 이상 멈출 수 없다면 쓰레기들이 재생 가능한 에너지로 탈바꿈될 수 있도록 지속적인 연구가 필요할 것이다.

지문 구조 해설

1 쓰레기 처리 과정 이해의 필요성
- 우리나라에서 한 사람이 평생 배출하는 쓰레기의 양
- 쓰레기가 처리되는 과정에 대한 이해의 필요성

2 재활용 쓰레기가 처리되는 과정의 원리
- 재활용 쓰레기들이 처리되는 과정의 원리: 혼합물의 분리 원리
- 혼합물 상태로 쓰레기를 바라보는 관점

원리

3 혼합물의 분리 원리에 따른 재활용 쓰레기의 처리 과정
- 컨베이어 벨트를 통해 분리되는 재활용 쓰레기
  - 플라스틱과 철 혼합물의 경우: 철만 자석에 붙는 성질 이용
  - 유리와 플라스틱 혼합물의 경우: 밀도 차(무게) 이용
  - 알루미늄의 경우: 자기장 이용
- 분리된 재활용 쓰레기는 압착되어 부피가 줄어든 상태로 재활용 공장에 전달

과정 ①

4 화학적 원리에 따른 음식물 쓰레기의 처리 과정
- 화학적 원리가 적용되어 처리되는 음식물 쓰레기
  ① 음식물에 섞인 이물질 제거
  ② 소화조에서 발효·부패
  ③ 발효·부패 후 '바이오 가스, 물, 슬러지' 생성

과정 ②

5 쓰레기의 재활용에 대한 연구의 필요성
- 재생 가능한 에너지로 재활용이 필요한 쓰레기

✏ 지문 정보 확인 1 X 2 ○ 3 X

지문 Point 분석 주제: 쓰레기의 처리 과정

해제: 쓰레기의 처리 과정에 대해 설명하고 있는 글이다. 일반 쓰레기 중 재활용이 가능한 쓰레기들은 '혼합물의 분리 원리'를 이용하여 처리할 수 있다. 자석에 붙는 성질, 밀도 차, 자기장의 원리 등을 이용하여 혼합물 상태의 쓰레기들을 분리할 수 있는 것이다. 음식물 쓰레기는 화학적 원리를 적용하여 발효될 때 나오는 바이오 가스를 재생 에너지로 활용할 수 있다.

지문 구조 한눈에 보기 👀

화제 제시 **1**

↓

구체화
- 쓰레기 처리 과정의 원리
- **2** **3** 재활용 쓰레기 처리 과정
- **4** 음식물 쓰레기 처리 과정

↓

마무리 **5**

글의 구조, 문단의 성격 이해하기

1 ▼ 내용 전개 방식 파악   답 ⑤

윗글의 전개 방식에 대한 설명으로 가장 적절한 것은?

⑤ 특정 대상에 대한 원리를 제시하고 구체적 사례*를 들어 소개하고 있다.

⋯ 재활용 쓰레기들이 처리되는 과정을 혼합물의 분리 원리를 적용하여 소개하고 있으며, 3문단에서 이와 관련된 구체적 사례를 들어 설명하고 있다.

➕ 오답 챙기기

① 시간의 흐름에 따라 대상의 변천* 과정을 제시하고 있다.

⋯ 시간의 흐름에 따라 쓰레기의 처리 과정이 어떻게 변화되었는지는 제시되어 있지 않다.

② 문제를 제기한 후 그 원인을 다양한 측면에서 분석*하고 있다.

⋯ 쓰레기 처리 과정에 대한 문제를 제기하고 있지는 않다.

③ 전문가의 의견을 인용*하여 대상이 갖는 특징을 소개하고 있다.

⋯ 전문가의 의견을 인용한 부분은 찾아볼 수 없다.

④ 대상의 장점과 단점을 제시한 후 절충*하여 결론을 내리고 있다.

⋯ 재활용 쓰레기는 분리의 과정을 거쳐 부피가 줄어든 상태로 재활용되며, 음식물 쓰레기는 화학적 원리가 적용되어 바이오 가스 등의 원료로 재활용된다고 하였다. 하지만 쓰레기 처리 과정에서 나타나는 단점을 언급하고 있지는 않다.

> **어휘 충전**
> * **사례**(事 일 사 例 법식 례): 이전에 실제로 일어난 예.
> * **변천**(變 변할 변 遷 옮길 천): 세월의 흐름에 따라 바뀌고 변함.
> * **분석**(分 나눌 분 析 가를 석): 얽혀 있거나 복잡한 것을 풀어서 개별적인 요소나 성질로 나눔.
> * **인용**(引 끌 인 用 쓸 용): 남의 말이나 글을 자신의 말이나 글 속에 끌어 씀.
> * **절충**(折 꺾을 절 衷 속옷 충): 알맞게 조절하여 서로 잘 어울리게 함.

2 ▼ 세부 내용 추론   답 ②

쓰레기 처리 과정에 대한 설명으로 적절한 것을 〈보기〉에서 모두 고른 것은?

> **보기**
> ㄱ. 페트병과 유리병이 혼합되어 있는 경우 밀도 차를 이용해 분리할 수 있다.
> ㄴ. 알루미늄으로 만들어진 캔은 자석에 붙는 성질을 이용해 분리할 수 있다.
> ㄷ. 음식물 쓰레기는 고온에서 미생물의 활성화를 통해 재생 에너지로 거듭날 수 있다.
> ㄹ. 재활용 쓰레기와 음식물 쓰레기는 처리 과정에서 최종적으로 본래의 부피에 변화가 없다는 공통점이 있다.

② ㄱ, ㄷ

⋯ 플라스틱 소재인 페트병이 유리병과 혼합되어 있는 경우 밀도 차를 이용해 분리할 수 있음을 3문단을 통해 확인할 수 있다(ㄱ). 음식물 쓰레기는 높은 온도에서 미생물의 작용이 활발해져 발효

됨으로써 바이오 가스로 재활용될 수 있음을 4문단을 통해 확인할 수 있다(ㄷ).

➕ 오답 챙기기

ㄴ

⋯ 3문단에서 알루미늄을 분리할 때에는 자성을 띠지 않는 알루미늄에 전기 에너지를 가해 자기장을 일으킨다고 하였다. 따라서 자석에 붙는 성질을 이용해 알루미늄 소재 캔을 분리할 수 있다는 설명은 적절하지 않다.

ㄹ

⋯ 3문단에서 재활용 쓰레기들은 압착돼 부피를 최대한 줄인 형태로 재활용 공장에 보내진다고 하였고, 4문단에서 음식물 쓰레기는 압축·파쇄의 과정을 거친다고 하였다. 따라서 본래의 부피에 변화가 없다는 설명은 적절하지 않다.

3 ▼ 어휘의 문맥적 의미 파악   답 ②

밑줄 친 단어 중, ⓐ와 문맥적 의미가 가장 유사한 것은?

② 이번 시험에 최선을 다하여 좋은 결과를 낳았다.

⋯ '환경 오염 문제를 낳고 있는 상황이다.'에서 '낳다'는 '어떤 결과를 이루거나 가져오다.'의 의미를 지닌 단어이다. 따라서 '좋은 결과를 낳았다.'에서의 '낳다'가 이와 문맥적 의미가 가장 유사하다고 볼 수 있다.

➕ 오답 챙기기

① 그는 우리나라가 낳은 위대한 축구 선수이다.

⋯ '어떤 환경이나 상황의 영향으로 어떤 인물이 나타나다.'의 의미이다.

③ 자식을 낳아 키워 봐야 부모의 마음을 알게 된다.

⋯ '배 속의 아이, 새끼, 알을 몸 밖으로 내놓다.'의 의미이다.

④ 예전에는 집집마다 손으로 무명*을 낳는 풍습*이 있었다.

⋯ '삼 껍질, 솜, 털 따위로 실을 만들다.'의 의미이다.

⑤ 이 마을은 유명한 학자*들을 많이 낳은 곳으로 유명하다.

⋯ '어떤 환경이나 상황의 영향으로 어떤 인물이 나타나다.'의 의미이다.

> **어휘 충전**
> * **무명**: 무명실로 짠 피륙.
> * **풍습**(風 바람 풍 習 익힐 습): 풍속과 습관을 아울러 이르는 말.
> * **학자**(學 배울 학 者 놈 자): 학문에 능통한 사람. 또는 학문을 연구하는 사람.

하나를 가르치면 열을 아는 알파고

출전 안종제, 심선희, 정지수, 『세상을 바꿀 미래 과학 설명서 1』 지문 난이도 ★★★★☆

(1,280자)

1 ▶ "초반부터 한순간도 제가 앞섰다고 생각한 적이 없었습니다. 오늘은 정말 알파고의 완승입니다." 인공 지능 알파고와 바둑 대결을 했던 이세돌 9단이 대국 2차전을 끝내고 한 말이다. 알파고는 이세돌 9단에 이어 세계 바둑 1위 커제 9단을 3연승으로 누르고 바둑계에서 은퇴했다. 알파고는 어떻게 바둑 천재들을 이길 수 있었을까?

2 ▶ 알파고는 구글 딥마인드가 개발한 인공 지능 컴퓨터 바둑 프로그램이다. 사람처럼 생각하고 느끼며 움직이는 컴퓨터 과학으로 경험을 통해 스스로 학습하는 능력을 갖추었다. 나아가 기계 스스로 과거에서 현재까지 쌓인 방대한 정보를 학습하고 분석하면서 자체적으로 규칙을 찾아 나갈 수 있다. 하나를 가르치면 열을 아는 것이다.

3 ▶ 알파고의 학습 방법은 크게 세 가지로 구분된다. 첫 번째는 지도(指導) 학습으로, 정답이 있는 데이터를 학습시키는 것이다. 예를 들어 개의 사진과 고양이의 사진을 각각 보여 주면서 '이것은 개', '이것은 고양이'라고 답지를 제공하며 학습시킨 후에 다른 사진들에서 개의 사진을 찾아내게 한다. 입력 데이터를 가지고 학습하고 나면, 인공 지능은 학습한 모델을 새로운 데이터에 적용해서 예측이나 추정, 분류 등의 일을 할 수 있다.

4 ▶ 두 번째는 비지도(非指導) 학습으로, 입력 데이터만 주고 정답이 무엇인지 모르는 상황에서 숨겨진 규칙을 탐색하고 관계를 찾게 하는 학습 방법이다. 예를 들어 여러 동물의 사진을 놓고 그것이 무엇인지 답이 없는 상태로 함께 입력하면 인공 지능은 비슷한 특징을 기준으로 동물들의 집합을 만든다. 이러한 비지도 학습에는 패턴·구조 발견, 그룹화, 네트워크 분석 등이 있다.

5 ▶ 세 번째는 강화 학습으로, 알려 주는 정보 없이 능동적으로 변화하는 환경과 상호 작용을 하면서 최적의 행동을 학습하는 방법이다. 인공 지능이 스스로 판단해서 과제에 성공하거나 실패하면서 보상을 통해 조금씩 성공 확률을 높여 가는 것이다. 이런 강화 학습은 행동에 대한 보상이 즉각적으로 계산되지 않을 경우 학습하는 데 시간이 많이 걸리지만, 지도 학습과 함께 훈련하면 학습 능력을 놀랍게 향상시킬 수 있다.

6 ▶ 알파고의 경우 이세돌 9단과의 대국에 앞서 프로 바둑 기사들과 바둑을 두는 지도 학습과 하루 3만 번 이상 가상 대국을 두는 강화 학습으로 짧은 시간에 눈에 띄게 실력이 나아졌다. 아마추어 고수들이 인터넷에서 둔 바둑 기보를 공부하였으며, 가상 대국을 수없이 두며 배운 것들을 하나하나 따져 보고 검증하였다. 결국 알파고는 엄청난 훈련과 학습을 통해 방대한 자료를 분석해 나감으로써 인간을 넘어설 수 있는 학습 능력을 키웠음을 추론해 볼 수 있다.

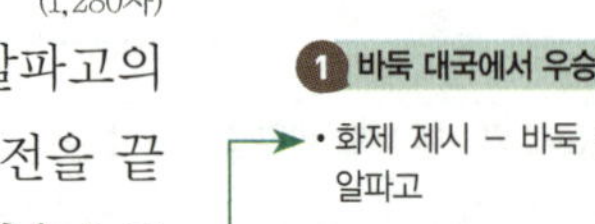

1 바둑 대국에서 우승한 알파고
- 화제 제시 – 바둑 천재들을 이긴 알파고

2 인공 지능 알파고의 특징
- 알파고의 특징
  - 경험을 통해 스스로 학습하는 능력을 갖춤
  - 자체적으로 규칙을 찾아 나가는 능력을 갖춤

특징

3 인공 지능 알파고의 학습 방법 ① – 지도 학습
- 지도 학습: 정답이 있는 데이터를 학습시키는 것
- 학습한 모델을 새로운 데이터에 적용하여 예측, 추정, 분류 등의 일을 함

4 인공 지능 알파고의 학습 방법 ② – 비지도 학습
- 비지도 학습: 정답이 무엇인지 모르는 상태에서 숨겨진 규칙을 탐색하고 관계를 찾게 하는 학습 방법
- 패턴·구조 발견, 그룹화, 네트워크 분석 등의 일을 함

학습 방법

5 인공 지능 알파고의 학습 방법 ③ – 강화 학습
- 강화 학습: 알려 주는 정보 없이 능동적으로 환경과 상호 작용하며 학습하는 방법
- 보상을 통해 조금씩 성공 확률을 높여 감
- 지도 학습과 병행되면 학습 능력이 더욱 향상될 수 있음

6 인공 지능 알파고가 인간의 학습 능력을 넘어설 수 있었던 이유
- 엄청난 훈련과 학습을 통해 방대한 자료를 분석해 나감으로써 인간의 학습 능력을 넘어설 수 있는 능력을 갖춤

✎ 지문 정보 확인 1 ○ 2 ○ 3 ✕

지문 구조 한눈에 보기

화제 제시 **1**
↓
구체화 **2** **3** 알파고의 특징
4 **5** 알파고의 학습 방법
↓
마무리 **6**

🗣 **지문 Point 분석** 주제: 인공 지능 알파고의 특징 및 학습 방법

해제: 인공 지능 알파고의 학습 방법에 대해 설명하고 있는 글이다. 알파고는 기계 스스로 방대한 정보를 학습하고 분석하면서 규칙을 찾아 나가는 인공 지능 프로그램이다. 알파고의 학습 방법은 지도 학습, 비지도 학습, 강화 학습으로 나누어 설명할 수 있으며, 알파고가 인간과의 바둑 대국에서 우승할 수 있었던 비결은 각각의 학습 방법들을 다양하게 적용하면서 꾸준한 훈련을 하였던 것에 있다.

1

▼ 내용 전개 방식 파악　　　　　답 ③

윗글의 전개 방식에 대한 설명으로 적절하지 <u>않은</u> 것은?

③ 다른 대상과의 차이점을 밝혀 내용을 뒷받침하고 있다.

⋯⋯ 1문단에서 알파고가 이세돌 9단과 커제 9단을 누르고 바둑 대국에서 우승하였다고 밝히고 있지만, 이들과의 차이점을 밝히고 있지는 않다.

➕ 오답 챙기기

① 예시*를 통해 독자의 이해를 돕고 있다.

⋯⋯ 3문단과 4문단에서 알파고의 학습 방법을 각각의 사례를 통해 설명하고 있다.

② 질문을 던짐으로써 독자의 호기심을 유발*하고 있다.

⋯⋯ 1문단에서 '알파고는 어떻게 바둑 천재들을 이길 수 있었을까?'라는 질문을 통해 독자의 호기심을 유발하고 있다.

④ 분류의 방법을 활용하여 대상과 관련된 개념을 설명하고 있다.

⋯⋯ 3~5문단에서 알파고의 학습 방법을 '지도 학습, 비지도 학습, 강화 학습'의 세 가지로 분류하여 각각의 개념을 설명하고 있다.

⑤ 특정 대상이 갖는 한계점*을 지적하고 보완*점을 제시하고 있다.

⋯⋯ 5문단에서 강화 학습은 행동에 대한 보상이 즉각적으로 계산되지 않을 경우 학습하는 데 시간이 많이 걸린다는 한계점을 지적하면서 지도 학습과 병행하면 이를 극복할 수 있다면서 그 보완점을 제시하고 있다.

어휘 충전

* **예시**(例 법식 예 示 보일 시): 예를 들어 보임.

* **유발**(誘 꾈 유 發 필 발): 어떤 것이 다른 일을 일어나게 함.

* **한계점**(限 한계 한 界 경계 계 點 점찍을 점): 능력이나 책임 따위가 더 이상 미치지 못하는 막다른 지점.

* **보완**(補 기울 보 完 완전할 완): 모자라거나 부족한 것을 보충하여 완전하게 함.

2

▼ 구체적 사례에의 적용　　　　　답 ③

〈보기〉는 인공 지능 모델의 학습 방법을 보여 주는 흐름도이다. 윗글을 바탕으로 〈보기〉를 이해한 내용으로 가장 적절한 것은?

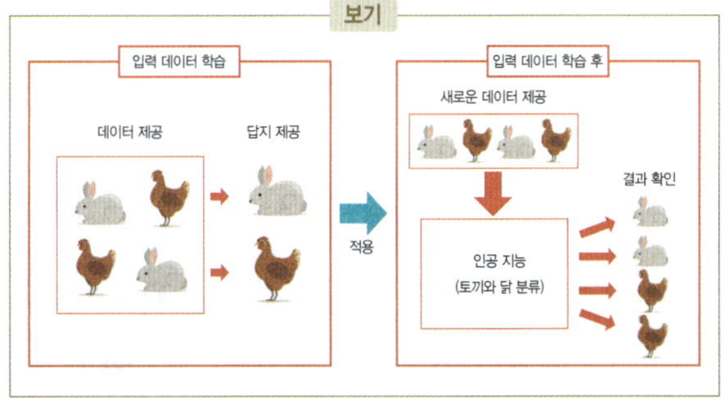

③ '입력 데이터 학습 후'를 수행*한 후 인공 지능 프로그램은 답지를 제공해 주지 않아도 닭과 토끼를 분류할 가능성이 있다.

⋯⋯ 〈보기〉의 인공 지능 학습 방법은 이 글의 3문단에서 설명하고 있는 지도 학습을 구조화한 것이다. 이는 '입력 데이터 학습' 단계에서 답지를 제공하고 있다는 점과 '입력 데이터 학습 후' 단계에서 새로운 데이터를 제공했을 때 스스로 분류를 할 수 있게 된다는 점을 통해서 확인할 수 있다. 〈보기〉의 '입력 데이터 학습 후' 단계에서 이미 닭과 토끼를 성공적으로 분류한 것을 확인할 수 있으므로 '입력 데이터 학습 후'를 수행한 후 인공 지능 프로그램은 닭과 토끼를 분류할 수 있을 것이다.

➕ 오답 챙기기

① '입력 데이터 학습' 단계에서 제공된 데이터를 그룹화*하는 과정을 수행하고 있다.

⋯⋯ '입력 데이터 학습' 단계에서는 답지만 제공될 뿐 인공 지능이 먼저 그룹화하는 과정이 나타나 있지 않다. 그룹화가 진행되는 학습은 비지도 학습이다.

② '입력 데이터 학습' 단계에서 답지 정보를 제공해 주지 않아도 스스로 답을 찾아 나가는 과정을 보여 주고 있다.

⋯⋯ '입력 데이터 학습' 단계에서는 이미 답지가 제공되어 있는 데이터를 통해 학습을 하고 있으므로 답지 정보를 제공하지 않아도 <u>스스로 답을 찾아 나가는 과정</u>을 보여 주고 있다는 설명은 적절하지 않다.

④ '입력 데이터 학습 후'에서 규칙을 탐색하고 관계를 찾는 학습 과정을 충분히 반복해야 새로운 상황에서도 성공적인 수행 결과를 이끌어 낼 수 있다.

⋯⋯ 〈보기〉에는 규칙을 탐색하고 관계를 찾는 학습 과정은 드러나지 않았다. 규칙을 탐색하고 관계를 찾는 학습 과정은 4문단을 통해 비지도 학습에 해당하는 학습 방법임을 확인할 수 있다.

⑤ '입력 데이터 학습'과 '입력 데이터 학습 후'의 과정에서 학습에 대한 보상이 제공되면서 답을 맞추어 나가는 확률*을 높이고 있다.

⋯⋯ 〈보기〉에는 보상이 제공되면서 답을 맞추어 나가는 확률을 높이는 학습 과정은 드러나지 않았다. 보상이 제공되면서 답을 맞추어 나가는 확률을 높이는 학습 과정은 5문단을 통해 강화 학습에 해당하는 학습 방법임을 확인할 수 있다.

어휘 충전

* **수행**(遂 이룰 수 行 다닐 행): 생각하거나 계획한 대로 일을 해냄.

* **확률**(確 굳을 확 率 율 률): 일정한 조건하에서 하나의 사건이 일어날 수 있는 가능성의 정도.

* **그룹화**: 공통점을 토대로 하나로 묶는 작업.

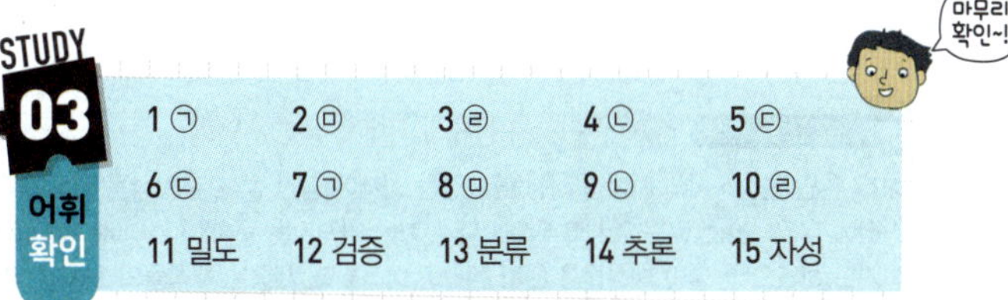

훈민정음은 왜 만들었을까?

출전 국립 한글 박물관, 『훈민정음 표준 해설서』　**지문 난이도** ★★★☆☆

(974자)

❶ »[가] 훈민정음은 조선 제4대 왕인 세종이 만들었고, 훈민정음 해설서인 『훈민정음』은 훈민정음 창제 이후 세종과 집현전 학자들이 함께 만들었다. ㉠『훈민정음』에서 세종은 '서문'과 새로운 글자의 발음과 사용법을 담은 '예의' 부분을 지었으며, 나머지 부분은 집현전 학자인 정인지, 박팽년, 성삼문, 강희안 등이 지었다. 일반적으로 훈민정음이라고 하면 문자와 책을 아울러 일컫기 때문에 정확하게 구분해서 이해해야 한다.

❷ »[나] 훈민정음을 만들기 전에는 우리말은 있었으나 이를 자유롭고 온전하게 표기할 수 있는 문자가 없었다. 지배층은 입으로는 우리말을 하고 글을 쓸 때는 한문을 쓰는 이중적인 언어생활을 하였다. 그러다 보니 자신의 생각과 느낌을 글로써 제대로 표현하기가 어려웠다. 그래서 한자의 음이나 뜻을 이용해 우리말을 적기도 하였는데 한자를 모르는 일반 백성들에게는 이마저도 쉽지 않았다.

❸ »[다] 이에 세종은 한자를 모르는 일반 백성들이 자신이 생각하는 바를 글로써 마음껏 표현하지 못하는 것을 매우 가엾게 여겼다. 그래서 누구나 쉽게 배워 씀으로써 일상생활에서 의사소통에 불편함이 없는 삶을 누리게 하고자 새로운 문자인 훈민정음을 만들었다. 즉 세종이 훈민정음을 만든 것은 백성을 사랑하는 애민 정신과 생활의 편의를 도모하는 실용 정신의 발로였다고 말할 수 있다.

❹ »[라] 세종은 당대 최고의 언어학자로 평가받을 만큼 탁월한 역량을 갖추고 있었다. 주변 국가들이 사용하던 각각의 고유 문자에 대해 자세히 알고 있었을 뿐만 아니라 중국어의 말소리 체계에 관한 학문과 동양 철학에 대한 지식도 높은 경지에 올라 있었다. 그리하여 우리말 소리 체계에 맞는 새로운 문자를 만들면서도 그 안에 우주와 자연의 심오한 철학을 담아낼 수 있었다.

❺ »[마] 이처럼 ㉡훈민정음은 당시의 시대적 필요성과 함께 언어학자인 세종의 뛰어난 역량이 빚어낸 위대하고 창조적인 발명품이며, 훈민정음의 탄생은 우리 역사에서 중요한 사건이자 문화사적 혁명이라고 할 수 있다.

지문 구조 해설

❶ 문자 훈민정음과 책 『훈민정음』을 만든 사람
- 훈민정음이라는 문자를 만든 사람 : 세종
- 『훈민정음』이라는 책을 만든 사람 : 세종과 집현전 학자들
- 문자와 책을 구분해서 훈민정음을 이해해야 할 필요성

❷ 훈민정음 창제 이전의 문자 생활
- 훈민정음 창제 이전의 상황: 우리말은 있었으나 문자가 없었음
- 지배층의 이중적 언어생활: 말은 우리말을 쓰며 글은 한자를 씀
- 한자를 빌려 우리말을 표기하기도 함

❸ 훈민정음 창제에 담긴 정신
- 훈민정음 창제에 담긴 정신
  - 애민 정신
  - 실용 정신

❹ 언어학자로서 세종이 지닌 역량
- 언어 학자로서 세종이 지닌 역량
  - 주변 국가들의 고유 문자에 대한 지식
  - 중국어의 말소리 체계에 관한 학문적 지식
  - 동양 철학에 대한 지식
- 훈민정음이 지닌 가치

❺ 훈민정음 창제의 의의
- 훈민정음 창제의 의의
  - 우리 역사의 중요한 사건
  - 문화사적 혁명

✎ 지문 정보 확인　1 ○　2 ✕　3 ○

지문 구조 한눈에 보기

화제 제시 ❶
↓
구체화 ❷ ❸ ❹
시대적 필요성, 창제의 배경, 세종의 역량
↓
마무리 ❺
훈민정음 창제의 의의

지문 Point 분석　**주제: 훈민정음 창제의 시대적 배경과 의의**

해제: 훈민정음 창제의 시대적 배경, 훈민정음 창제에 담긴 정신, 훈민정음 창제의 의의 등을 설명하고 있는 글이다. 훈민정음 창제 이전에 우리나라는 말은 가지고 있었으나 문자를 가지지는 못하였다. 이에 지배층은 중국의 한문을 쓰거나 한자를 빌려 우리말을 적기도 하였으나, 일반 백성들은 문자 생활이 어려웠다. 세종은 백성들의 처지를 가엾게 여기는 마음과 당대 최고의 언어학자로서의 역량을 갖추고 있었으므로 창조적인 발명품이자 문화사적 혁명으로 평가받는 훈민정음을 창제할 수 있었다.

읽기 목적에
따른
요약하기

1

▼ **중심 내용 파악**   답 ②

[가]~[마]의 중심 내용으로 적절하지 <u>않은</u> 것은?

② [나]: 훈민정음 창제* 이후 문자* 생활의 변화

⋯ [나]에서는 훈민정음 창제 이전의 문자 생활을 설명하고 있다. 훈민정음 창제 이전에는 우리말은 있었으나 우리 문자가 없었기 때문에 지배층은 한문을 쓰거나 한자의 음과 뜻을 이용해 우리말을 적기도 했다. 그러나 일반 백성들은 이러한 일들이 쉽지 않았기 때문에 문자 생활을 할 수 없었다.

➕ 오답 챙기기

① [가]: 훈민정음의 의미와 이를 만든 사람

⋯ [가]에서는 훈민정음이 문자와 책(해설서) 두 가지를 의미하며, 문자는 세종이, 책은 세종과 집현전 학자들이 만들었다고 설명하고 있다.

③ [다]: 훈민정음 창제에 담긴 정신

⋯ [다]에서는 훈민정음 창제에 백성을 사랑하는 애민 정신과 생활의 편의를 도모하는 실용 정신이 담겨 있다고 설명하고 있다.

④ [라]: 세종이 훈민정음을 만들 수 있었던 까닭

⋯ [라]에서는 언어학자로서 세종이 지닌 역량을 설명하고 있다. 세종은 주변 국가들의 고유 문자에 대한 지식, 중국어의 말소리 체계에 관한 학문적 지식, 동양 철학에 대한 지식을 바탕으로 훈민정음을 창제할 수 있었던 것이다.

⑤ [마]: 훈민정음 창제의 의의*

⋯ [마]에서는 훈민정음 창제의 의의를 설명하고 있다. 시대적 필요성을 배경으로 한 훈민정음의 창제는 우리 역사의 중요한 사건이자 문화사적 혁명으로 평가할 수 있다.

> 📌 어휘
> 충전
> * **창제**(創 비롯할 창 製 지을 제): 전에 없던 것을 처음으로 만들거나 제정함.
> * **문자**(文 글월 문 字 글자 자): 인간의 언어를 적는 데 사용하는 시각적인 기호 체계.
> * **의의**(意 뜻 의 義 옳을 의): 말이나 글의 속뜻 또는 어떤 사실이나 행위 따위가 갖는 중요성이나 가치.

2

▼ **핵심 정보 추론**   답 ⑤

윗글을 통해 알 수 있는 내용이 <u>아닌</u> 것은?

⑤ 세종은 중국의 말소리 체계에 관한 학문을 바탕으로 훈민정음을 만들었다.

⋯ [라]에서는 언어학자로서 세종이 지닌 역량을 소개하고 있다. 세종은 주변 국가들의 고유 문자를 잘 알고 있었을 뿐만 아니라 중국어의 말소리 체계에 관한 학문적 지식은 물론 동양 철학에 대한 지식도 지니고 있었다. 그리고 이러한 세종의 역량이 발휘되어 만들어진 것이 바로 훈민정음이다. 그러나 훈민정음이 중국의 말소리 학문을 바탕으로 만들어진 것이라고 보기에는 무리가 있다.

➕ 오답 챙기기

① 훈민정음이 창제된 후 그 사용법이 담긴 책이 만들어졌다.

⋯ [가]에서 훈민정음은 세종이 만들었고, 훈민정음 해설서인 『훈민

정음』은 훈민정음 창제 이후 세종과 집현전 학자들이 함께 만들었다고 하였다.

② 훈민정음 창제 이전에 일반 백성들은 문자 생활이 어려웠다.

⋯ [나]에서 훈민정음 창제 이전에 지배층은 한문을 쓰거나, 한자의 음과 뜻을 빌려 우리말을 표기하였으나 일반 백성들에게는 이런 것이 쉽지 않았다고 하였다. 이를 토대로 훈민정음 창제 이전에 일반 백성들은 문자 생활이 어려웠을 것임을 짐작할 수 있다.

③ 세종은 문자 생활을 하지 못하는 백성을 매우 가엾게 여겼다.

⋯ [다]에서 세종은 일반 백성들이 자신이 생각하는 바를 글로써 마음껏 표현하지 못하는 것을 매우 가엾게 여겼다고 하였다.

④ 훈민정음의 탄생*은 문화사*적으로도 매우 중요한 의의를 지니고 있다.

⋯ [마]에서 훈민정음의 탄생은 우리 역사에서 중요한 사건이자 문화사적 혁명이라고 하였다.

> 📌 어휘
> 충전
> * **탄생**(誕 탄생할 탄 生 날 생): 조직, 제도, 사업체 따위가 새로 생김.
> * **문화사**(文 글월 문 化 될 화 史 역사 사): 인간 내면의 정신생활에 대한 역사. 곧 학문·예술·사상 따위의 정신문화의 역사를 가리키는 것.

3

▼ **세부 정보 파악**   답 ③

㉠과 ㉡에 대한 설명으로 적절한 것은?

③ ㉠은 책을 가리키고, ㉡은 문자를 가리킨다.

⋯ [가]에서 일반적으로 훈민정음이라고 하면 문자와 책을 아울러 일컫기 때문에 정확하게 구분해서 이해해야 한다고 하였다. ㉠은 세종이 서문과 예의를 짓고, 나머지를 집현전 학자들이 지은 책(문자의 해설서)을 의미한다. ㉡은 창조적인 발명품이라는 의의를 지닌 문자로서의 훈민정음을 가리킨다.

➕ 오답 챙기기

① ㉠과 ㉡ 모두 책을 가리킨다.

⋯ ㉡은 문자를 가리킨다.

② ㉠과 ㉡ 모두 문자를 가리킨다.

⋯ ㉠은 책을 가리킨다.

④ ㉠은 문자를 가리키고, ㉡은 책을 가리킨다.

⋯ ㉠은 책을, ㉡은 문자를 가리킨다.

⑤ ㉠과 ㉡ 모두 책을 가리키지만, ㉠은 ㉡의 일부이다.

⋯ ㉠은 책, ㉡은 문자로서, 각각 독립적으로 존재한다.

노란색을 사랑한 화가, 고흐

출전 남궁산, 『문명을 담은 팔레트』   **지문 난이도** ★★☆☆☆

(1,007자)

1 » 서양에서는 오랫동안 노란색이 좋지 않은 의미로 쓰였다. 그러나 모두가 노란색을 싫어했던 것은 아니다. 빈센트 반 고흐는 누구보다 노란색을 사랑했다. 고흐는 노란 것이면 무엇이든 감동을 받을 정도로 노란색에 심취했다고 한다. 고흐를 가장 강렬하게 매혹한 것은 바로 태양이었다. 그래서 고흐의 작품에는 타는 듯한 노란색 태양이 많이 등장한다. 살아생전 궁핍하고 불행한 삶을 살았던 고흐에게 어쩌면 선명한 노란색은 구원과 희망을 뜻했을지도 모른다.

2 »

▲ 고흐, 「아를의 고흐의 방」

㉠「아를의 고흐의 방」을 그린 1888년 고흐는 프랑스 남부의 '아를'이라는 마을에서 살고 있었다. 고향인 네덜란드에서 파리로 옮겨 왔던 고흐는 다시 조용한 시골 마을로 이주해 예술가의 공동체를 꿈꾸며 동료들을 초청한다. 하지만 고흐의 초청에 응한 사람은 고갱 단 한 명이었다. 고갱에 감격한 고흐는 고갱을 위해 집 한 채를 빌리고 그의 방을 고급 가구로 꾸며 놓았다. 반면 자신의 침실에는 값싸고 투박한 가구를 들여놓게 된다.

3 »「아를의 고흐의 방」은 고흐가 고갱을 기다리며 자신의 방을 그린 그림이다. 소박한 장식과 가구가 눈에 띈다. 그런데 방 안의 모습이 왠지 불안해 보인다. 침대며 탁자, 의자들이 마치 공중에 떠 있는 것같이 묘사되어 있다. 왜 그럴까? 그것은 고흐가 이 그림에 그림자를 그려 넣지 않았기 때문이다. ㉡한 학자는 이 그림에서 느껴지는 불안정에 대해 '고흐가 자신의 꿈이 곧 실현되려 하는 때에 불안과 기대에 차 흥분된 심리 상태에서 이 그림을 그렸기 때문'이라고 설명하기도 했다.

4 » 고흐와 노란색을 이야기할 때 해바라기 그림들을 빼놓을 수 없다. 이 그림들 역시 고흐가 고갱의 방을 장식하기 위해 그렸다고 전해진다. 분명 해바라기이지만 꼭 이글거리는 태양처럼 보이는 해바라기 그림은 고흐가 자신의 격정적인 감정을 대담하고 힘이 넘치는 붓질로 표현한 것이다. 고갱도 고흐의 해바라기 그림을 보고 감탄을 금치 못했다고 전해진다. 그러나 두 사람의 공동생활은 두 달로 되지 못하여 고갱이 고흐의 곁을 떠나는 것으로 아쉽게 끝나 버리고 만다.

---

1 노란색을 사랑한 고흐

- 노란색을 사랑한 화가 고흐
- 고흐를 매혹시킨 태양
- 고흐의 삶과 노란색의 의미

고흐의 삶		노란색의 의미
궁핍하고 불행했음	→	고흐에게 구원과 희망을 의미

2 예술가 공동체를 꿈꾸며 동료를 초청한 고흐

- 시골 마을에서 예술가의 공동체를 꿈꾼 고흐: 동료들을 초청함
- 고갱의 응답에 감동한 고흐: 자신의 희생을 감수하며 고갱을 위해 방을 꾸미는 등 노력을 기울임

3 「아를의 고흐의 방」에 담긴 고흐의 심리

- 고흐가 「아를의 고흐의 방」을 그린 계기
- 「아를의 고흐의 방」을 감상하는 사람들이 불안감을 느끼는 까닭
- 「아를의 고흐의 방」에 담긴 고흐의 심리: 불안과 기대에 차 흥분된 심리 상태

4 해바라기 그림에 담긴 고흐의 심리

- 고흐가 해바라기 그림을 그린 계기
- 해바라기 그림에 담긴 고흐의 심리: 격정적인 감정

✏️ **지문 정보 확인** 1○ 2X 3○

지문 구조 한눈에 보기 👀

화제 제시 **1**

구체적 사례 1 **2 3**
「아를의 고흐의 방」에 담긴 고흐의 심리

↓

구체적 사례 2 **4**
해바라기 그림에 담긴 고흐의 심리

지문 Point 분석   주제: 고흐의 그림에 주로 사용된 노란색과 노란색을 사용한 고흐의 심리

해제: 노란색을 사랑했던 고흐의 그림에 담긴 그의 심리에 대해 설명하고 있는 글이다. 고흐는 자신의 그림에 노란색을 많이 사용했다. 생전에 불행한 삶을 살았던 고흐에게 노란색은 구원과 희망을 의미했을지도 모른다. 「아를의 고흐의 방」에서 고흐는 그림자를 그려 넣지 않아 그림을 보는 사람이 불안감을 느끼도록 한다. 이 그림은 예술가 공동체라는 꿈이 곧 실현되려 하는 때의 고흐의 불안과 기대를 드러내고 있다. 노란색의 해바라기는 고흐 자신의 격정적인 감정을 드러낸 그림이다. 이처럼 고흐의 그림에는 그의 심리가 잘 드러나 있다.

1 ▼ 세부 정보 추론   답 ③

윗글을 통해 알 수 있는 내용이 <u>아닌</u> 것은?

③ 해바라기 그림이 원인이 되어 고갱은 고흐 곁을 떠난다.

⋯ 4문단에서 고갱은 고흐의 해바라기 그림을 보고 감탄을 금치 못했다고 하였다. 하지만 이 그림으로 인해 고갱이 고흐의 곁을 떠났다는 내용은 확인할 수 없다.

➕ 오답 챙기기

① 고흐는 그림을 그릴 때 노란색을 많이 사용했다.

⋯ 1문단에서 고흐는 노란색 태양에 심취하여 그것을 많이 그렸다고 하였다. 아울러 4문단에서도 노란색 해바라기를 많이 그렸다는 내용을 확인할 수 있다.

② 고흐는 프랑스 아를에서 예술가의 공동체*를 꿈꾸었다.

⋯ 2문단에서 고흐는 아를이라는 시골 마을로 내려와 예술가의 공동체를 꿈꾸며 동료들을 초청했다고 하였다.

④ 고흐는 초청에 응한 고갱을 위해 자신의 불편함도 감수*했다.

⋯ 2문단에서 고흐는 초청에 응한 고갱을 위해 집 한 채를 빌리고 그의 방을 고급 가구로 꾸민 반면 자신의 침실에는 값싸고 투박한 가구를 들여 놓았다고 하였다.

⑤ 고갱을 기다리며 고흐가 그린 그림에는 그의 심리가 드러난다.

⋯ 3문단에서 고흐가 고갱을 기다리며 그린 「아를의 고흐의 방」에는 불안과 기대에 차 흥분된 고흐의 심리 상태가 반영되어 있다고 하였다.

> **어휘 충전**
> * **공동체**(共 함께 공 同 같을 동 體 몸 체): 생활이나 행동 또는 목적 따위를 같이하는 집단.
> * **감수**(甘 달 감 受 받을 수): 책망이나 괴로움 따위를 달갑게 받아들임.

2 ▼ 핵심 정보 파악   답 ③

윗글을 읽고 ㉠을 친구들에게 소개하려고 할 때, 가장 적절한 것은?

③ 고흐가 고갱을 기다리며 그린 그림으로, 고흐 자신의 꿈이 실현되려 하는 때에 불안과 기대에 차 흥분된 심리 상태가 드러나 있어.

⋯ ㉠은 고흐가 시골 마을인 아를로 이주했을 때 자신의 초청에 응한 고갱을 기다리며 그린 그림으로, 예술가의 공동체라는 자신의 꿈이 실현되려 하는 때에 불안과 기대에 차 흥분된 심리 상태가 드러나 있다.

➕ 오답 챙기기

① 고흐가 고갱의 방을 장식하기 위해 그린 그림으로, 고흐 자신의 격정적인 감정을 대담하고 힘이 넘치는 붓질로 표현하고 있어.

⋯ 고흐가 고갱의 방을 장식하기 위해 자신의 격정적인 감정을 힘이 넘치는 붓질로 표현한 것은 해바라기 그림이다.

② 고흐가 시골 마을로 이주했을 때 그린 그림으로, 궁핍하고 불행한 삶으로 인한 절망감이 불안한 가구 배치를 통해 나타나고 있어.

⋯ 고흐가 시골 마을로 이주했을 때 그린 그림인 것은 맞지만, 가구 배치로 절망감을 표현했는지는 이 글을 통해 확인할 수 없다.

④ 고흐가 고갱을 기다리며 자신이 꾸민 고갱의 방을 그린 그림으로, 친구를 위해 고급 가구를 장만한 모습이 선명하게 표현되어 있어.

⋯ 고흐가 고갱을 기다리며 그린 그림인 것은 맞지만, 고갱의 방을 그린 것이 아니라 고흐 자신의 방을 그린 것이다.

⑤ 고흐가 예술가의 공동체를 꿈꾸었을 때 그린 그림으로, 동료 화가인 고갱이 이 작품을 보고 감탄을 금치 못했다는 이야기가 전해지고 있어.

⋯ 고흐가 예술가의 공동체를 꿈꾸었을 때 그린 것은 맞지만, 고갱이 감탄한 그림은 해바라기 그림이다.

3 ▼ 구체적 사례에의 적용   답 ⑤

윗글을 바탕으로 〈보기〉의 ⓐ를 이해한 것으로 적절하지 <u>않은</u> 것은?

> **보기**
>
> 
> ⓐ이 작품은 고흐가 1888년 초에 그린 해바라기 그림이다. 고갱이 고흐의 초청으로 아를에 도착한 1888년 10월 23일에 그의 눈길을 사로잡은 것은 바로 벽에 가득 걸려 있던 고흐의 해바라기 그림이었다고 한다.

⑤ 고갱은 고흐가 그린 ⓐ에 나타난 선명한 노란색에서 구원과 희망을 읽어 낼 수 있었어.

⋯ 1문단에서 선명한 노란색이 구원과 희망을 의미할 수도 있다는 설명은 고흐에게 해당되는 것이지, 고갱이 고흐의 해바라기 그림의 노란색에서 구원과 희망을 읽어 냈는지는 이 글을 통해 확인할 수 없다.

➕ 오답 챙기기

① 고흐가 ⓐ를 그린 것은 노란색을 좋아하는 취향*과 관련이 있을 거야.

⋯ 1문단에서 고흐는 노란색을 사랑했으며, 노란 것이면 무엇이든 감동받을 정도로 노란색에 심취했다는 내용을 확인할 수 있다.

② 시기적으로 ⓐ는 고갱의 방을 장식하기 위해 그렸을 가능성이 있겠어.

⋯ 4문단에서 해바라기 그림들 역시 고갱의 방을 장식하기 위해 그렸다는 내용을 확인할 수 있다.

③ 윗글의 ㉡은 ⓐ에 대해 고흐의 심리 상태와 관련지어 설명하려 할 거야.

⋯ ㉡은 고흐가 그린 「아를의 고흐의 방」을 고흐의 심리 상태와 관련지어 설명하고 있다. 따라서 ⓐ 역시 고흐의 심리 상태와 관련지어 설명하려고 할 것임을 추측할 수 있다.

④ 고흐는 태양에 매혹*되었기 때문에 ⓐ의 해바라기를 태양처럼 보이게 그렸을 거야.

⋯ 1문단에서 고흐가 태양에 매혹되었다는 내용을 확인할 수 있고, 4문단에서는 고흐가 태양처럼 보이는 해바라기를 많이 그렸다는 내용을 확인할 수 있다.

> **어휘 충전**
> * **취향**(趣 달릴 취 向 향할 향): 하고 싶은 마음이 생기는 방향.
> * **매혹**(魅 도깨비 매 惑 미혹할 혹): 남의 마음을 사로잡아 호림.

STUDY 04 어휘 확인

1 ⓜ	2 ⓒ	3 ⓔ	4 ㉠	5 ⓛ
6 ⓒ	7 ㉠	8 ⓑ	9 ⓓ	10 ⓛ
11 발로	12 도모	13 심오	14 투박	15 격정

황색 저널리즘의 기원

출전 장은주, 『중학 독서 평설 2017년 11월 호』 **지문 난이도** ★★☆☆☆

(1,038자)

1 » 언론의 사명은 정확한 정보를 전달하는 것이다. 그런데 일부 언론사는 독자의 관심을 끄는 수단의 하나로 기사 내용과 상관없는 자극적인 제목을 붙이곤 한다. 그런 언론사의 사이트에 들어가 보면 실제로 질 낮은 기사, 유명인의 사생활을 들추는 무분별한 기사들이 사진과 함께 게재되어 있다. 이렇게 공익보다는 구독 경쟁에만 열을 올려서 선정적인 기사를 마구잡이로 싣는 행태를 가리켜 '황색 저널리즘(yellow journalism)'이라고 한다.

2 » 미국에는 저널리즘계의 노벨상으로 불리는 '퓰리처상'이 있다. 이 상을 제정한 사람은 미국의 신문 재벌 조지프 퓰리처이다. 그런데 퓰리처는 황색 저널리즘을 처음 만든 사람이기도 하다. 1883년에 일간지 『뉴욕 월드』를 인수한 퓰리처는 대중이 흥미로워할 법한 볼거리와 읽을거리로 지면을 가득 채웠다. 그 결과 『뉴욕 월드』는 단숨에 판매 부수가 15배나 급증해 신문 시장을 장악 하게 되었다.

3 » 한편 『뉴욕 월드』에는 윌리엄 랜돌프 허스트라는 재벌 2세 출신의 기자가 있었다. 퓰리처가 선정적인 콘텐츠를 활용해 막대한 부를 축적하는 것을 본 허스트는 1895년에 자신도 일간지 『뉴욕 저널』을 인수해 자극적인 내용으로 지면을 채웠고, 『뉴욕 월드』와 『뉴욕 저널』은 경쟁하기 시작했다. 이때 『뉴욕 월드』에 연재되어 인기를 끌던 만화 '옐로 키드'를 사이에 두고 두 일간지가 서로 뺏고 뺏기며 경쟁하게 되었는데, 이것을 두고 사람들은 '옐로 저널리즘'이라는 이름을 붙였으며 여기에 오늘날 황색 저널리즘이라는 의미가 더해졌다.

4 » 언론계에서 최고 권위로 불리는 퓰리처상, 그 상이 황색 저널리즘으로 벌어들인 막대한 부에서 탄생한 사실을 우리는 어떻게 봐야 할까? 이는 황색 저널리즘이 예외적인 현상이 아니라 언론의 본질을 구성하는 요소라는 것을 말해 주는 것이 아닐까? 즉 이는 언론이 이윤을 추구하는 기업의 형태로 존재한다는 것이 가장 큰 문제라는 점을 보여 준다. 언론은 이윤을 놓고 시장에서 서로 경쟁을 벌여야 하고 이 경쟁에서 살아남으려면 사람들의 말초 신경을 자극해 주목받는 것이 가장 손쉬운 방법이기 때문이다.

지문 구조 해설

1 황색 저널리즘의 개념
- 주변에서 쉽게 찾아볼 수 있는 황색 저널리즘의 사례
- 황색 저널리즘의 개념

황색 저널리즘	구독 경쟁에만 치우쳐 선정적인 기사를 무분별하게 싣는 언론의 행태

2 황색 저널리즘의 창시자인 퓰리처가 인수한 『뉴욕 월드』의 성공
- 퓰리처상을 제정한 미국의 신문 재벌 조지프 퓰리처
- 『뉴욕 월드』의 성공 요인으로서의 황색 저널리즘

3 『뉴욕 월드』와 『뉴욕 저널』 간의 경쟁과 황색 저널리즘 이름의 유래
- 허스트의 『뉴욕 저널』 인수 및 두 일간지 간의 자극적인 기사 경쟁
- 황색 저널리즘 이름의 유래

인기 만화 '옐로 키드'를 두고 두 일간지가 서로 경쟁
↓
옐로 저널리즘

4 이윤 추구를 위한 언론사 간 경쟁의 문제점

현대 사회의 언론은 이윤을 추구하는 기업의 형태로 존재함(원인)
↓
이윤을 놓고 시장에서 서로 경쟁
↓
황색 저널리즘의 남용(문제점)

지문 정보 확인 1 ✕ 2 ○ 3 ○

지문 Point 분석 주제: 황색 저널리즘의 기원과 언론의 이윤 추구로 인한 문제점

해제: 황색 저널리즘의 기원을 설명하고, 황색 저널리즘이 발생한 원인을 언론의 이윤 추구로 인한 경쟁에서 찾고 있는 글이다. 언론계의 최고 권위로 불리는 퓰리처상이 실제로는 황색 저널리즘으로 벌어들인 부에서 탄생했다는 모순을 지적하며, 이윤을 놓고 경쟁해야 하는 현대 사회 언론의 문제점에 대해 지적하고 있다.

지문 구조 **한눈에 보기**

화제 제시 ❶	
구체화 ❷ ❸	퓰리처의 『뉴욕 월드』 인수
	『뉴욕 월드』와 『뉴욕 저널』 간의 경쟁
문제점의 원인 지적 ❹	

글의 특성에 따른 요약하기

1 ▼ 세부 정보 파악　　답 ②

윗글의 내용과 일치하지 않는 것은?

② 퓰리처는 『뉴욕 월드』의 판매 부수를 늘리기 위해 퓰리처상을 제정*하였다.

⋯ 2문단에 따르면 퓰리처상은 저널리즘계의 노벨상이라고 불릴 만큼 저명한 상인데, 이 상을 제정한 퓰리처는 황색 저널리즘을 처음 만든 사람이기도 하다. 그러나 4문단에 따르면 퓰리처상은 황색 저널리즘으로 벌어들인 막대한 부에서 탄생한 것이므로, 퓰리처가 『뉴욕 월드』의 판매 부수를 늘리기 위해 퓰리처상을 제정했다는 설명은 적절하지 않다.

➕ 오답 챙기기

① 황색 저널리즘은 공익*보다는 구독 경쟁에 치중*한 언론사의 행태를 말한다.

⋯ 1문단에서 황색 저널리즘은 공익보다는 구독 경쟁에만 열을 올려서 선정적인 기사를 마구잡이로 싣는 행태를 가리킨다고 하였다.

③ 『뉴욕 월드』는 대중의 입맛에 맞는 자극적인 기사를 활용*하여 판매 부수를 늘렸다.

⋯ 2문단에서 퓰리처가 『뉴욕 월드』를 인수한 후 대중이 흥미로워할 법한 볼거리와 읽을거리로 지면을 가득 채워 그 결과로 『뉴욕 월드』의 판매 부수가 15배나 급증했다고 하였다.

④ '옐로 저널리즘'이라는 이름은 『뉴욕 월드』와 『뉴욕 저널』 간의 경쟁에 의해 만들어졌다.

⋯ 3문단에서 허스트가 『뉴욕 저널』을 인수한 후 『뉴욕 월드』와 자극적인 기사를 경쟁적으로 싣기 시작했다고 하였고, 인기 만화 '옐로 키드'를 사이에 둔 경쟁을 두고 사람들이 '옐로 저널리즘'이라는 이름을 붙이게 되었다고 하였다.

⑤ 기업 형태의 언론은 이윤을 남기기 위해 사람들의 말초 신경을 자극하는 방법을 사용한다.

⋯ 4문단에서 언론은 이윤을 추구하는 기업의 형태로 존재하기 때문에 이윤을 놓고 시장에서 경쟁하는 가운데 황색 저널리즘이 나타날 수밖에 없다는 문제점을 지적하고 있다.

> **어휘 충전**
> * **제정**(制 억제할 제 定 정할 정): 제도나 법률 따위를 만들어서 정함.
> * **공익**(公 공변될 공 益 더할 익): 사회 전체의 이익.
> * **치중**(置 둘 치 重 무거울 중): 어떠한 것에 특히 중점을 둠.
> * **활용**(活 살 활 用 쓸 용): 충분히 잘 이용함.

2 ▼ 핵심 정보 추론　　답 ④

윗글의 내용을 〈보기〉와 같이 요약할 때, ㉠~㉣에 들어갈 말을 바르게 나열한 것은?

> **보기**
> • 1문단: 황색 저널리즘의 (㉠)
> • 2문단: 황색 저널리즘의 창시자인 퓰리처가 인수한 『뉴욕 월드』의 (㉡)
> • 3문단: 『뉴욕 월드』와 『뉴욕 저널』 간의 경쟁과 '옐로 저널리즘' 이름의 (㉢)
> • 4문단: 이윤 추구를 위한 언론사 간 경쟁의 (㉣)
>
> ↓
>
> 황색 저널리즘이란 구독 경쟁을 위해 선정적인 기사를 마구잡이로 싣는 언론의 행태를 가리키는 말이다. 황색 저널리즘의 창시자인 퓰리처는 『뉴욕 월드』를 인수한 후 자극적인 기사를 실어 큰 성공을 거두었다. 이를 본 허스트 역시 『뉴욕 저널』을 인수하여 『뉴욕 월드』와 경쟁을 하였는데 이 과정에서 '옐로 저널리즘'이라는 이름이 탄생했다. 황색 저널리즘은 언론이 이윤을 추구하는 기업의 형태로 존재하기에 일어나는 문제라고 할 수 있다.

㉠	㉡	㉢	㉣
④ 개념	성공	유래	문제점

⋯ 1문단에서는 황색 저널리즘의 '개념(㉠)'을 제시하고 있으며, 2문단에서는 황색 저널리즘의 창시자인 퓰리처가 『뉴욕 월드』를 인수하고 황색 저널리즘을 통해 '성공(㉡)'을 거두게 된 과정을 설명하고 있다. 3문단에서는 『뉴욕 월드』와 『뉴욕 저널』 간의 경쟁 과정에서 '옐로 저널리즘'이라는 이름이 '유래(㉢)'되었음을 밝히고 있으며, 4문단에서는 언론이 이윤을 추구하는 과정에서 벌어지는 언론사 간 경쟁의 '문제점(㉣)'을 날카롭게 지적하고 있다.

삶의 질을 평가하는 디그니티

출전 남경태, 『개념어 사전』　**지문 난이도** ★★★☆☆

(1,107자)

1 » 현대 사회에서는 GDP, 사회 민주화, 경제적 평등, 정치 참여도, 보건, 교육, 성적 평등 등의 각종 지표를 동원해 삶의 질을 평가한다. 이로 인해 마치 삶의 질을 나타 내는 척도가 여러 가지인 듯 여겨질 수 있지만, 실제로는 삶의 질이 여러 가지라기 보다는 삶의 질을 확보하는 방도가 여러 가지일 뿐이다.

2 » 물론 삶의 질은 주관적인 측면이 있으므로 각 사회가 추구하는 가치관에 따라, 또 는 각 개인마다 다를 수 있다. 대체로 기본적인 의식주의 충족, 건강, 행복, 건전한 사회관계 등 몇 가지로 압축되지만, 그런 요소들을 수치로 나타내는 것은 결국 실패 하기 마련이다.

3 » 삶의 질을 평가하는 비교적 객관적인 척도는 디그니티(dignity)이다. 이 영어 단어 는 보통 '존엄성'이라는 뜻으로 쓰이지만, '자존심'이나 '체면'을 뜻하기도 한다. 본래 좋은 의미로 사용되는 단어이므로 '쓸데없는 자존심'이나 '허식적인 체면'이 아니라 품위와 기품을 갖춘 자존심과 체면을 가리킨다. 디그니티가 보장되는 사회, 즉 많은 구성원이 각자 자신의 품위를 지키며 살아갈 수 있는 사회라면 삶의 질이 높다고 평 가할 수 있다.

4 » 개인적인 차원에서 디그니티는 진정한 자기애(自己愛)를 포함한다. 자신을 진정으 로 사랑하는 사람이라면 당연히 자존심과 체면을 잃는 것을 두려워한다. 예를 들어 자신의 디그니티를 중시하는 관리가 뇌물의 유혹을 받는다면, "그 정도 뇌물에 내 자존심과 체면을 팔기는 싫다."라는 결론을 내릴 수 있다.

5 » 한편, 국가도 일종의 법인(法人)이라고 본다면 국가적 차원의 디그니티도 찾을 수 있다. 이른바 국격이라고 말하는 것이 국가의 디그니티이다. 개인의 디그니티에 개 인이 살아온 내력이 반영되어 있듯이 국격도 저절로 생겨난 게 아니라 역사의 산물 이다. 비천한 방법으로 부를 쌓은 졸부가 디그니티를 가질 수 없듯이 침략과 정복으 로 나라의 경제력을 늘린 국가 역시 국격을 가질 수 없다.

6 » 개인적으로나 국가적으로나 디그니티를 척도로 삶의 질을 평가하면, 지표상의 기 준과 같은 객관적 측면과 더불어 각 개인이나 국가의 가치관과 같은 주관적 측면을 포함시킬 수 있다. 각국의, 혹은 각자의 디그니티를 고려하지 않고 삶의 질을 평가 하는 척도를 표준화시키려고 하는 시도가 위험한 이유는 바로 이것이다.

지문 구조 해설

1 삶의 질을 확보하는 다양한 방도
- 삶의 질을 평가하는 다양한 지표의 예
- 여러 가지 삶의 질이 존재하는 것이 아니라, 삶의 질을 확보하는 여러 가지 방도가 존재하는 것임

2 삶의 질의 주관적인 측면
- 삶의 질은 사회의 가치관에 따라, 각 개인마다 다를 수 있음 → 주관적
- 삶의 질을 구성하는 요소들을 수치 화하기는 어려움

3 삶의 질을 평가하는 객관적인 척도 인 디그니티
- 디그니티의 의미: 존엄성, 자존심, 체면
- 디그니티가 보장되는 사회는 삶의 질이 높다고 평가할 수 있음

4 개인적 차원의 디그니티
- 개인적 차원의 디그니티: 진정한 자 기애를 포함
- 개인적 차원의 디그니티가 발현된 사례

5 국가적 차원의 디그니티
- 국가적 차원의 디그니티: 국격이라 불리는 것으로, 역사의 산물임

6 삶의 질이 갖는 주관적 측면을 평 가하는 일의 중요성
- 삶의 질을 평가하는 척도인 디그니 티의 효용성

✎ 지문 정보 확인　1 ○　2 X　3 X

지문 Point 분석　**주제: 삶의 질을 평가하는 척도인 디그니티의 개념과 효용성**

해제: 디그니티의 개념과 특성을 설명하고 있는 글이다. '존엄성' 또는 '자존심'이나 '체면'을 의미하는 디그니티는 삶의 질을 평가하는 객관적인 척도이다. 디그니티를 척도로 삶의 질을 평가하면 지표상의 기준과 같은 객관적 측면과 더불어 가치관과 같은 주관적 측면 까지도 측정이 가능하다는 장점이 있다. 디그니티는 개인적 차원에서뿐만 아니라 국가적인 차원에서도 찾아볼 수 있는 개념이다.

지문 구조 한눈에 보기

화제 제시 **1** **2**

↓

구체화 1 **3**
디그니티의 개념

↓

구체화 2 **4** **5**
개인적 차원의 디그니티,
국가적 차원의 디그니티

↓

의의 및 효용성 **6**

1 ▼ 세부 정보 파악   답 ④

윗글의 '디그니티'에 대한 설명으로 적절하지 <u>않은</u> 것은?

④ 역사적으로 다른 나라를 정복해 우월*한 국력을 가졌던 국가일수록 디그니티가 높다.

⋯ 5문단의 내용을 통해 국가 역시 디그니티를 가지며, 국가의 디그니티는 '국격'을 이르는 말임을 알 수 있다. 침략과 정복으로 나라의 경제력을 늘린 국가는 국격, 즉 디그니티를 가질 수 없다고 했으므로, 다른 나라를 정복해 우월한 국력을 가졌다고 해서 디그니티가 높다고 말할 수는 없다.

➕ 오답 챙기기

① 디그니티가 보장*되는 사회라면 삶의 질이 높다고 판단할 수 있다.

⋯ 3문단에서 디그니티가 보장되는 사회, 즉 많은 구성원이 각자 자신의 품위를 지키며 살아갈 수 있는 사회라면 삶의 질이 높다고 평가할 수 있다고 하였다.

② 개인적 차원의 디그니티란 자신을 진정으로 사랑하는 태도를 포함한다.

⋯ 4문단에서 개인적인 차원의 디그니티는 진정한 자기애, 즉 자신을 진정으로 사랑하는 태도를 포함한다고 하였다.

③ 디그니티는 삶의 질을 평가하는 데 활용할 수 있는 비교적 객관적인 척도*이다.

⋯ 3문단에서 디그니티는 삶의 질을 평가하는 비교적 객관적인 척도라고 하였다.

⑤ 삶의 질을 평가할 때는 객관적 측면*과 더불어 주관적 측면을 고려하는 일이 필요하다.

⋯ 6문단에서 디그니티를 척도로 삶의 질을 평가하면, 객관적 측면과 더불어 주관적 측면까지 포함시킬 수 있으며, 디그니티를 고려하지 않고 삶의 질을 평가하는 척도를 표준화시키는 것은 위험하다고 하였다.

> 어휘 충전
> * **우월**(優 넉넉할 우 越 넘을 월): 다른 것보다 나음.
> * **보장**(保 보전할 보 障 가로막을 장): 어떤 일이 어려움 없이 이루어지도록 조건을 마련하여 보증하거나 보호함.
> * **척도**(尺 자 척 度 법도 도): 자로 재는 길이의 표준.
> * **측면**(側 곁 측 面 낯 면): 앞뒤에 대하여 왼쪽이나 오른쪽의 면.

④ 삶의 질을 평가하는 객관적인 척도인 디그니티는 개인적 차원과 국가적 차원에서 모두 활용할 수 있으며, 이것을 통해 '삶의 질'의 객관적 측면과 더불어 주관적 측면까지 평가할 수 있기 때문에 중요한 의미를 갖는다.

⋯ 1~3문단에서는 삶의 질을 평가하는 다양한 지표 중 하나인 디그니티의 개념을 제시하며, 이것이 삶의 질을 평가하는 비교적 객관적인 척도임을 언급하고 있다. 4~5문단에서는 개인적 차원과 국가적 차원에서의 디그니티에 대해 설명하고 있으며, 6문단에서는 디그니티를 척도로 삶의 질을 평가하면 객관적 측면과 더불어 주관적 측면도 포함시킬 수 있음을 강조하고 있다.

➕ 오답 챙기기

① 삶의 질을 평가하는 데 있어서 객관적 측면보다 주관적 측면이 더욱 중요하기 때문에 세계화와 신자유주의에서처럼 삶의 질을 표준화시키는 행위는 매우 위험하다고 할 수 있다.

⋯ 핵심 소재인 디그니티에 대한 언급이 없으며, 삶의 질을 평가하는 데 있어서 객관적 측면보다 주관적 측면이 더 중요하다는 것은 글의 내용과도 어긋나므로 적절하지 않다.

② 삶의 질을 평가하는 척도인 디그니티는 '존엄성', '자존심', '체면' 등의 의미를 갖고 있으며, 좋은 의미로 사용되는 단어이므로 사회의 부정적 측면을 측정하는 데 있어서는 유용하지 못하다.

⋯ 디그니티가 개인적 차원과 국가적 차원에서 어떻게 활용될 수 있는지에 대한 언급이 없으며, 사회의 부정적 측면을 측정하는 데 있어 유용하지 못하다는 것은 글의 내용과도 어긋나므로 적절하지 않다.

③ 개인적 차원의 디그니티에 비해 국가적 차원의 디그니티는 측정하기가 더욱 어려운데, 그것은 역사적인 맥락에서 한 국가가 다른 국가와 어떠한 관계를 맺어 왔는지를 총체적으로 판단해야 하기 때문이다.

⋯ 디그니티가 삶의 질을 측정하는 데 유용한 척도라는 핵심 내용이 언급되어 있지 않을뿐더러, 개인적 차원의 디그니티에 비해 국가적 차원의 디그니티가 측정하기 어렵다는 것은 글의 내용과도 어긋나므로 적절하지 않다.

⑤ 현대 사회에서는 다양한 지표로 삶의 질을 평가하고 있지만, 그중 가장 유용한 척도인 디그니티의 경우 개인적인 차원에서뿐 아니라 국가적인 차원에서도 활용 가능하며 특히 삶의 질의 객관적 측면의 평가에 유용하다.

⋯ 디그니티가 삶의 질을 평가하는 데 활용될 수 있는 척도이긴 하지만 가장 유용하다는 언급은 이 글에서 찾을 수 없으며, 디그니티는 삶의 질의 주관적 측면까지 포함시킬 수 있기 때문에 중요하다는 것이 핵심적인 내용이라고 할 수 있다.

글의 특성에 따른 요약하기

2 ▼ 중심 내용 파악   답 ④

〈보기〉는 윗글을 읽은 학생들의 대화이다. Ⓐ에 들어갈 말로 가장 적절한 것은?

> **보기**
>
> 주은: 현대 사회에서 '삶의 질'이 중요하다는 것은 알고 있었지만 그것을 측정하는 방법에 대해서는 정확히 알지 못했는데, 이 글을 읽고 '디그니티'라는 척도에 대해 새롭게 배우게 되었어.
> 현수: 그래. 이 글에서 말하는 바를 요약해 보면 '(Ⓐ   )'라고 할 수 있어. 이 글을 계기로 우리 사회의 디그니티는 어느 정도 되는지를 고민해 볼 수 있게 된 것 같아.

STUDY 05 어휘 확인

1 ⓒ	2 ⓓ	3 ㉠	4 ⓔ	5 ⓛ
6 ⓔ	7 ⓗ	8 ⓛ	9 ㉠	10 ⓒ
11 행태	12 지표	13 허식	14 내력	15 게재

정폭 도형

출전 박경미, 『생각을 키우는 수학 나무』　**지문 난이도** ★★★★☆

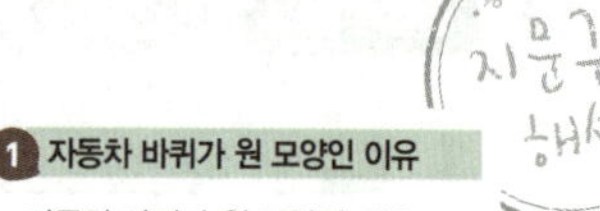

(1,200자)

1 » 원은 중심으로부터 같은 거리에 있는 점들을 이어 만든 도형이다. 우리 주변에는 원의 성질을 이용한 여러 발명품이 존재한다. 대표적인 예가 자동차의 바퀴이다. 사각형 혹은 삼각형 모양의 자동차 바퀴가 없는 이유는 무엇일까? 자동차 바퀴는 원 모양이어야만 바퀴의 각 점에서 중심까지의 거리가 같고, 중심을 축으로 원을 회전시킬 때 매끄럽게 굴러가기 때문이다.

2 » 맨홀 뚜껑 역시 거의 예외 없이 원 모양이다. 원 위의 점들이 중심으로부터 같은 거리만큼 떨어져 있기 때문에 원의 지름은 어디에서나 같다. 이러한 성질은 자동차 바퀴와 마찬가지로 맨홀 뚜껑을 원 모양으로 만드는 이유가 된다. 사각형 모양의 맨홀 뚜껑을 연상해 보면 그 이유를 쉽게 납득할 수 있다. 사각형의 대각선은 네 변보다 길기 때문에 사각형 모양의 맨홀 뚜껑을 세우다가는 맨홀로 빠지기 십상이다. 이에 반해 맨홀 뚜껑을 원 모양으로 하면서 맨홀 구멍보다 약간 크게 만들면, 맨홀 뚜껑을 세워도 구멍에 걸려 절대로 빠지는 일이 없다.

3 »

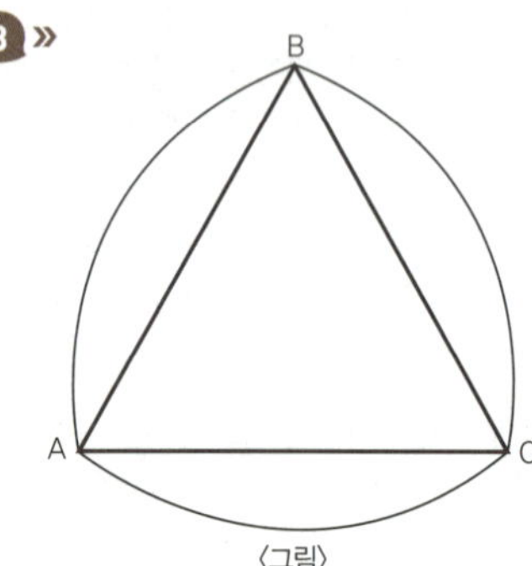

〈그림〉

여기서 알 수 있는 맨홀 뚜껑의 조건은 어느 방향에서 재어도 중심을 지나는 폭이 일정해야 한다는 점이다. 이러한 도형을 '정폭 도형'이라고 하는데, 원 이외에도 정폭 도형은 많이 있다. 예를 들어 〈그림〉과 같이 정삼각형 ABC를 그리고 꼭짓점 A에서 꼭짓점 B와 C를 지나는 호를 그린다. 이러한 과정을 나머지 두 꼭짓점에서도 반복하면 부풀려진 정삼각형 모양을 얻을 수 있는데, 이 정폭 도형을 '뢸로 삼각형'이라고 한다. ㉠뢸로 삼각형 등 다양한 뢸로 다각형을 활용한다면, 천편일률적인 원 모양 이외에 개성 있는 맨홀 뚜껑을 만들 수 있다.

4 » 또한 맨홀 뚜껑은 자동차가 지나다닐 때 덜컹이거나 튀어 올라 열리면 곤란하기 때문에 충분히 무거워야 한다. 그리고 수없이 많은 맨홀을 덮어야 하기 때문에 비싸지 않은 소재를 사용해야 한다. 이런 조건을 갖춘 적절한 금속이 '주철'이다. 흔히 무쇠라고 불리는 주철은 녹는점이 낮아서 만들기 쉬우면서 무겁고 단단하다.

5 » 가끔 영화를 보면 자동차가 매우 빠르게 도로를 질주할 때 도로에 놓여 있던 맨홀 뚜껑이 공중으로 튀어 오르는 장면을 심심찮게 볼 수 있다. 이것은 자동차가 지나간 뒤쪽으로 강력한 진공 상태가 만들어져 압력이 낮아지는 탓이다. 즉 맨홀 뚜껑 윗부분에 갑자기 진공 상태가 만들어지면서 주변의 공기가 진공이 만들어진 부분으로 강하게 빨려 들어가고, 이때 무거운 맨홀 뚜껑까지 딸려 올라가는 것이다.

---

1 **자동차 바퀴가 원 모양인 이유**
- 자동차 바퀴가 원 모양인 이유

2 **맨홀 뚜껑을 원 모양으로 만드는 이유**
- 원의 성질: 중심으로부터 같은 거리만큼 떨어져 있는 점의 집합
- 사각형 모양 맨홀 뚜껑의 문제점: 뚜껑을 세우면 빠질 수 있음
- 원 모양 맨홀 뚜껑의 장점: 뚜껑을 세워도 빠지지 않음

3 **정폭 도형과 뢸로 삼각형의 개념**
- 정폭 도형: 어느 방향에서 재어도 중심을 지나는 폭이 일정한 도형
- 뢸로 삼각형: 정삼각형의 꼭짓점들을 중심으로 하는 세 원의 호로 만들어진 정폭 도형
- 뢸로 다각형을 활용하면 원 모양 이외의 맨홀 뚜껑을 만들 수 있음

4 **맨홀 뚜껑의 조건**
- 맨홀 뚜껑의 조건 ①: 충분히 무거워야 함
- 맨홀 뚜껑의 조건 ②: 소재의 가격이 저렴해야 함
- 맨홀 뚜껑의 주요 소재인 주철의 특징

5 **맨홀 뚜껑이 튀어 오르는 이유**
- 자동차가 질주할 때 맨홀 뚜껑이 튀어 오르는 이유

지문 정보 확인 1 X　2 X　3 ○

지문 Point 분석　주제: 정폭 도형의 개념을 통해 알아본 맨홀 뚜껑의 특징

해제: 정폭 도형의 개념을 바탕으로 맨홀 뚜껑의 모양과 특성을 설명하고 있는 글이다. 맨홀 뚜껑이 일반적으로 원 모양인 이유는 맨홀 구멍에 빠지지 않기 위해서이다. 이때 어느 방향에서 재어도 중심을 지나는 폭이 일정한 정폭 도형을 활용한다면 다양한 형태의 맨홀 뚜껑을 제작할 수 있다. 또한 자동차가 지나다닐 때 맨홀 뚜껑이 갑자기 튀어 오른다면 안전사고가 발생할 수 있으므로 맨홀 뚜껑은 무겁고 단단하며 녹는점이 낮은 주철을 이용하여 제작하는 것이 일반적이다.

지문 구조 한눈에 보기

화제 제시 **1**
맨홀 뚜껑이 원 모양인 이유
구체화 **2** **3** 맨홀 뚜껑의 조건
4 **5** 맨홀 뚜껑이 튀어 오르는 이유

핵심 내용 예측하기

1 ▼ 세부 정보 추론   답 ③

㉠의 근거를 추론*한 내용으로 적절한 것은?

③ 뢸로 삼각형은 어느 방향에서든 중심을 지나는 폭이 일정하기 때문이다.

… 맨홀 뚜껑을 원 모양으로 만드는 이유는 다른 다각형의 경우 세워 놓았을 때 맨홀 구멍으로 빠지기 십상이기 때문이다. 그러나 뢸로 삼각형의 경우 어느 방향에서 재어도 중심을 지나는 폭이 일정하기 때문에 맨홀 구멍에 빠지지 않게 된다. 따라서 뢸로 삼각형과 같은 뢸로 다각형을 활용하여 다양한 형태의 맨홀 뚜껑을 만들 수 있는 것이다.

➕ 오답 챙기기

① 뢸로 삼각형은 각 변의 길이가 같아 안정적*이기 때문이다.

… 뢸로 삼각형뿐만 아니라 정삼각형이나 정사각형도 각 변의 길이는 같다. 다만 대각선의 길이가 각 변보다 길기 때문에 맨홀 뚜껑으로 적절하지 않은 것이다.

② 뢸로 삼각형은 맨홀 구멍보다 작아 빠지는 일이 없기 때문이다.

… 뢸로 삼각형이 맨홀 구멍에 빠지지 않는 이유는 어느 방향에서 재어도 중심을 지나는 폭이 일정하기 때문이지 크기의 문제 때문이 아니다.

④ 뢸로 삼각형은 중심을 축으로 회전할 때 매끄럽게 굴러가지 않기 때문이다.

… 뢸로 삼각형보다는 원 모양이 훨씬 수월하고 매끄럽게 굴러갈 것이다. 하지만 맨홀 뚜껑으로 적합한지를 판단함에 있어 잘 굴러가는지의 여부가 판단 기준이 된다고 볼 수는 없다.

⑤ 뢸로 삼각형은 원과는 달리 꼭짓점*을 무게 중심*으로 세우는 것이 용이하기 때문이다.

… 뢸로 삼각형이 원과 달리 꼭짓점을 지니고 있기는 하지만, 이것이 다양한 모양의 맨홀 뚜껑을 만들 수 있는 이유가 될 수는 없다.

어휘 충전

* **추론(推 옮길 추 論 논의할 론):** 미루어 생각하여 논함.
* **안정적(安 편안할 안 定 정할 정 的 과녁 적):** 바뀌어 달라지지 아니하고 일정한 상태를 유지하게 되는 것.
* **꼭짓점:** 각을 이루고 있는 두 변이 만나는 점.
* **무게 중심:** 물체나 질점계에서 각 부분이나 각 질점에 작용하는 중력의 합력의 작용점.

2 ▼ 다른 사례에의 적용   답 ②

윗글을 바탕으로 〈보기〉의 사례들을 분석한 내용으로 적절하지 <u>않은</u> 것은?

> **보기**
>
> (가) 자판기는 각 동전의 폭에 맞는 길을 놓아 종류에 따라 구분하도록 설계되어 있다. 대부분의 동전은 원의 형태이다. 그러나 영국에서 사용하는 20펜스 동전과 50펜스 동전은 뢸로 다각형으로 만들어져 있다.
>
> (나) 기타 피크는 얇고 날카로운 모서리의 도형으로 만들면 손이 다칠 수 있기 때문에 뢸로 삼각형의 형태로 제작한다. 뢸로 삼각형은 세 개의 꼭짓점이 있어 손에 쥐고 줄을 튕기기 수월하며, 어느 방향으로 쥐든 안정적으로 연주할 수 있다는 장점이 있다.

> (다) 2018년에는 자동차가 도로를 주행하던 중 맨홀 뚜껑이 튀어 올라 차량 하부가 파손되는 사고가 발생했다. 이런 일을 예방하기 위해 일부 지자체에서는 도심에서 자동차 경주를 하는 등 특별한 경우에 한해 일정 기간 동안 맨홀 뚜껑을 용접하여 붙이도록 정해 놓았다고 한다.

② (가): 뢸로 다각형 형태의 동전은 원 형태의 동전과 형태가 달라 자판기에서는 쓰일 수 없다.

… 뢸로 다각형은 원 모양의 동전과 형태가 다르기는 하나 어느 방향에서 재어도 중심을 지나는 폭이 일정한 정폭 도형이므로 자판기에서 폭에 따라 길을 달리 설정해 놓는다면 같은 종류의 동전이 폭에 맞는 길을 따라 분류될 것이다. 따라서 뢸로 다각형 형태의 동전도 자판기에서 쓰일 수 있다.

➕ 오답 챙기기

① (가): 20펜스 동전과 50펜스 동전은 대부분의 동전 형태와 마찬가지로 정폭 도형이다.

… 20펜스 동전과 50펜스 동전은 뢸로 다각형으로 만들어졌다고 했다. 3문단을 통해 뢸로 삼각형을 비롯한 뢸로 다각형은 정폭 도형임을 알 수 있고, 2문단을 통해 원의 지름은 어디에서나 같으므로 원 역시 정폭 도형임을 알 수 있다. 따라서 뢸로 다각형인 20펜스 동전과 50펜스는 원 모양인 대부분의 동전 형태와 마찬가지로 정폭 도형이다.

③ (나): 기타 피크는 사용자의 안전까지 고려하여 뢸로 삼각형 형태로 제작되고 있다.

… 기타 피크를 날카로운 모서리를 지닌 다각형으로 만들 경우 손이 다칠 수 있다는 설명에 비추어 볼 때, 사용자의 안전까지 고려하여 뢸로 삼각형의 형태로 제작하는 것임을 알 수 있다.

④ (나): 기타 피크는 어느 쪽으로 쥐든 폭이 동일한 정폭 도형이기 때문에 안정적인 연주가 가능하다.

… 뢸로 삼각형인 기타 피크는 정폭 도형이므로 어느 방향에서 쥐어도 폭이 일정하다. 따라서 사용자는 어느 쪽으로 쥐더라도 안정적으로 연주를 할 수 있다.

⑤ (다): 자동차 경주 중에는 자동차들의 고속 주행으로 인해 맨홀 뚜껑 주변의 압력이 하락하여 맨홀 뚜껑이 튀어 오를 수 있다.

… 자동차 경주 중에는 일반적으로 고속 주행이 이루어지기 때문에 자동차 뒤쪽으로 강한 진공 상태가 만들어져 압력이 하락해 맨홀 뚜껑이 튀어 오를 위험이 있다. 따라서 〈보기〉에 언급되어 있는 것처럼 맨홀 뚜껑을 일시적으로나마 용접하여 붙이는 것이라고 볼 수 있다.

어휘 충전

* **구분(區 구역 구 分 나눌 분):** 일정한 기준에 따라 전체를 몇 개로 갈라 나눔.
* **용접(鎔 주조할 용 接 접할 접):** 두 개의 금속·유리·플라스틱 따위를 녹이거나 반쯤 녹인 상태에서 서로 이어 붙이는 일.

냉장고 속 열의 이동

출전 세드리크 레이 외, 『일상 속의 물리학』   지문 난이도 ★★★★☆

(887자)

❶ » 냉장고 안에서는 열이 이동한다. 즉 한 시스템에서 에너지를 빼앗아서 다른 시스템에 그 에너지를 양도하는 것이다. 따라서 냉장고는 내부의 열이 외부로 확실히 흘러가서 내부는 온도가 내려가고 외부는 올라가야 한다.

❷ » 열은 밀폐된 회로에서 순환하는 냉매 덕분에 이동한다. 이런 냉매는 한 번의 순환 주기에 두 번의 상변화를 겪는다. 냉매는 첫 번째 상변화가 일어나는 동안 열을 외부에 양도한 다음, 두 번째 상변화가 이루어질 때 냉장고의 내부에서 열을 흡수한다. 해당 잠열이 높다면 아주 효과적으로 냉각될 수 있다.

❸ » 가장 흔한 유형인 압축식 냉장고 속에서 이런 열의 이동 단계를 상세히 살펴보자. 냉장고가 때때로 소음을 낸다면, 그건 압축기 때문이다. 압축기는 기체 형태의 차가운 냉매를 압축하는데, 이로 인해 냉매의 온도와 압력이 올라간다. 따라서 냉매는 압축기에서 나갈 때 뜨겁고 압력이 높다.

❹ » 높은 압력 상태의 뜨거운 이 기체는 그다음에 응축기를 거쳐 순환하는데, 그곳에서 확산을 통해 열을 외부로 양도하고 상변화를 겪는다. 높은 압력을 받는 뜨거운 액체로 변화되는 것이다. 압력이 상당하기 때문에 높은 온도에서 액화가 일 [A] 어날 수 있다. 실제로 압력이 올라갈 때, 액화 온도가 상승하여 주변 온도보다 더 높아진다. 이 액체는 냉각 회로 속에서 계속 제 길을 가면서 그다음에 팽창 밸브를 지나는데, 팽창 밸브는 액체의 압력과 온도를 낮춰 준다. 그리하여 액체와 기체가 대등하게 뒤섞인 혼합물이 나오게 된다.

❺ » 이렇게 압력이 떨어진 후, 저온의 액체−기체 혼합물은 증발기를 통과한다. 여기에서 그 혼합물은 냉장고 내부의 열을 흡수하여 두 번째 상변화를 겪는다. 액체가 끓기 시작해 기화된다. 그때 저온 저압 상태의 기체를 얻게 되며, 그 기체는 새로 순환을 하기 위해 압축기에서 다시 출발한다.

지문 구조 해설

1 냉장고 속 냉각의 원리
• 냉장고 속이 차갑게 유지되는 원리

2 냉매의 두 번의 상변화
• 냉장고 속 열은 냉매를 통해 이동함
• 냉매의 두 번의 상변화

첫 번째	⇒	두 번째
열 방출		열 흡수

3 냉장고 속 열의 이동 단계 ①
• 압축기 속 냉매의 상태

냉매	• 기체 상태
	• 온도와 압력 상승

단계 ①

4 냉장고 속 열의 이동 단계 ②
• 응축기 속 냉매의 상태

냉매	• 열을 외부로 방출
	• 기체 → 액체

• 팽창 밸브 속 냉매의 상태

냉매	• 온도와 압력 하락
	• 액체와 기체의 혼합물

단계 ②

5 냉장고 속 열의 이동 단계 ③
• 증발기 속 냉매의 상태

냉매	• 냉장고 내부의 열을 흡수
	• 액체 → 기체

단계 ③

✎ 지문 정보 확인 1○ 2○ 3✕

지문 구조 한눈에 보기

화제 제시 **1** **2**

↓

과정 제시 **3** **4**	압축기
	응축기
5	팽창 밸브
	증발기

지문 Point 분석 주제: 냉장고의 냉각 원리

해제: 냉매를 이용한 냉장고의 냉각 원리를 설명하고 있는 글이다. 냉매는 두 번의 상변화를 겪으면서 열을 이동시켜 냉장고 속 온도를 낮추는 역할을 한다. 기체 상태의 냉매는 압축기에서 온도와 압력이 상승되어 응축기로 이동한다. 응축기에서는 확산을 통해 액화되고 팽창 밸브에서 온도와 압력이 하락하여, 액체와 기체가 혼합된 형태로 변한다. 증발기로 이동한 냉매는 열을 흡수하여 다시 기체 상태로 변화하며, 새로운 순환을 위해 압축기에서 다시 출발한다.

1

▼ 세부 정보 파악   답 ④

[A]를 바탕으로 〈보기〉를 이해한 내용으로 적절한 것은?

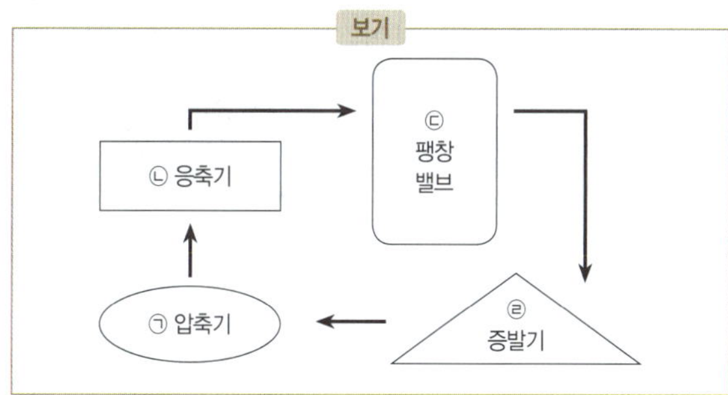

④ ⓒ에서는 온도와 압력이 변화하여 액체–기체 혼합물 형태의 냉매가 ㉣로 이동한다.

⋯ 4문단에서 액체 상태의 냉매는 팽창 밸브에서 압력과 온도가 하락하여 액체와 기체가 대등하게 뒤섞인 혼합물의 형태로 된다고 하였다.

🔺 오답 챙기기

① ㉠은 냉매를 만들어 내는 곳으로 냉장고 소음의 원인이 된다.

⋯ 3문단에서 냉장고가 소음을 낸다면, 그것은 압축기 때문이라고 하였다. 하지만 압축기에서 냉매를 만들어 내지는 않는다.

② ⓛ에서 열을 흡수한 냉매는 기체로 상변화한다.

⋯ 4문단에서 응축기를 지나는 냉매는 확산을 통해 열을 외부로 양도하고 뜨거운 액체로 변화된다고 하였다. 냉매가 기체로 상변화하는 곳은 증발기이다.

③ ⓛ에서는 압력의 하락으로 인해 온도가 상승하여 냉매의 상태에 영향을 미친다.

⋯ 4문단의 '실제로 압력이 올라갈 때, 액화 온도가 상승하여 주변 온도보다 더 높아진다.'를 통해 압력과 온도는 비례함을 확인할 수 있다. 따라서 압력의 하락으로 인해 온도가 상승한다는 설명은 적절하지 않다.

⑤ ㉣에서는 기존의 냉매를 새로운 냉매로 교체하여 ㉠으로 공급한다.

⋯ 5문단을 통해 증발기에서 기화된 저온 저압 상태의 기체 냉매는 다시 압축기로 들어간다는 것을 확인할 수 있다. 새로운 냉매로 교체한다는 설명은 적절하지 않다.

2

▼ 핵심 정보 추론   답 ④

윗글의 '냉장고'와 〈보기〉의 '에어컨'을 비교한 내용으로 적절한 것은?

보기

그렇다면 에어컨은 어떤 원리로 작동되는 것일까? 에어컨은 기화열*을 이용해서 실내의 열을 외부로 퍼내는 장치이다. 즉 에어컨은 냉매로 기화를 일으켜 제한된 공간의 열을 흡수하는 것이다. 냉매는 원래 가스 상태인데 에어컨에 내장된 '압축기'에 의해 압축되면서 액체로 변한다. 에어컨이 공기를 차갑게 만드는 기술은 이 액화된 냉매에서 본격적으로 이루어진다. 에어컨 안의 '증발기'라는 장치가 이 액체 상태의 냉매를 기체로 증발시킴으로써 기화열을 일으킨다. 즉 냉매가 기화되면서 주변 열이 흡수되기 때문에 온도가 낮아지는 것이다. 이때 에어컨 내부의 날개가 돌아가면서 바람을 내보내면, 마치 차가운 바람이 만들어져 나오는 느낌이 든다. 이는 팔에 알코올을 바른 뒤 입으로 불면 차가운 바람이 느껴지는 것과 같은 원리이다.

---

④ 냉장고는 응축기에서 상변화가 일어나지만, 에어컨은 압축기에서 상변화가 일어난다.

⋯ 냉장고는 기체 상태였던 냉매가 응축기에서 뜨거운 액체로 상변화하지만, 에어컨은 가스 상태인 냉매가 압축기에서 압축되면서 액체 상태로 상변화한다.

🔺 오답 챙기기

① 냉장고와 에어컨은 모두 액체 상태의 냉매를 이용한다.

⋯ 3문단에서 압축기는 기체 형태의 차가운 냉매를 압축한다고 하였고, 〈보기〉에서 냉매는 원래 가스 상태인데 압축되면서 액체로 변한다고 하였다. 따라서 냉장고와 에어컨 모두 기체 상태의 냉매를 이용한다.

② 냉장고와 에어컨은 모두 내·외부의 열을 흡수하여 냉매의 온도를 낮춘다.

⋯ 냉장고와 에어컨 모두 내부의 열을 흡수하여 외부로 방출하는 과정을 통해 냉매의 온도를 낮추고 공기를 냉각하는 방식으로 작동한다.

③ 냉장고와 에어컨은 모두 상이*한 냉매의 증발 속도를 이용하여 공기를 냉각한다.

⋯ 냉장고와 에어컨 모두 냉매의 상변화 과정에서 일어나는 열의 이동을 통해 공기를 냉각하는 방식으로 작동한다. 상이한 냉매의 증발 속도를 이용하여 공기를 냉각한다는 설명은 적절하지 않다.

⑤ 냉장고는 기체로의 상변화 과정에서 열을 흡수하여 온도를 낮추지만, 에어컨은 증발기 가동* 과정에서 발생하는 열을 이용하여 온도를 낮춘다.

⋯ 냉장고는 기체로 상변화하는 과정에서 내부의 열을 흡수하여 온도를 낮춘다. 에어컨도 증발기에서 냉매가 기화하면서 열을 흡수하여 온도를 낮추는 것이지, 증발기 가동 과정에서 발생하는 열을 이용하여 온도를 낮추는 것은 아니다.

🎩 어휘 충전

* **기화열**(氣 기운 기 化 될 화 熱 더울 열): 액체가 기화할 때 외부로부터 흡수하는 열량.
* **상이**(相 서로 상 異 다를 이): 서로 다름.
* **가동**(稼 심을 가 動 움직일 동): 사람이나 기계 따위가 움직여 일함. 또는 기계 따위를 움직여 일하게 함.

1 ㉠	2 ⓒ	3 ⓛ	4 ⓜ	5 ㉣
6 ⓒ	7 ㉠	8 ⓛ	9 ㉣	10 ⓜ
11 냉매	12 팽창	13 주기	14 개성	15 납득

처음에 찍은 답은 바꾸지 말아야 할까?

출전 유정식, 『월간 샘터 2014년, 7월 호』　**지문 난이도** ★★★☆☆

(1,324자)

❶ » 객관식 문제를 풀 때 두 개의 선택지 중 무엇이 답인지 헷갈렸던 경험은 누구나 있을 것이다. 이럴 때 처음에 찍었던 답을 고수해야 할까, 아니면 다른 답으로 바꿔 써야 할까? 아마도 많은 사람이 '처음에 찍은 답이 맞을 확률이 높다'고 이야기할 것이다. 하지만 진짜 그럴까?

❷ » 결론적으로 말해, 그런 믿음은 ㉠옳지 않다. 직감으로 찍은 최초의 답을 고수하는 것은 대개 불리하다. 70년이 넘는 기간 동안 ④이를 지지하는 연구 결과가 여러 학자에 의해 계속해서 제시됐다. 그럼에도 불구하고 '처음에 찍은 답을 고수하는 게 유리하다'는 통념이 ㉡바뀌지 않는 게 신기하다. 그래서 심리학자 저스틴 쿠르거는 '최초 직감의 오류'라고 불리는 일종의 미신을 밝혀내기 위해 실험을 설계했다.

❸ » 그는 '심리학' 과목을 신청한 대학생 1,561명의 시험 결과를 분석했다. 학생들은 처음에 적은 답을 다른 답으로 바꾸기 위해서 '지우기 마크'에 표시를 해야 했다. 학생들이 어떤 문항의 답을 교체했는지, 그리고 교체한 답이 정답인지 파악하기 위한 장치였다.

❹ » 학생들은 총 3,291개 문항의 답을 교체했는데, 고친 답 중 25%는 오답이었고 51%는 정답이었다. 나머지 23%는 처음의 답과 나중에 선택한 답 모두 오답인 경우였다. 문항 단위가 아니라 학생 단위로 분석하니 답을 바꿈으로써 맞은 학생은 54%, 틀린 학생은 19%였다. 이것으로 처음의 직감에 반하는 답으로 바꾸는 것이 두 배나 유리하다는 사실이 다시 한 번 증명되었다. 그렇지만 학생들은 여전히 최초 직감의 오류에 빠져 있었다. 학생들에게 처음의 답이 맞을 가능성과 교체한 답이 맞을 가능성을 질문하니 75%의 학생이 처음의 답이 정답일 가능성이 높다고 답했다.

❺ » 쿠르거는 '처음의 답을 고수하는 것이 유리하다'는 생각을 갖는 원인을 파악하기 위해서 학생들에게 1번 문제는 처음의 답을 ㉢바꿔서 틀렸고, 2번 문제는 처음의 답을 고수해서 틀렸다는 가상의 상황을 제시했다. 그런 다음, 어떤 경우가 더 후회스러운지를 질문했다. 대부분은 '답을 바꾸는 바람에 틀린 것'을 '답을 고수하여 틀린 것'보다 더 안타까워했다.

❻ » 쿠르거는 이러한 경향을 인간의 '손실 회피' 성향과 연결해 ㉣설명한다. 최초에 선택한 답을 '포기할 때 입을 손실'을 '포기하여 얻을 이득'보다 더 크게 느낀다는 것이다. 답을 바꿔서 틀렸던 경험이 답을 바꿔서 맞았던 경험보다 더 강렬하게 기억되는 법이니까 말이다. 최초 식감의 오류는 두 가지 대안 중 하나를 결정할 때 ㉤범할 수 있는 심리적 오류 중 하나이다. ⑧이는 처음에 선택한 대안에 확신이 없어도, 다른 대안으로 바꿀까 고민이 되어도, 최초의 대안을 고수하려는 인간의 관성을 설명해 준다.

지문 구조 해설

❶ 처음에 찍은 답이 맞을 확률이 높다는 통념에 대한 의문 제기
→ 사람들의 통념에 대한 의문 제기 → 질문을 통해 독자의 흥미를 유발함

❷ 처음에 찍은 답을 고수하는 게 불리한데도 통념이 바뀌지 않는 현실
• 심리학자 저스틴 쿠르거의 실험 설계 이유: 최초 직감의 오류에 대하여 밝히기 위함

❸ 쿠르거의 실험 설계
• 지우기 마크: 학생들이 어떤 문항의 답을 교체했는지, 교체한 답이 정답인지를 파악하기 위한 장치

❹ 쿠르거의 추가 실험 결과 분석
• 문항 단위 분석

고친 답	25%	오답
	51%	정답
	23%	처음과 나중 답 모두 오답

→ 답을 바꾸는 것이 유리

• 학생 단위 분석: 답을 바꾸는 것이 유리
• 실험 결과와는 반대되는 학생들의 생각

❺ 쿠르거의 추가 질문과 결과
• 질문 목적: 학생들이 실험 결과와는 다르게 여전히 처음의 답을 바꾸지 않는 것이 유리하다고 믿는 원인을 파악하기 위함
• 질문 결과: 학생들 대부분이 답을 바꾸어서 틀린 경우를 답을 고수해서 틀린 경우보다 더 안타까워함

❻ 처음에 찍은 답을 바꾸지 않는 이유
• 손실 회피 성향

포기할 때 입을 손실	>	포기하여 얻을 이득

• 사람들이 최초 직감의 오류에 빠지는 이유

지문 구조 한눈에 보기

문제 제기 ❶
↓
사람들의 통념 ❷
↓

쿠르거의 실험	실험 설계
❸ ❹	실험 결과 분석
❺	추가 질문과 결과

↓
통념의 원인 분석 ❻

✎ 지문 정보 확인　1 X　2 ○　3 ○

지문 Point 분석　주제: 사람들이 처음에 찍은 답을 바꾸지 않으려는 심리적 원인

해제: 사람들이 처음에 찍은 답을 바꾸지 않는 것이 불리한데도 이를 바꾸지 않으려는 원인을 '손실 회피' 성향과 연결하여 설명하고 있는 글이다. 이러한 현상을 '최초 직감의 오류'라고 부르면서 이 현상에 대해 파악하기 위한 쿠르거의 실험을 소개하고 있다. 실험 결과 역시 답을 바꾸는 것이 유리하다는 결과가 나왔는데도 사람들이 여전히 그러한 믿음을 갖고 있는 이유가 인간의 손실 회피 성향과 관련 있음을 설명하고 있다.

읽기 맥락을 통한 내용 계측하기

1 ▼ 내용 전개 방식 파악   답 ③

윗글의 서술 방식에 대한 설명으로 적절하지 <u>않은</u> 것은?

③ 핵심 개념에 대한 정의*를 내리고, 이에 대한 전망을 제시하고 있다.

⋯ '최초 직감의 오류'와 같은 주요 개념을 정의하고 있으나, 이에 대한 전망을 제시하고 있지는 않다.

➕ 오답 챙기기

① 구체적인 수치* 자료를 활용하여 신뢰감을 높이고 있다.

⋯ 쿠르거의 실험 결과에 대한 수치 자료를 제공하여 독자가 신뢰할 수 있도록 하고 있다.

② 질문을 던져 독자의 흥미를 유발하고, 그 질문에 답하고 있다.

⋯ 1문단에서 사람들이 흔히 생각하는 내용에 대해 질문을 던져 흥미를 유발하고 있으며, 2문단에서 이에 대한 답을 제시하고 있다.

④ 사람들이 일반적으로 하는 생각이 옳지 않음을 근거*를 들어 밝히고 있다.

⋯ 사람들은 처음에 찍은 답을 고치지 않는 것이 유리하다고 생각하지만, 이것이 틀린 생각이라는 것이 학자들의 연구 결과 밝혀졌다고 하였다. 그런데도 불구하고 사람들이 그런 생각을 유지하는 원인을 분석하기 위하여 답을 고치는 것이 훨씬 유리하다는 결과를 얻는 실험 과정을 근거로 들고 있다.

⑤ 현상*의 원인을 밝히기 위해 시행*한 실험의 과정과 결과를 보여 주고 있다.

⋯ 사람들이 처음에 찍은 답을 고치지 않는 것이 불리한데도 불구하고 그러한 생각을 유지하는 원인을 밝히기 위한 실험 과정과 그 결과가 상세히 제시되어 있다.

어휘 충전

* **정의**(定 정할 정 義 옳을 의): 어떤 말이나 사물의 뜻을 명백히 밝혀 규정함.
* **수치**(數 셀 수 値 값 치): 계산하여 얻은 값.
* **근거**(根 뿌리 근 據 의거할 거): 어떤 일이나 의논, 의견에 그 근본이 됨. 또는 그런 까닭.
* **현상**(現 나타날 현 狀 형상 상): 나타나 보이는 현재의 상태.
* **시행**(施 베풀 시 行 다닐 행): 실지로 행함.

---

2 ▼ 맥락을 통한 의미 파악   답 ④

Ⓐ와 Ⓑ가 지시하는 내용으로 가장 적절한 것은?

④ Ⓐ 직감으로 찍은 최초의 답을 고수하는 것은 대개 불리하다. / Ⓑ 최초 직감의 오류

⋯ Ⓐ와 Ⓑ처럼 문장 안에서 다른 말을 가리키는 표현을 지시어라고 한다. 지시어는 문장 안의 다른 부분을 가리키기 위해서 쓰이는 말이므로, 앞뒤의 문맥을 통해 정확한 의미를 파악할 수 있다. Ⓐ는 '이를 지지하는 연구 결과가 여러 학자에 의해 계속해서 제시됐다.'라고 했으므로, '직감으로 찍은 최초의 답을 고수하는 것은 대개 불리하다.'라는 앞의 말을 가리킨다. 그리고 Ⓑ는 '이는 ∼ 최초의 대안을 고수하려는 인간의 관성을 설명해 준다.'라고 했으므로, 앞에 나오는 '최초 직감의 오류'를 가리키는 말임을 파악할 수 있다.

➕ 오답 챙기기

① Ⓐ 처음에 찍은 답을 바꾸면 틀린다. / Ⓑ 최초 직감의 오류

⋯ Ⓐ는 사람들의 생각과는 다른 학자들의 주장이다. 따라서 '처음에 찍은 답을 바꾸면 틀린다.'는 사람들의 통념에 해당하는 내용이므로 적절하지 않다.

② Ⓐ 처음에 찍은 답이 맞을 확률이 높다. / Ⓑ 손실 회피 성향

⋯ Ⓐ는 사람들의 생각과는 다른 학자들의 주장이다. 따라서 '처음에 찍은 답이 맞을 확률이 높다.'는 사람들의 통념에 해당하는 내용이므로 적절하지 않다. 또한 Ⓑ의 바로 앞 문장에서 '최초 직감의 오류는 두 가지 대안 중 하나를 결정할 때 범할 수 있는 심리적 오류 중 하나이다.'라고 하였고, '이는 ∼ 최초의 대안을 고수하려는 인간의 관성을 설명해 준다.'라고 했으므로 Ⓑ는 '최초 직감의 오류'를 가리킨다. '손실 회피 성향'은 최초 직감의 오류가 발생하는 원인을 설명해 주는 심리학 개념으로 볼 수 있다.

③ Ⓐ 사람들은 최초의 대안을 고수하려고 한다. / Ⓑ 포기할 때 입을 손실

⋯ Ⓐ는 사람들의 생각과는 다른 학자들의 주장이다. 따라서 '사람들은 최초의 대안을 고수하려고 한다.'는 적절하지 않다. 또한 '포기할 때 입을 손실'은 손실 회피 성향을 설명하기 위한 개념이므로 Ⓑ가 가리키는 내용으로 볼 수 없다.

⑤ Ⓐ 처음의 직감에 반하는 답으로 바꾸는 것이 두 배 유리하다. / Ⓑ 손실 회피 성향

⋯ '처음의 직감에 반하는 답으로 바꾸는 것이 두 배 유리하다.'는 쿠르거의 실험 결과에 해당하는 내용으로 Ⓐ와는 관련성이 떨어진다. 또한 Ⓑ는 '최초 직감의 오류'를 가리킨다. '손실 회피 성향'은 최초 직감의 오류가 발생하는 원인을 설명해 주는 심리학 개념이다.

---

3 ▼ 어휘의 문맥적 의미 파악   답 ④

맥락상 ㉠∼㉤과 바꿔 쓰기에 적절하지 <u>않은</u> 것은?

④ ㉢: 제안한다

⋯ ㉢은 쿠르거가 문제의 원인을 '손실 회피' 성향과 연결하여 설명한다는 것이므로, 이때의 '설명하다'는 '분석하다' 정도의 의미로 쓰인 것이다. '제안하다'는 '안이나 의견으로 내놓다.'라는 뜻이므로 '설명하다'와 바꾸어 쓸 수 없다.

➕ 오답 챙기기

① ㉠: 타당하지

⋯ '그런 믿음은 옳지 않다'는 것은 생각이 바르지 않다는 것이므로, '일의 이치로 보아 옳다.'라는 의미의 '타당하다'와 바꾸어 쓸 수 있다.

② ㉡: 달라지지

⋯ '통념이 바뀌지'에서 '바뀌다'는 '원래의 내용이나 상태가 다르게 고쳐지다.'라는 의미이므로, '달라지다'와 바꾸어 쓸 수 있다.

③ ㉣: 수정해서

⋯ '답을 바꿔서'에서 '바꾸다'는 '원래의 내용이나 상태를 다르게 고치다.'라는 의미이므로 '수정하다'와 바꾸어 쓸 수 있다.

⑤ ㉤: 저지를

⋯ '범하다'는 '잘못을 저지르다.'의 의미로 쓰인 것이므로, '저지르다'와 바꾸어 쓸 수 있다.

관악기의 개념과 특성

출전 니콜라 바버, 메리 뮤어, 『청소년이 알아야 할 음악의 모든 것』 지문 난이도 ★★★☆☆

(1,288자)

❶ » 빈 병의 입구를 입으로 불어 본 적이 있는가? 아니면 빈 병에 빨대를 꽂아 빨대 구멍을 입으로 불어 본 적이 있는가? 그렇게 하면 분명 소리가 날 것이다. 속이 빈 물체에 입김을 불어 넣으면 그 속에서 공기가 진동하기 때문이다.

❷ » 관악기는 기본적으로 한쪽 끝에 취구가 있고 속이 텅 빈 관의 형태를 띠고 있다. 연주자가 취구를 입으로 불면 공기가 관 속에서 진동하면서 소리를 낸다. 현악기에서 현의 길이가 짧을수록 더 높은 음이 나고 현의 길이가 길수록 더 낮은 음이 나는 것처럼, 관악기에서는 관의 길이가 음의 높낮이에 영향을 미친다. 그래서 긴 관을 불면 낮은 음이 나고 짧은 관을 불면 높은 음이 난다.

❸ » 관현악에서 음역이 가장 높은 관악기인 피콜로와 음역이 가장 낮은 관악기인 더블 바순의 길이를 비교해 보면 그 차이를 쉽게 알 수 있다. 피콜로는 길이가 겨우 31cm에 불과하지만 더블 바순은 길이가 무려 5.6m에 달해 연주하기 편하도록 관을 네 번 구부린다.

❹ » 관악기는 목관 악기와 금관 악기로 나뉜다. 목관 악기에는 플루트, 피콜로, 오보에, 클라리넷, 바순, 더블 바순 등이 있고, 금관 악기에는 트럼펫, 트롬본, 튜바, 프렌치 호른 등이 있다. 그런데 이름 때문에 목관 악기와 금관 악기를 잘못 이해하는 사람들이 많다. 목관 악기 중에는 나무로 만들어진 것도 있지만 금속으로 만들어진 것도 있다. 물론 초기의 금관 악기도 금속 외에 나무, 뿔, 점토를 비롯한 다양한 재료로 만들어졌다. 관악기를 이 두 가지로 나누는 기준은 만드는 재료가 아니라 연주하는 방식에 있다.

❺ » 목관 악기를 대표하는 플루트는 한쪽 끝에 취구가 있고 음조를 이루는 구멍이 여러 개 뚫려 있다. 그 구멍들을 손가락으로 막는다고 해서 '지공'이라고 부르는데, 손가락으로 지공을 여닫으면 음에 변화를 줄 수 있다. 지공을 모두 막으면 가장 낮은 음이 나고, 그 상태에서 맨 밑의 지공 하나를 열면 공기가 지공 밖으로 빠져 나가 공명관의 길이가 짧아져 더 높은 음이 난다.

❻ » 목관 악기는 취구 속으로 입김을 곧장 불어 넣거나 취구 주위를 불어서 소리를 내는 반면, 금관 악기는 입술을 진동하여 소리를 낸다. 입술을 진동하면 관 속의 공기도 함께 진동하기 때문이다. 관현악에서 금관 악기군에 편성되는 악기들은 모두 금속으로 만들어졌지만, 그보다 더 중요한 공통점은 바로 취구의 모양이 컵처럼 생겼다는 것이다. 그래서 금관 악기와 목관 악기의 구분은 만드는 재료가 아니라 연주하는 방식에 따라 결정된다. 목관 악기와 달리 현대 금관 악기에는 밸브가 달려 있어, 연주자가 밸브를 아래로 잡아당기면 관의 길이가 길어져 음조가 낮아진다.

---

❶ 속이 빈 물체에 입김을 불어 넣으면 공기가 진동하는 사례
- 일상생활 속 경험을 예로 들어 공기가 진동하는 원리를 설명함

❷ 관악기의 기본 형태 및 연주 원리
- 관악기의 기본 형태와 연주 원리
- 관의 길이와 음의 높낮이의 관계

긴 관	→	낮은 음
짧은 관	→	높은 음

❸ 관악기의 길이와 음역의 관계
- 구체적 사례를 들어 관의 길이와 음역의 관계를 설명함

관악기	길이	음역
피콜로	31cm	가장 높음
더블 바순	5.6m	가장 낮음

❹ 목관 악기와 금관 악기의 종류와 차이점
- 목관 악기와 금관 악기의 종류

목관 악기	금관 악기
플루트, 피콜로, 오보에, 클라리넷, 바순, 더블 바순 등	트럼펫, 트롬본, 튜바, 프렌치 호른 등

- 목관 악기와 금관 악기의 차이점: 연주하는 방식

❺ 목관 악기를 연주하는 방법
- 목관 악기(플루트) 연주 방법: 지공을 여닫으면 음에 변화를 줄 수 있음

❻ 금관 악기를 연주하는 방법
- 연주 방법의 차이로 본 금관 악기의 특성

목관 악기	금관 악기
취구 속으로 입김을 곧장 불어 넣거나 취구 주위를 불어서 소리를 냄	입술을 진동하여 소리를 냄 (취구의 모양이 컵처럼 생김)
지공을 열었다 닫으며 음의 높낮이 조절	밸브를 아래로 잡아당겨 관의 길이 조절

지문 구조 한눈에 보기

원리 설명 ❶

↓

대상의 기본 개념 ❷ ❸

- 관악기의 기본 형태
- 관의 길이와 음의 높낮이의 관계

↓

주요 대상 비교 ❹ ❺ ❻

- 목관 악기와 금관 악기의 종류와 차이점
- 목관 악기와 금관 악기의 연주 방법

지문 정보 확인 1 X 2 X 3 ○

지문 Point 분석 주제: 관악기의 개념과 주요 특성

해제: 관악기의 기본 개념 및 관악기를 목관 악기와 금관 악기로 나누는 기준과 각각의 연주 방법에 대해 설명하고 있는 글이다. 관 속의 공기를 진동시켜 소리를 내는 악기인 관악기는 목관 악기와 금관 악기로 나눌 수 있는데, 목관 악기와 금관 악기로 나누는 기준은 악기를 만드는 재료가 아니라 악기를 연주하는 방식에 있다.

1 ▼ 세부 정보 파악   답 ③

윗글을 통해 답할 수 있는 질문이 아닌 것은?

③ 악기에 따라 관현악을 구성*하는 방법은 어떻게 다른가?

… 3문단에서 피콜로와 더블 바순이 관현악에서 각각 가장 높은 음역과 낮은 음역을 담당한다고 하였으나, 관현악을 구성하는 방법은 이 글에 제시되어 있지 않다.

➕ 오답 챙기기

① 금관 악기의 종류*에는 무엇이 있는가?

… 4문단에서 금관 악기에는 트럼펫, 트럼본, 튜바, 프렌치 호른 등이 있다고 하였다.

② 목관 악기에서 낮은 음을 연주하는 방법은 무엇인가?

… 2문단에서 관악기는 관의 길이가 길면 낮은 음이 나고, 관의 길이가 짧으면 높은 음이 난다고 하였다. 또한 5문단에서는 플루트를 예로 들어 목관 악기 연주법을 설명하고 있다. 지공을 모두 막아 관의 길이가 가장 길어지면 가장 낮은 소리가 난다는 사실을 확인할 수 있다.

④ 속이 비어 있는 병을 불면 소리가 나는 이유는 무엇인가?

… 1문단에서 속이 빈 물체에 입김을 불어 넣으면 그 속에서 공기가 진동하기 때문에 소리가 난다고 하였다.

⑤ 관악기 중 더블 바순의 관이 구부러져 있는 이유는 무엇인가?

… 3문단에서 관악기 중 가장 낮은 음역을 담당하는 더블 바순은 길이가 5.6m에 달하여 연주하기 편하도록 관을 네 번 구부린다고 하였다.

> 🎓 **어휘 충전**
> * **구성**(構 얽을 구 成 이룰 성): 몇 가지 부분이나 요소들을 모아서 일정한 전체를 짜 이룸.
> * **종류**(種 씨 종 類 무리 류): 사물의 부문을 나누는 갈래.

2 ▼ 추론적 이해 및 적용   답 ②

읽기 맥락을 통한 내용 계측하기

윗글을 바탕으로 〈보기〉를 설명한 내용으로 가장 적절한 것은?

> **보기**
>
> 현대 트럼펫에는 밸브가 세 개 달려 있다. 연주자가 밸브 하나를 아래로 잡아당기면 관의 길이가 길어진다.
>
> (가) 평상시의 트럼펫
>
> 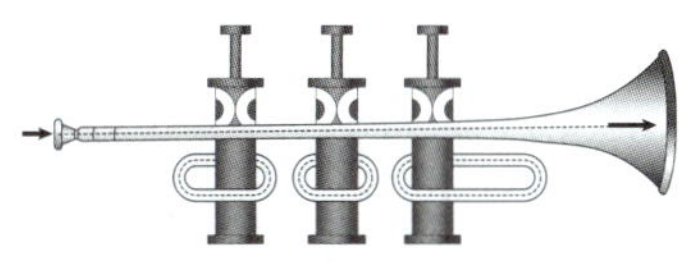
>
> (나) 첫 번째 밸브를 잡아당긴 모습
>
> 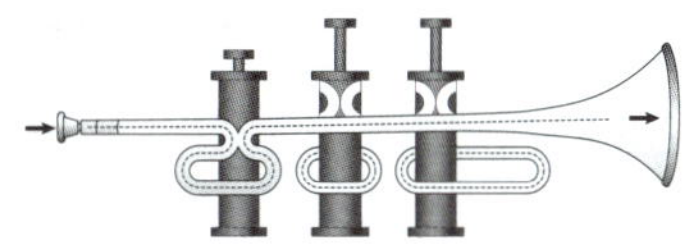

② 트럼펫의 밸브는 관의 길이를 조절하는 역할을 한다.

… 6문단에서 현대 금관 악기에는 밸브가 달려 있어, 연주자가 밸브를 아래로 잡아당기면 관의 길이가 길어져 음조가 낮아진다고 하였다. 〈보기〉에서는 트럼펫을 예로 들어 이를 구체적으로 설명하고 있다. 트럼펫에는 밸브가 세 개 달려 있어, 연주자가 밸브 하나를 아래로 잡아당기면 관의 길이가 길어진다고 하였고, 그림을 통해 이를 설명하고 있다. 따라서 밸브가 관의 길이를 조절하는 역할을 한다고 할 수 있다.

➕ 오답 챙기기

① 관의 길이가 길어질수록 더 높은 소리가 날 것이다.

… 6문단에서 밸브를 아래로 잡아당기면 관의 길이가 길어져 음조가 낮아진다고 하였다. 또한 2문단에서도 관악기는 관의 길이가 길수록 더 낮은 음이 난다고 하였으므로, 관의 길이가 길어질수록 더 높은 소리가 날 것이라는 진술은 적절하지 않다.

③ 트럼펫의 취구는 입김을 곧장 불어 넣기에 유리하게 생겼다.

… 4문단에 따르면 트럼펫은 금관 악기에 속한다. 그런데 6문단에서 금관 악기는 입술을 진동하여 소리를 내고, 금관 악기군에 편성되는 악기들은 취구가 컵 모양으로 생겼다고 하였다. 반면에 목관 악기는 취구 속으로 입김을 곧장 불어 넣는다는 점에서 이와는 구별된다고 할 수 있다.

④ 트럼펫 외에 플루트, 피콜로 등도 위와 같은 방식으로 연주할 수 있다.

… 4문단에서 트럼펫은 금관 악기에 속하며, 관악기를 목관 악기와 금관 악기로 나누는 기준은 연주하는 방식이라고 하였다. 그런데, 플루트, 피콜로 등은 목관 악기에 속하므로 트럼펫과는 연주하는 방식이 다를 것이다.

⑤ 연주자가 숨을 불어 넣으면 트럼펫의 관 속의 공기는 진동을 하지 않는다.

… 2문단에서 관악기는 연주자가 취구를 입으로 불면 공기가 관 속에서 진동하면서 소리를 낸다고 하였다. 따라서 트럼펫 역시 연주자가 숨을 불어 넣으면 관 속의 공기가 진동할 것임을 추측할 수 있다.

1 ㉠	2 ㉢	3 ㉡	4 ㉤	5 ㉣
6 ㉥	7 ㉠	8 ㉣	9 ㉢	10 ㉡
11 대안	12 손실	13 오류	14 진동	15 편성

선택과 기회비용

사회

출전 서명수, 『이솝 우화로 읽는 경제 이야기』 | 지문 난이도 ★★★☆☆

(1,337자)

1 » 나이가 많아서 사냥을 제대로 하지 못하는 사자가 있었다. 어느 날 사자는 나무 밑에서 잠을 자고 있는 토끼를 발견하고 살금살금 기어가다가 아주 가까운 곳에서 풀을 먹고 있는 사슴을 발견했다. 사자는 토끼와 사슴 중 무엇을 사냥해야 좋을지 잠시 망설이다가 덩치가 커서 먹을 것이 많은 사슴을 사냥하기로 했다. 사자는 있는 힘을 다해 사슴을 쫓았지만 발이 빠른 사슴을 잡을 수 없었다. 어쩔 수 없이 사슴을 포기한 사자는 토끼가 자고 있던 나무로 갔지만 토끼는 이미 사라져 버리고 없었다.

〔예화〕

2 » 때때로 인간은 이 사자와 비슷하게 행동한다. 작은 이익보다는 큰 이익에 유혹당해서 비교적 쉽게 가질 수 있는 것조차 갖지 못하고 후회하는 경우가 있다. 경제 행위는 선택의 연속이다. 그리고 이 선택은 곧 다른 것을 포기한다는 뜻이다. 선택을 할 때 반드시 고려해야 하는 것이 '기회비용'이다. 기회비용은 '하나를 선택함으로써 포기해야 하는 것의 가치'로 경제에서 가장 기본이 되는 중요한 원칙이다. 경우에 따라서는 선택할 수 있는 가짓수가 세 가지 이상이 될 수도 있는데, 이럴 때는 하나를 선택하면서 포기해야 하는 나머지 기회들 중에서 가치가 가장 높은 것이 기회비용이 된다. 다시 말해 기회비용은 포기해야 하는 여러 가지 기회 중에 가장 가치가 높은 것이라고 할 수 있다.

3 » 사자에게 사슴에 대한 기회비용은 토끼였다. 토끼와 사슴 중에 먹잇감으로는 사슴이 더 좋았다. 그래서 사자는 사슴을 쫓았다. 하지만 다 잡아 놓은 격인 토끼를 잃어버렸을 경우의 기회비용은 따져 보지 않았다. 사자의 손해는 사슴을 놓친 것에서 끝나지 않는다. 거기에 사슴을 택한 대신 토끼를 놓치게 된 것도 더해진다. 결국 토끼라는 기회비용까지 합해 이중으로 손해를 본 것이나 마찬가지이다.

4 » 기회비용은 의사 결정이나 행동, 어떤 선택을 하는 동기를 설명해 주는 중요한 원리이다. 자신의 선택으로 얻은 이익이 기회비용보다 크면 잘한 것이라고 볼 수 있지만 반대의 경우라면 잘하지 못한 것이 된다. 그래서 경제 행위를 할 때에는 일반적인 비용과 더불어 그것을 선택함으로써 잃게 되는 기회비용도 꼭 생각해야 한다.

5 » 어느 돈 많은 부자가 10억 원을 가지고 연 4% 이자를 주는 은행에 예금을 할까, 공장을 지을까 고민하다가 공장을 짓기로 결정했다. 이 공장은 옷을 생산해 매년 3,000만 원을 벌어들였다. 그렇다면 공장을 지은 것이 잘한 행동일까? 그렇지 않다. 만약 10억 원을 은행에 넣어 두었더라면 매년 4,000만 원의 이자를 받을 수 있었을 것이다. 이때 공장을 지은 10억 원에 대한 기회비용은 예금 이자 4,000만 원이다. 결국 이 부자는 매년 3,000만 원을 버는 게 아니라, 오히려 1,000만 원을 손해 본 셈이다.

〔예시〕

지문 구조 한눈에 보기

1 중심 화제의 이해를 돕기 위한 예화 제시
- 예화 제시: 중심 화제인 기회비용에 대한 독자의 이해를 돕기 위함
- 사자는 토끼와 사슴 중에 사슴을 사냥하기로 결정함

2 기회비용의 개념
- 기회비용의 개념
 – 하나를 선택함으로써 포기해야 하는 것의 가치
 – 포기해야 하는 여러 가지 기회 중에 가장 가치가 높은 것
 – 경제 행위에 있어 가장 기본이 되는 원칙

3 기회비용의 구체적 적용
- 사슴을 잡기 위해 토끼를 포기했으므로 포기한 것의 가치인 '토끼'가 기회비용이 됨

4 경제 행위에 있어 기회비용의 중요성
- 토끼와 사슴을 모두 놓쳐 버린 사자 이야기를 통해 기회비용의 중요성을 말함
- 자신이 선택한 것의 가치가 기회비용보다 크면 효율적인 경제 행위를 한 것으로 볼 수 있음

5 잘못 선택된 기회비용의 구체적 예
- 자신이 선택한 가치보다 기회비용이 큼 → 잘못된 선택

지문 구조 한눈에 보기

| 예화 및 중심 화제 제시 **1** **2** |
| 기회비용의 개념 |

↓

| 부연 설명 **3** |
| 기회비용과 관련된 예화에 대한 보충 설명 |

↓

| 중심 화제가 지닌 의의 **4** |

↓

| 부연 설명 **5** |
| 구체적 사례를 통해 의의에 대한 보충 설명 |

✎ 지문 정보 확인 1 X 2 ○ 3 X

지문 Point 분석 **주제: 기회비용의 개념과 경제 행위에 있어 기회비용의 중요성**

해제: 경제 행위에 있어 가장 기본이 되는 원칙인 기회비용의 개념과 그 중요성에 대해 설명하고 있는 글이다. 경제 행위는 선택의 연속인데, 선택을 할 때 반드시 고려해야 하는 것이 기회비용이다. 기회비용은 하나를 선택함으로써 포기해야 하는 여러 가지 기회 중에 가장 가치가 높은 것을 말하는데, 경제 행위를 할 때에는 일반적인 비용과 더불어 그것을 선택함으로써 잃게 되는 기회비용도 꼭 따져야 합리적인 선택에 이를 수 있다.

1

▼ 내용 전개 방식 파악   답 ③

윗글에 사용된 글쓰기 전략이 아닌 것은?

③ 중심 화제와 대조적* 의미를 지닌 대상을 제시하여 비교하고 있다.

⋯▶ 이 글에서는 글의 중심 화제인 기회비용의 의미를 정의하고 있고, 기회비용과 관련된 예화와 구체적 사례를 통해 중심 화제에 대한 이해를 돕고 있다. 하지만 기회비용과 대조적 의미를 지닌 대상은 글에 제시되어 있지 않고, 이를 비교하는 설명 방식도 사용되지 않았다.

➕ 오답 챙기기

① 글의 핵심*이 되는 용어*의 개념을 정의*하고 있다.

⋯▶ 2문단에서 글의 핵심이 되는 기회비용의 개념을 '하나를 선택함으로써 포기해야 하는 것의 가치'라고 정의하고 있다.

② 구체적인 사례를 들어 중심 화제에 대한 이해를 돕고 있다.

⋯▶ 5문단에서 잘못 선택된 기회비용의 구체적 예를 제시하여 중심 화제인 기회비용에 대한 독자의 이해를 돕고 있다.

④ 물음의 방식을 통해 중심 화제에 대한 독자의 관심을 환기*하고 있다.

⋯▶ 5문단에서 '그렇다면 공장을 지은 것이 잘한 행동일까?'라는 물음을 통해 경제 행위에 있어 기회비용의 중요성에 대한 독자의 관심을 환기하고 있다.

⑤ 예화를 통해 중심 화제가 지니고 있는 가치*의 중요성을 설명하고 있다.

⋯▶ 1문단에서 사자 이야기를 제시한 후, 3문단에서 이와 관련하여 기회비용에 있어 선택의 중요성을 설명하고 있다.

> **어휘 충전**
> * **대조적**(對 대답할 대 照 비출 조 的 과녁 적): 서로 반대되어 대비를 이루는 것.
> * **핵심**(核 씨 핵 心 마음 심): 사물의 가장 중심이 되는 부분이나 요점.
> * **용어**(用 쓸 용 語 말씀 어): 어떤 전문 분야에서 주로 사용하는 말.
> * **정의**(定 정할 정 義 뜻 의): 어떤 단어나 사물의 뜻을 명백히 밝혀 규정함.
> * **환기**(喚 부를 환 起 일어날 기): 주의나 여론, 생각 따위를 불러일으킴.
> * **가치**(價 값 가 值 값 치): 사물이 지니고 있는 의의나 중요성.

2

내용 예측 연습하기

▼ 구체적 상황에의 적용   답 ②

윗글을 바탕으로 〈보기〉의 상황을 이해한 내용으로 적절하지 않은 것은?

> **보기**
>
> (가) 영희는 지금 배가 너무 고픈데 가지고 있는 돈이 2,000원밖에 없다. 2,000원으로 떡볶이, 순대, 튀김 중 하나를 살 수 있는데, 떡볶이를 먹었을 때 포만감이 100%, 순대를 먹었을 때 포만감이 92%, 튀김을 먹었을 때 포만감*이 50%여서 영희는 떡볶이를 사 먹었다.
> (나) 철수는 휴대폰과 공부에 도움이 되는 전자사전을 갖고 싶어 용돈을 꾸준히 모았는데, 돈이 모자라서 두 가지를 모두 살 수가 없었다. 결국 철수는 공부에 도움이 되는 전자사전을 먼저 구입하였다.

(다) ○○ 회사에 다니는 민수는 회사에서 1억 5천만 원의 연봉*을 받고 있는데, 회사를 그만 두고 피자 가게를 차리려고 한다. 그런데 피자 가게의 예상 매출액은 연 5억 원이고, 인건비*와 건물 임대료*, 재료비 등의 합계는 연 4억 원으로 예상된다.

② (가)에서 영희가 순대를 선택했다면 기회비용은 튀김이다.

⋯▶ 2문단에서 선택할 수 있는 가짓수가 세 가지 이상이 될 때는 하나를 선택하면서 포기해야 하는 나머지 기회들 중에서 가치가 가장 높은 것이 기회비용이 된다고 하였다. 이로 볼 때 순대를 선택함으로써 포기한 떡볶이와 튀김 중 포만감이 더 높은 것은 떡볶이이므로 순대를 선택했을 때 기회비용은 떡볶이가 된다.

➕ 오답 챙기기

① (가)에서 떡볶이에 대한 기회비용은 순대이다.

⋯▶ 2문단에서 선택할 수 있는 가짓수가 세 가지 이상이 될 때는 하나를 선택하면서 포기해야 하는 나머지 기회들 중에서 가치가 가장 높은 것이 기회비용이 된다고 하였다. 이로 볼 때 떡볶이를 선택함으로써 포기한 순대와 튀김 중 포만감이 더 높은 것은 순대이므로 떡볶이를 선택했을 때 기회비용은 순대가 된다.

③ (나)에서의 기회비용은 휴대폰이다.

⋯▶ 2문단에서 기회비용은 하나를 선택함으로써 포기해야 하는 것의 가치라고 하였다. 이로 볼 때 철수는 전자사전을 선택했으므로 포기한 휴대폰이 전자사전에 대한 기회비용이 된다.

④ (다)에서 피자 가게를 차리려고 하는 것에 대한 기회비용은 연봉 1억 5천만 원이다.

⋯▶ 민수는 회사에서 받는 연봉 1억 5천만 원을 포기하고, 대신에 피자 가게를 차리려고 하고 있으므로 피자 가게에 대한 기회비용은 연봉 1억 5천만 원이 된다.

⑤ (다)에서 기회비용을 고려한다면 민수는 잘못된 선택을 한다고 볼 수 있다.

⋯▶ 민수가 피자 가게를 차리면 예상 매출액이 연 5억 원이고, 인건비와 건물 임대료, 재료비, 등의 합계는 연 4억 원이므로 1억 원의 수익을 올릴 수 있다. 그러나 민수가 회사를 계속 다니면 1억 5천만 원의 연봉을 받을 수 있으므로 결국 민수는 5천만 원을 손해 보는 셈이 된다. 따라서 기회비용을 고려한다면 민수는 잘못된 선택을 한다고 볼 수 있다.

> **어휘 충전**
> * **포만감**(飽 배부를 포 滿 찰 만 感 느낄 감): 음식을 충분히 먹어 배가 부른 느낌.
> * **연봉**(年 해 연 俸 녹 봉): 일 년 동안에 받는 봉급.
> * **인건비**(人 사람 인 件 사건 건 費 쓸 비): 사람을 부리는 데에 드는 비용.
> * **임대료**(賃 품팔이 임 貸 빌릴 대 料 되질할 료): 물건이나 건물 따위를 빌려주고 받는 돈.

편의점, 공간의 과학화와 정보화

출전 전상인, 『편의점 사회학』　지문 난이도 ★★★☆☆

(1,235자)

1 ▶ '진열의 과학' 혹은 '진열의 마법'이 편의점 매출에 끼치는 영향은 매우 크다. 어떤 상품을 어떤 위치에 어떤 높이로 얼마만큼 진열하는가 하는 문제는 전통 시장이나 백화점, 할인 매장 등 어디에서나 중요하겠지만, 편의점에서 특히 더 그런 편이다. 편의점은 대형 매장이 아니라 소규모 매장이므로 고객이 매장 내 모든 지점을 둘러보기가 한결 쉽기 때문이다. 편의점에서는 목적 구매 제품 못지않게 충동구매 제품도 많이 팔리기 때문에 매장 내의 구성과 상품의 배치가 마케팅 전략의 성패를 가름하는 경향이 있다. 요컨대 편의점에서 구매를 하는 것은 평상시 광고나 판촉에 의해서라기보다 상품에 대한 현장 체험일 개연성이 높다는 점에서 편의점은 '체험 경제'의 대표적 공간이다.

2 ▶ 편의점에서는 고객의 동선과 시선을 고려한 이른바 '골든 존의 법칙'이 적용된다. 일반적으로 성인 고객들의 눈에 가장 잘 띄기 쉽고 손으로 잡기 편한 위치인 보통 120cm 높이에서 좌우로 지나가는 시선의 중간이 편의점의 골든 존으로, 여기에 핵심 상품을 진열해 매출을 극대화시킨다. 그리고 연관 상품을 같은 장소에 배치하는 것을 '연관 진열'이라고 하는데, 샌드위치와 우유, 술과 안주 등 함께 구매하기 쉬운 상품은 가까운 거리에 나란히 배치한다.

3 ▶ 또한 안정감을 고려하여 부피가 크거나 무게가 나가는 상품은 하단에, 작거나 가벼운 상품은 상단에 배치하는 '트라이앵글 법칙'이나 전략 상품을 좌우로 나란히 여러 개 진열하여 고객의 시선을 끌어당기고자 하는 '페이스(face) 원칙', 유통 기한 관리를 위해 유통 기한이 짧은 상품을 앞쪽에, 긴 상품을 뒤쪽에 배치하는 것은 편의점 상품 진열의 기본 원칙이다. 그리고 사람들의 시선이 보통 왼쪽에서 오른쪽으로 이동한다는 점을 감안하여 중앙에서 오른쪽 방향으로 인기 상품이나 전략 상품을 배치하는 것이 일반적이다.

4 ▶ 한편 편의점마다 음료 냉장고는 매장 맨 끝에 위치하는 경우가 많은데, 이는 전체 매출의 25%를 차지하는 음료 코너를 매장 깊은 곳에 배치함으로써 최대한 고객의 동선을 늘리기 위한 작전이다. 음료를 사러 들어온 고객이 내친 김에 다른 상품도 구매할 가능성을 높이기 위한 것이다.

5 ▶ 편의점은 계산과 고객들의 관리 또한 탁월하다. 일반적으로 편의점에서는 계산대가 출입구 근처 매장의 중심부에 자리 잡는데, 이는 계산이 끝난 고객을 최대한 빠르게 내 보내기 위함이다. 또한 담배, 초콜릿, 복권 등 살 팔리는 상품을 계산대 주변에 집중 배치하는 것도 계산의 속도를 높이려는 전략적 수법이다.

지문 구조 해설

1 편의점에서 상품 진열 방식의 중요성과 그 이유
- 편의점에서 상품 진열 방식이 중요한 이유
  - 소규모 매장이므로 한번에 둘러보기가 쉽기 때문
  - 충동구매 제품이 많이 팔리기 때문(상품에 대한 현장 체험의 성격이 강함)

2 편의점 상품 진열 원칙의 구체적 예 ①
- 편의점 상품 진열의 원칙
  - 골든 존의 법칙: 고객들의 눈에 가장 띄기 쉬운 위치에 핵심 상품 배치
  - 연관 진열: 함께 구매하기 쉬운 연관 상품을 같은 장소에 배치

3 편의점 상품 진열 원칙의 구체적 예 ②
- 편의점 상품 진열의 원칙
  - 트라이앵글 법칙: 크거나 무거운 상품은 하단에, 작거나 가벼운 상품은 상단에 배치
  - 페이스 원칙: 전략 상품을 좌우로 나란히 여러 개 배치
  - 유통 기한이 짧은 상품을 앞쪽에 배치
  - 중앙에서 오른쪽 방향으로 인기 상품이나 전략 상품 배치

진열 원칙

4 편의점 상품 진열 원칙의 구체적 예 ③
- 편의점 상품 진열의 원칙
  - 음료 냉장고를 매장 맨 끝에 배치하여 고객에게 다른 상품의 구매를 유도함

5 계산과 고객의 관리가 탁월한 편의점
- 계산대를 출입구 근처에 배치하여 고객을 빠른 시간에 내 보냄
- 잘 팔리는 상품을 계산대 주변에 배치해 계산의 속도를 높임

✎ 지문 정보 확인 　1 ○ 　2 ○ 　3 X

지문 Point 분석 　주제: 편의점에서 상품 진열 방식의 중요성과 그 이유

해제: 우리 일상생활에 밀착되어 있는 편의점에서 상품 진열 방식이 중요한 이유와 상품 진열의 기본적인 원칙에 대해 설명하고 있는 글이다. 편의점은 대형 매장에 비해 매장 내 모든 지점을 둘러보기가 쉽고, 충동구매 제품이 많이 팔리기 때문에 매장 내의 구성과 상품의 배치가 마케팅 전략의 성패를 가름하는 데 중요한 역할을 한다. 편의점 상품 진열의 기본 원칙으로는 골든 존의 법칙, 연관 진열, 트라이앵글 법칙, 페이스 원칙 등이 있는데, 이는 모두 상품의 매출을 극대화하기 위한 전략이다.

지문 구조 한눈에 보기 👀

화제 제시 **1**
↓
사례 설명 1 **2** **3** **4**
편의점 상품 진열 원칙의 구체적 예
↓
사례 설명 2 **5**
편의점 계산대 위치와 고객 관리

1 ▼ 핵심 내용 파악   답 ③

윗글에 대한 이해로 적절하지 <u>않은</u> 것은?

③ 편의점에서는 목적 구매* 제품이 많이 팔리기 때문에 매장 내의 구성 방식이 중요하다.

⋯ 1문단에서 편의점에서는 목적 구매 제품 못지않게 충동구매 제품도 많이 팔리므로 매장 내의 구성과 상품의 배치가 마케팅 전략의 성패를 결정한다고 하였다. 따라서 목적 구매 제품이 많이 팔리기 때문에 매장 내의 구성 방식이 중요하다고 이해하는 것은 적절하지 않다.

➕ 오답 챙기기

① 사람들의 시선 이동 방향은 편의점의 상품 진열 방식에 영향을 끼친다.

⋯ 3문단에서 사람들의 시선이 보통 왼쪽에서 오른쪽으로 이동한다는 점을 감안하여 중앙에서 오른쪽 방향으로 인기 상품이나 전략 상품을 배치한다고 하였다. 이로 볼 때 사람들의 시선 이동 방향은 편의점 상품 진열 방식에 영향을 끼친다고 할 수 있다.

② 상품의 진열*방식이 매출*에 끼치는 영향은 백화점보다 편의점이 더 크다.

⋯ 1문단에서 어떤 상품을 어떤 위치에 어떤 높이로 얼마만큼 진열하는가 하는 문제는 백화점 등 대형 매장에서도 중요하지만, 소규모 매장인 편의점에서는 고객이 매장 내 모든 지점을 둘러보기가 한결 쉽기 때문에 특히 더 중요하다고 하였다. 이로 볼 때 상품의 진열 방식이 매출에 끼치는 영향은 백화점보다 편의점이 더 크다고 할 수 있다.

④ 부피가 크거나 무게가 나가는 상품을 하단*에 배치하는 것은 안정감을 부여하기 위해서이다.

⋯ 3문단에서 안정감을 고려하여 부피가 크거나 무게가 나가는 상품은 하단에, 작거나 가벼운 상품은 상단에 배치한다고 하였다.

⑤ 편의점에서 제품을 구매하는 것에는 광고의 영향보다 매장에서 직접 보는 체험이 더 큰 요인으로 작용한다.

⋯ 1문단에서 편의점에서 구매를 하는 것은 평상시 광고나 판촉에 의해서라기보다는 상품에 대한 현장 체험일 개연성이 높다고 하였다. 이로 볼 때 편의점에서 제품을 구매하는 것에는 광고의 영향보다 매장에서 직접 보는 체험이 더 큰 요인으로 작용한다고 할 수 있다.

> **어휘 충전**
> * **구매**(購 살 구 買 살 매): 물건 따위를 사들임.
> * **진열**(陳 베풀 진 列 벌일 열): 여러 사람에게 보이기 위하여 물건을 죽 벌여 놓음.
> * **매출**(賣 팔 매 出 날 출): 물건을 내어 팖.
> * **하단**(下 아래 하 段 층계 단): 여러 단으로 된 것의 아래의 단.

2 ▼ 세부 내용 추론   답 ⑤

윗글을 읽은 독자의 반응으로 적절하지 <u>않은</u> 것은?

⑤ 복권과 같은 상품을 계산대 주변에 배치*하는 것은 그 상품에 대한 매출을 늘리기 위한 것이겠군.

⋯ 5문단에서 담배, 초콜릿, 복권 등 잘 팔리는 상품을 계산대 주변에 집중 배치하는 것은 계산의 속도를 높이기 위함이라고 설명하고 있다. 따라서 복권과 같은 상품을 계산대 주변에 배치하는 것이 그 상품에 대한 매출을 늘리기 위한 것이라는 반응은 적절하지 않다. 매출을 늘리기 위한 방법으로는 골든 존의 법칙, 연관 진열, 페이스 원칙 등이 있다.

➕ 오답 챙기기

① 매출 실적이 좋은 삼각김밥 같은 경우에는 골든 존에 배치되겠군.

⋯ 2문단에서 골든 존에는 핵심 상품을 진열해 매출을 극대화시킨다고 하였다. 따라서 매출 실적이 좋은 삼각김밥 같은 경우에는 핵심 상품에 해당되므로 골든 존에 배치될 것이다.

② 컵라면과 김치는 연관*상품이므로 가까운 거리에 나란히 배치되겠군.

⋯ 2문단에서 샌드위치와 우유처럼 함께 구매하기 쉬운 연관 상품은 가까운 거리에 나란히 배치한다고 하였다. 따라서 컵라면과 김치도 연관 상품이므로 가까운 거리에 나란히 배치될 것이다.

③ 음료를 구입*하러 온 사람은 충동적*으로 다른 상품을 구매할 가능성이 높겠군.

⋯ 4문단에서 편의점마다 음료 냉장고는 매장 맨 끝에 위치하는 경우가 많은데, 이는 전체 매출의 25%를 차지하는 음료 코너를 매장 깊은 곳에 배치함으로써 음료를 사러 들어온 고객이 내친 김에 다른 상품도 구매할 가능성을 높이기 위한 것이라고 하였다. 따라서 음료를 구입하러 온 사람은 충동적으로 다른 상품을 구매할 가능성이 높을 것이다.

④ 같은 우유라도 유통 기한이 짧은 것은 유통 기한이 긴 것보다 앞쪽에 진열되겠군.

⋯ 3문단에서 유통 기한 관리를 위해 유통 기한이 짧은 상품을 앞쪽에, 긴 상품을 뒤쪽에 배치하는 것은 편의점 상품 진열의 기본 원칙이라고 하였다. 따라서 같은 우유라도 유통 기한이 짧은 것은 유통 기한이 긴 것보다 앞쪽에 진열될 것이다.

> **어휘 충전**
> * **배치**(配 나눌 배 置 둘 치): 사람이나 물건을 일정한 자리에 나누어 둠.
> * **연관**(聯 연이을 연 關 관계할 관): 사물이나 현상이 서로 일정한 관계를 맺음.
> * **구입**(購 살 구 入 들 입): 물건을 사들임.
> * **충동적**(衝 찌를 충 動 움직일 동 的 과녁 적): 어떤 욕구 같은 것이 마음속에서 갑작스럽게 일어나는 것.

STUDY 08 어휘 확인

1 ㉠	2 ㉢	3 ㉡	4 ㉣	5 ㉤
6 ㉤	7 ㉠	8 ㉣	9 ㉡	10 ㉢
11 고려	12 동기	13 개연	14 탁월	15 가름

우리의 눈을 속이는 착시 현상

출전 김태일 외 3인, 『살아 있는 과학 교과서 2』 지문 난이도 ★★★★☆

(1,297자)

1 » 제주도에는 도깨비 도로라고 불리는 신비한 도로가 있다. 신혼여행을 온 한 부부가 기념사진을 찍으려고 차를 세워 두었는데 차가 슬금슬금 위로 올라가는 게 아닌가. 이 사실이 알려지면서 이 도로는 유명해져 많은 관광객이 몰려들었고, 지금도 제주도를 찾는 사람들은 꼭 한 번 들르는 명소가 되었다. 이 도깨비 도로의 실체는 무엇일까?

2 » 도깨비 도로의 진실은 착시 현상에 있었다. 제주도 도깨비 도로의 경사도를 실제로 조사해 보니 내리막길이었다. 하지만 주변 지형의 영향으로 사람들의 눈에는 오르막길로 보였던 것이다. 이와 같이 사물의 크기나 색깔 같은 성질은 눈으로 보았을 때 본래의 모습과 차이가 나는 경우가 있는데, 이를 착시 현상이라고 한다.

3 » 착시 현상에는 먼저 시각 자체가 착각을 일으키는 물리적 착시 현상이 있다. 사람이 시각을 통해 어떤 물체를 보고 판단하는 것은 단순한 과정이 아니다. 빛이 동공으로 들어와 굴절되어 망막에 도달하면 망막에 있는 세포는 빛의 파장에 다른 반응을 일으킨다. 그런데 이 세포들은 같은 자극을 계속적으로 주면 자극의 강도에 비하여 반응의 강도가 약해진다. 예를 들어 빨간색을 계속 보고 있다가 흰 면을 보면 빨간색의 보색이 보인다. 이것은 빨간색만 계속 보면 망막에 있는 빨간색 감지 세포의 반응이 둔화되고 상대적으로 빨간색과 반대인 파란색 감지 세포가 예민해짐과 관련이 있다. 이러한 상태에서 갑자기 밝은 부분을 응시하면 빨간색 감지 세포가 반응을 약하게 하고, 다른 색 감지 세포가 예민하게 반응하므로 빨간색과 보색 관계에 있는 파란색이 보이게 되는 것이다.

4 » 다음으로는 정보를 받아들이는 과정에서 뇌가 착각을 일으키는 인지적 착시 현상이 있다. 정보는 인지적 과정을 거쳐서 이루어지는 것이므로 외부에서 오는 정보는 변형될 가능성이 있다. 예를 들어 덮개로 덮여 있는 두 양동이를 들어 올린다고 해 보자. 한 양동이는 작지만 모래로 가득 차 있다. 다른 하나는 훨씬 크지만 작은 양동이에 들어 있는 것과 같은 양의 모래가 들어 있다. 이 두 양동이를 들어 무게를 짐작해 보라고 하면 대부분의 사람들은 작은 양동이가 더 무겁다고 할 것이다. 이러한 착오는 양동이의 크기를 보고 작은 양동이가 가벼울 것이라 예상했는데, 생각과는 달리 무거워 놀란 나머지 작은 양동이의 무게를 과대평가하게 되기 때문이다.

5 » 이처럼 착시 현상은 우리의 감각 기관과 인지 구조에 의해서 이루어진다. 주의 깊게 관찰해도 생길 수 있으며, 이는 비정상적이거나 특수한 것이 아니다. 우리는 눈으로 본다고 하지만 우리가 보는 것을 그대로 믿기에는 세상의 정보와 지각된 경험 사이에는 생각보다 큰 차이가 있음을 알 수 있다.

지문 구조 해설

1 착시 현상과 관련된 화제 제시
- 도깨비 도로: 세워 둔 차가 위로 올라가는 듯 보이는 현상이 일어남
- 도깨비 도로의 실체에 대한 궁금증을 제시하여 독자들의 호기심을 유발함

2 착시 현상의 개념 — 개념
- 도깨비 도로의 진실: 내리막길인 도로가 주변 지형의 영향으로 오르막길로 보인 것임 → 착시 현상
- 착시 현상의 개념(정의): 사물의 크기나 색깔 같은 성질이 눈으로 보았을 때 본래의 모습과 차이가 나는 현상

3 물리적 착시 현상이 발생하는 원리 — 원리 ①
- 물리적 착시 현상: 시각 자체가 착각을 일으키는 현상
- 물리적 착시 현상의 예(예시): 빨간색을 보다가 갑자기 밝은 부분을 응시하면 빨간색과 보색 관계에 있는 파란색이 보이게 됨 → 빨간색을 계속 보게 되면 빨간색 감지 세포의 반응이 둔화되면서 상대적으로 파란색 감지 세포가 예민해지기 때문

4 인지적 착시 현상이 발생하는 원리 — 원리 ②
- 인지적 착시 현상: 정보를 받아들이는 과정에서 뇌가 착각을 일으키는 현상
- 인지적 착시 현상의 예(예시): 크기는 다르지만 같은 양의 모래가 들어 있는 양동이를 비교했을 때, 다수의 사람들은 작은 양동이가 무겁다고 판단하게 됨

5 착시 현상의 의의
- 착시 현상은 비정상적이거나 특수한 것이 아님
- 착시 현상은 세상의 정보와 지각된 경험 사이에 큰 차이가 있을 수 있음을 우리에게 알려 줌

✎ 지문 정보 확인 1○ 2X 3X

지문 구조 한눈에 보기

화제 제시 **1**
↓
구체화 **2 3 4**
- 착시 현상의 개념
- 물리적 착시 현상의 원리
- 인지적 착시 현상의 원리
↓
착시 현상의 의의 **5**

지문 Point 분석 주제: 착시 현상의 원리와 의의

해제: 착시 현상은 사물의 크기나 색깔 등이 눈으로 보았을 때 본래의 모습과 차이가 나는 현상을 말하며, 여기에는 물리적 착시 현상과 인지적 착시 현상이 있다. 물리적 착시 현상은 시각 자체가 착각을 일으키는 현상으로, 빛에 자극을 받아 활성화되는 감지 세포들의 반응과 관련이 있다. 인지적 착시 현상은 뇌가 착각을 일으키는 현상으로, 외부에서 오는 정보가 변형되는 인지적 과정과 관련이 있다. 이러한 착시 현상을 통해 우리가 눈으로 보는 것을 그대로 믿기에는 세상의 정보와 지각된 경험 사이에 큰 차이가 있음을 알 수 있다.

설명 방법
파악하기 -
정의, 예시

1 ▼ 내용 전개 방식 파악   답 ①

윗글에 대한 설명으로 가장 적절한 것은?

① 착시 현상의 종류를 소개하고, 각각의 현상에 대해 예시*를 통해 설명하고 있다.

⋯ 이 글에서는 착시 현상을 물리적 착시 현상과 인지적 착시 현상으로 구분하여 각 현상의 원리를 예시를 통해 설명하고 있다.

➕ 오답 챙기기

② 착시 현상의 원인을 설명하고, 실생활에 미치는 부정적*인 영향에 대해 설명하고 있다.

⋯ 3문단과 4문단에서 각각 물리적 착시 현상과 인지적 착시 현상이 발생하는 원인에 대해 설명하고 있지만, 실생활에 미치는 부정적인 영향에 대해서는 언급하고 있지 않다.

③ 물리적 착시 현상의 원리를 설명하고, 망막의 기능이 약화되고 있는 문제점을 제시하고 있다.

⋯ 3문단에서 물리적 착시 현상이 일어나는 원리를 빛의 자극에 따른 감지 세포의 반응과 관련하여 설명하고 있다. 그러나 망막의 기능이 약화되는 문제점은 언급하고 있지 않다.

④ 인지적 착시 현상을 일으키는 뇌의 구조를 설명하고, 이러한 현상을 예방하기 위한 대안*을 제시하고 있다.

⋯ 4문단에서 인지적 착시 현상이 일어나는 원인에 대해 설명하고 있지만, 이는 뇌의 착각에 의해 일어난다고 했지, 뇌의 구조와 관련하여 설명하고 있지는 않다. 또한 인지적 착시 현상을 예방하기 위한 대안도 언급하고 있지 않다.

⑤ 착시 현상을 바라보는 다양한 관점*을 소개하고, 시간의 흐름에 따라 관점이 어떻게 변화하였는지 설명하고 있다.

⋯ 이 글에서는 착시 현상을 바라보는 다양한 관점을 소개하고 있지 않으며, 시간의 흐름에 따른 관점의 변화 양상도 설명하고 있지 않다.

🎩 어휘 충전

* **예시**(例 법식 예 示 보일 시): 예를 들어 보임.
* **부정적**(否 아닐 부 定 정할 정 的 과녁 적): 그렇지 아니하다고 단정하거나 옳지 아니하다고 반대하는 것.
* **대안**(代 대신할 대 案 책상 안): 어떤 안을 대신하는 안.
* **관점**(觀 볼 관 點 점찍을 점): 사물이나 현상을 관찰할 때, 그 사람이 보고 생각하는 태도나 방향 또는 처지.

---

2 ▼ 구체적 사례에의 적용   답 ⑤

윗글을 바탕으로 할 때, 〈보기〉의 빈칸에 들어갈 학생의 반응으로 가장 적절한 것은?

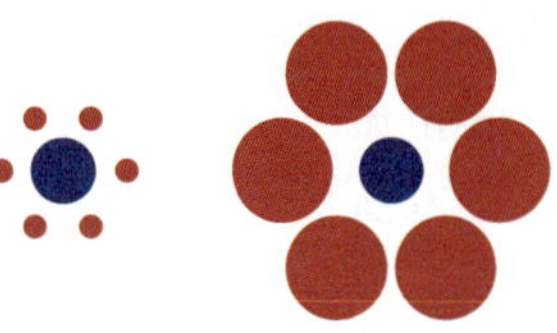

보기

선생님: 다음 그림을 살펴보았을 때, 작은 원들에 둘러싸인 원과 큰 원들에 둘러싸인 원 중에 어느 것이 더 클까요?

학생: 작은 원들에 둘러싸인 원이 큰 원들에 둘러싸인 원보다 크게 보입니다.

선생님: 네, 하지만 각각의 중심에 있는 두 원의 크기에는 차이가 없습니다. 이러한 착시 현상은 왜 일어날까요?

학생: ______________________________

⑤ 작은 원들에 둘러싸여 있는 원이 상대적으로 더 커 보이면서 뇌가 정보를 왜곡*하여 받아들였기 때문입니다.

⋯ 〈보기〉는 인지적 착시 현상과 관련된 사례이다. 그림을 살펴보면 주위를 둘러싸고 있는 원들의 크기만 다를 뿐 가운데 위치한 원의 크기는 같다. 그럼에도 작은 원들에 둘러싸인 원이 큰 원들에 둘러싸인 원보다 크게 보이는 것은 외부에서 오는 정보를 받아들이는 과정에서 뇌가 착각을 일으키는 인지적 착시 현상 때문이라고 볼 수 있다.

➕ 오답 챙기기

① 주위를 둘러싸고 있는 빨간색이 망막에 강한 자극을 주기 때문입니다.

⋯ 〈보기〉는 인지적 착시 현상과 관련된 사례이다. 따라서 빨간색이 망막에 강한 자극을 주기 때문에 이러한 현상이 일어난다고 볼 수 없다.

② 파란색을 계속 들여다보면 파란색의 감지 세포 반응이 둔화*되기 때문입니다.

⋯ 색깔의 감지 세포와 관련된 착시 현상은 물리적 착시 현상이다.

③ 보색 관계에 있는 빨간색과 파란색이 충돌하여 각각의 감지 세포 기능이 약화*되기 때문입니다.

⋯ 감지 세포의 기능은 물리적 착시 현상과 관련된 설명이다.

④ 주위를 둘러싸고 있는 원들이 움직인다고 뇌가 착각*을 하면서 중심 원이 흔들려 보였기 때문입니다.

⋯ 주위를 둘러싸고 있는 원들이 움직이는 것처럼 보이기 때문에 가운데 원이 흔들려 보인다는 진술은 적절하지 않다. 주위를 둘러싸고 있는 원들의 크기가 다르다는 점을 고려하여 가운데 원의 크기가 왜 다른 것처럼 보이는지 비교할 수 있어야 한다.

🎩 어휘 충전

* **왜곡**(歪 비뚤 왜 曲 굽을 곡): 사실과 다르게 해석하거나 그릇되게 함.
* **둔화**(鈍 무딜 둔 化 될 화): 느리고 무디어짐.
* **약화**(弱 약할 약 化 될 화): 세력이나 힘이 약해짐. 또는 그렇게 되게 함.
* **착각**(錯 섞일 착 覺 깨달을 각): 어떤 사물이나 사실을 실제와 다르게 지각하거나 생각함.

참치가 깡통에 들어간 이유

출전 황진규, 『공학은 세상을 어떻게 바꾸었을까』 지문 난이도 ★★★☆☆

(1,318자)

1 » 참치를 좋아하지 않더라도 누구나 집이나 마트에서 통조림을 본 적은 있을 것이다. 통조림은 고기나 과일 따위의 식료품을 깡통에 넣고 가열·살균한 뒤 밀봉하여 오래 보존할 수 있도록 한 식품이다. 깡통에 들어 있는 참치는 짧게는 일주일, 길게는 몇 달간 두고 먹을 수 있다. 그런데 바다에서 참치를 잡아서 일주일이나 몇 달간 집에 둔다면 어떤 일이 벌어질까? 어떤 음식이든 시간이 지나면 상하거나 부패할 수밖에 없다. 음식을 깡통에 넣은 이유는 바로 썩히지 않고 오래 보관하고 싶다는 문제의식에서 비롯된 것이다.

2 » 통조림의 발명은 프랑스의 나폴레옹이 군대를 지휘하면서 전쟁 식량을 충분히 보급하기 위한 목적에서 시작되었다. 군대를 이끌고 먼 지역으로 전쟁을 나가 시간이 지나면 식량이 상해서 군인들에게 충분한 급식을 주기 어려웠다. 나폴레옹은 이 문제를 해결하기 위해 상금까지 내걸며 방법을 찾으려고 노력하였는데, 1804년 프랑스 파리에서 과자를 만들던 니콜라 아페르가 이 상금을 받게 되었다. 그는 유리병 안에 음식을 채우고 가열한 뒤 병 속의 공기 등 기체를 빼내는 방법으로 병조림을 발명하였다. 용기 내외의 공기 유통을 차단하면서 외부로부터의 미생물 침입을 방지하고, 가열·살균으로 내용물에 부착되어 있는 미생물을 제거할 수 있었던 것이다. 이는 식품의 변패를 막아 장기 저장이 가능하도록 한 원리로, 음식을 오랜 시간 보관해도 쉽게 상하지 않게 하였으며 오늘날까지도 과일로 잼을 만들 때 사용하는 식품 살균 방법의 한 종류이다.

3 » 이후 1810년, 영국인 피터 듀란드는 오늘날과 같은 형태인 금속 통조림을 발명하였다. 듀란드는 이전과 마찬가지로 용기 내부에 있는 공기 등의 기체를 제거하는 작업을 진행하여 미생물의 증식을 방지할 수 있었다. 나아가 깨지지 않는 금속 용기로 내용물을 장기간 보관할 수 있게 되었다. 예를 들어 참치 등 수산물의 경우 오랜 기간 보관하면서 내륙으로 이동하려면 보관이 용이해야 한다. 금형 재질상 변형이 잘 되지 않고, 안전하게 운반할 수 있어 이 같은 재질을 사용해 온 것이다. 또한 음료수 캔과 달리 밑바닥을 평평하게 디자인할 수 있었던 것은 _______________ ㉠

4 » 나아가 통조림은 근현대 시기를 거치며 보다 안전하게 사용할 수 있도록 진화하였다. 기존에는 캔 따개 등 도구를 이용해 통조림류를 열어야 했기 때문에 자칫하면 물리적 상처가 날 수 있었다. 그러나 강철 뚜껑 대신 알루미늄 포일을 이용한 안심 따개, 진공 기법 등의 기술이 결합되면서 편리한 사용이 가능해졌다. 비록 통조림은 전쟁 물자 보급을 위한 목적에서 발명되었지만, 이제는 간편 식생활 및 구호물자 보급을 위해 필요한 식료품으로 자리 잡게 된 것이다.

지문 구조 해설

1 통조림의 개념 및 음식을 깡통에 보관하게 된 이유
- 통조림의 개념(정의): 식료품을 깡통에 넣고 가열·살균한 뒤 밀봉하여 오래 보존할 수 있도록 한 식품
- 음식을 깡통에 보관하게 된 이유: 음식을 썩히지 않고 오래 보관하기 위함

2 통조림 발명의 목적 및 통조림의 진화 과정 ①

과정 ①

통조림 발명의 목적 — 전쟁 식량을 충분히 보급하기 위함
- 병조림의 발명: 유리병 안에 음식을 채우고 가열한 뒤 병 속의 공기 등 기체를 빼냄

3 통조림의 진화 과정 ②

과정 ②
- 금속 통조림의 발명: 음식물이 깨지지 않는 상태에서 내용물을 장기간 보관 가능하게 됨
- 금속 통조림 활용 예시: 참치 등 수산물의 경우 장기간 이동·보관하는 데 용이함

4 안전한 사용을 위한 통조림의 진화
- 근현대 시기를 거치며 안전한 사용을 위한 목적으로 통조림이 진화됨
- 통조림 진화 예시: 강철 뚜껑 대신 알루미늄 포일을 이용한 안심 따개, 진공 기법 등의 기술이 적용되면서 안전하고 편리한 사용이 가능해짐

✎ 지문 정보 확인 1 ✕ 2 ○ 3 ○

지문 Point 분석 주제: 통조림 발명의 목적 및 통조림의 진화 과정

해제: 통조림은 음식을 썩히지 않고 장기간 보관하기 위한 목적에서 발명되었으며, 초기에는 가열·살균의 원리를 이용해 병조림이 먼저 나타났다. 이후 영국인 피터 듀란드가 오랜 기간 보관이 가능한 금속 통조림을 발명하였으며, 오늘날에는 통조림 사용 시 위험 요소를 없애기 위해 안심 따개, 진공 기법 등의 기술이 적용된 통조림으로 진화하게 되었다.

지문 구조 한눈에 보기

| 화제 제시 **1** |
↓
| 구체화 **2 3 4** | 통조림 발명의 목적 / 통조림의 진화 과정 |

1　▼ 내용 전개 방식 파악　　　　　　답 ④

윗글에 대한 설명으로 적절하지 <u>않은</u> 것은?

④ 통조림이 소비자들에게 대량 유통*될 수 있었던 원인을 분석적으로 설명하고 있다.

… 이 글에서는 통조림이 발명된 배경 및 어떻게 진화하여 오늘날에 이르렀는지 설명하고 있지만, 소비자들에게 대량으로 유통될 수 있었던 원인을 분석적으로 설명하고 있지는 않다.

➕ 오답 챙기기

① 통조림이 무엇인지 정의*하고, 통조림이 등장하게 된 일화*를 소개하고 있다.

… 1문단에서 통조림이 무엇인지 그 뜻을 밝히고 있으며, 2문단에서 나폴레옹의 일화를 통해 통조림이 등장하게 된 배경을 소개하고 있다.

② 예시를 활용하여 금속 통조림으로 보관이 용이해진 식품에 대해 언급하고 있다.

… 3문단에서 금속 통조림으로 보관이 용이해진 식품의 예시로 참치 등 수산물을 언급하고 있다.

③ 시간의 흐름에 따라 통조림의 제조* 기술이 진화하는 과정에 대해 설명하고 있다.

… 2~4문단에서 통조림의 제조 기술이 어떻게 진화하였는지를 시간의 흐름에 따라 설명하고 있다. 초창기에 발명된 병조림에 이어 금속 통조림, 안전한 통조림 따개 도구들을 소개하고 있다.

⑤ 초창기 통조림 사용에 따른 문제점을 언급하고, 이를 해결한 방안도 언급하고 있다.

… 4문단에서 기존에는 캔 따개 등 도구를 이용해 통조림류를 열어야 했기 때문에 자칫하면 물리적 상처가 날 수 있었지만 알루미늄 포일을 이용한 안심 따개, 진공 기법 등의 기술이 결합되면서 해결 방안이 마련되었음을 언급하고 있다.

어휘 충전

- **유통**(流 흐를 유 通 통할 통): 상품 따위가 생산자에서 소비자, 수요자에 도달하기까지 여러 단계에서 교환되고 분배되는 활동.
- **정의**(定 정할 정 義 뜻 의): 어떤 말이나 사물의 뜻을 명백히 밝혀 규정함.
- **일화**(逸 잃을 일 話 말할 화): 세상에 널리 알려지지 아니한 흥미 있는 이야기.
- **제조**(製 지을 제 造 지을 조): 공장에서 큰 규모로 물건을 만듦.

2　▼ 생략된 정보 추론　　　　　　답 ③

〈보기〉를 참고할 때, ㉠에 들어갈 말로 가장 적절한 것은?

> **보기**
>
> 통조림과 달리 음료수 캔은 밑바닥이 움푹 들어가 있다. 이것은 내용물의 압력과 상관이 있다. 알루미늄 캔에 들어가는 음료는 주로 탄산음료로 음료수 부피의 약 4배에 해당하는 이산화 탄소가 녹아 있다. 따라서 압력에 잘 견디게 설계하지 않으면 캔이 망가지거나 찌그러질 수 있는 위험이 있다. 이러한 위험을 방지하기 위해 압력이 강하게 가해지는 바닥을 오목하게 만들었으며, 이로 인해 밑면 전체에 압력이 고르게 퍼져서 웬만한 압력에도 모양이 바뀌지 않을 수 있었다.

③ 이산화 탄소가 들어 있지 않아 기체가 팽창*해 폭발할 가능성이 없기 때문이다.

… 3문단에 따르면 통조림 내부의 음식은 미생물의 증식을 방지하기 위해 공기 등의 기체가 빠진 상태에서 장기간 보관된다. 이러한 점을 고려했을 때, 〈보기〉의 음료수 캔과 달리 통조림 내부에는 이산화 탄소가 들어 있지 않으며 압력의 위험성을 고려할 필요가 없다. 따라서 음료수 캔과 달리 밑바닥을 평평하게 디자인할 수 있었던 것이다.

➕ 오답 챙기기

① 이산화 탄소의 압력을 견딜 만큼 밀폐*가 잘되었기 때문이다.

… 캔 내부에는 이미 기체를 제거하는 작업이 이루어졌기 때문에 이산화 탄소가 존재하지 않는다.

② 금형 재질이 어떤 온도에도 쉽게 내용물을 부식*시키지 않았기 때문이다.

… 〈보기〉에서는 압력과 관련하여 음료수 캔과 통조림 캔의 밑바닥 디자인을 비교하고 있으며, 내용물의 부식과는 관련이 없다.

④ 살균으로 미생물을 제거하여 어떤 모양에서도 음식물 보관이 가능하기 때문이다.

… 살균을 통해 미생물이 제거되는 것은 맞지만 음료수 캔과 비교했을 때 밑바닥이 평평하게 디자인되는 원리와는 관련이 없다.

⑤ 금형 재질이 이산화 탄소의 움직임을 억눌러 통조림의 압력을 약화시켰기 때문이다.

… 통조림 내부에는 이산화 탄소가 존재하지 않으며, 금형 재질이 이산화 탄소의 움직임을 억누른다는 것은 이 글과 〈보기〉 모두 언급하고 있지 않다.

어휘 충전

- **팽창**(膨 부풀 팽 脹 배부를 창): 부풀어서 부피가 커짐.
- **밀폐**(密 빽빽할 밀 閉 닫을 폐): 샐 틈이 없이 꼭 막거나 닫음.
- **부식**(腐 썩을 부 蝕 갉아먹을 식): 썩어서 문드러짐.

STUDY 09　**어휘 확인**

1 ㉢	2 ㉣	3 ㉠	4 ㉡	5 ㉢
6 ㉢	7 ㉤	8 ㉡	9 ㉠	10 ㉣

11 인지　12 진화　13 보색　14 증식　15 굴절

인문 — 슈퍼히어로는 아무나 하나

출전 허남웅, 『21세기 청소년 인문학』 | 지문 난이도 ★★☆☆☆

(957자)

❶ » 과거 영화 속의 슈퍼히어로는 ㉠슈퍼맨처럼 태어날 때부터 영웅적 능력을 부여받거나, 헐크처럼 불의의 사고로 초인적인 능력을 얻는 경우가 대부분이었다. 그러나 지금의 슈퍼히어로는 만들어지는 존재이다. ㉡아이언맨이 그 대표적인 사례이다. 토니 스타크는 아버지가 일군 기업을 물려받은 경영자이다. 부족함 없는 재산을 가진 토니 스타크는 발명이 취미인데, 이 취미를 토대로 첨단의 슈트를 개발하여 스스로 아이언맨이 된다.

❷ » 슈퍼히어로의 탄생 배경이 달라진 만큼 슈퍼히어로가 지닌 삶의 태도 역시 이전과는 사뭇 달라졌다. 과거의 슈퍼히어로가 정의를 대변하며 불의와 싸우는 존재였다면, 토니 스타크는 개인의 즐거움을 무엇보다 중요한 가치로 여긴다. 실제로 영화에서 토니 스타크는 신소재의 아이언맨 슈트를 끊임없이 개발하는 등 자신이 즐겁게 지내는 것을 무엇보다 중요하게 생각한다. 토니 스타크에게 상대와 맞서 싸우는 것은 아이언맨 슈트를 입고 벌이는 일종의 놀이에 가깝다.

❸ » 슈퍼맨과 같은 전통적인 슈퍼히어로들은 본인의 정체성과 슈퍼히어로로서의 정체성을 철저하게 분리하며 자신의 정체를 감춘다. 그러나 이와는 다르게 토니 스타크는 굳이 아이언맨으로서의 자신의 정체를 감추지 않는다. 영화에서 토니 스타크의 유명한 대사인 "I'm Iron man."은 토니 스타크 자신이 아이언맨임을 직접 세상에 드러내는 수단이다. 즉 자신의 정체를 감추지 않는 새로운 슈퍼히어로의 모습을 보여 준다.

❹ » 토니 스타크일 때나 아이언맨일 때나 그의 입에서는 유머와 웃음이 그칠 날이 없다. 늘 고뇌에 차 있고 진지하기만 한 슈퍼맨이나 배트맨이 과거 슈퍼히어로의 모습이라면, 유머와 웃음을 적절하게 활용하며 유연한 분위기를 만드는 아이언맨은 현재 슈퍼히어로의 모습인 것이다. 시대의 변화에 따라 이상적인 사람의 모습도 달라지고 있다. 변화하고 있는 영화 속 슈퍼히어로의 모습을 통해 우리가 사는 시대가 원하는 이상적 인간의 모습을 확인해 볼 수 있다.

지문 구조 해설

1 과거와 현재 슈퍼히어로의 탄생 배경
- 과거의 슈퍼히어로: 우연에 의해 초인적 능력을 얻음
- 현재의 슈퍼히어로: 만들어지는 존재
- 현재의 슈퍼히어로의 대표적 사례: 아이언맨

2 과거와 현재 슈퍼히어로의 삶의 태도
- 과거의 슈퍼히어로: 정의를 대변하며 불의와 싸우는 존재
- 현재의 슈퍼히어로: 개인의 즐거움을 중요한 가치로 여김

3 과거와 현재 슈퍼히어로의 정체성에 대한 태도
- 과거의 슈퍼히어로: 본인의 정체성과 슈퍼히어로로서의 정체성을 분리하며 자신의 정체를 감춤
- 현재의 슈퍼히어로: 굳이 자신의 정체를 감추지 않음

4 시대의 이상적 인간상을 반영하는 슈퍼히어로의 모습
- 과거의 슈퍼히어로: 늘 고뇌에 차 있고 진지함
- 현재의 슈퍼히어로: 유머와 웃음을 적절하게 활용하며 유연한 분위기를 만듦
- 변화하는 슈퍼히어로의 모습 속에서 시대가 원하는 이상적 인간의 모습을 확인할 수 있음

✏ 지문 정보 확인 1○ 2✕ 3○

지문 구조 한눈에 보기

비교 ❶ ❷ ❸ ❹	
	과거와 현재 슈퍼히어로의 탄생 배경
	과거와 현재 슈퍼히어로의 삶의 태도
	과거와 현재 슈퍼히어로의 정체성
	과거와 현재 슈퍼히어로의 성격
↓	
결론	

지문 Point 분석 주제: 슈퍼히어로의 모습을 통해 확인할 수 있는, 시대가 원하는 인간상

해제: 과거와 현재 슈퍼히어로의 모습을 다양한 측면에서 비교하며 설명하고 있는 글이다. 과거의 슈퍼히어로는 우연에 의해 탄생한 존재로서 정의를 대변해 불의와 싸우고, 자신의 정체를 감추며 고뇌에 찬 진지한 모습을 보여 준다. 반면에 현재의 슈퍼히어로는 만들어지는 존재로서 개인의 즐거움을 중요한 가치로 여기고, 굳이 자신의 정체를 감추지 않으며 유머와 웃음이 그치지 않는다. 이렇듯 변화하는 슈퍼히어로의 모습을 통해 시대가 원하는 이상적 인간의 모습을 확인해 볼 수 있다.

1　▼ 세부 내용 추론　답 ②

윗글을 통해 알 수 있는 내용으로 가장 적절한 것은?

② 영화 속 슈퍼히어로를 통해 시대가 원하는 이상적 인간상을 알 수 있다.

┉ 이 글은 과거의 슈퍼히어로와 현재의 슈퍼히어로를 비교하며, 두 대상의 차이점을 중심으로 서술하고 있다. 그리고 현재의 슈퍼히어로가 과거의 슈퍼히어로와는 많이 다르며, 이는 시대가 원하는 이상적 인간의 모습을 영화 속 슈퍼히어로가 반영하고 있기 때문이라는 결론을 내리고 있다. 즉 과거 사람들이 원하는 이상적 인간의 모습은 과거 영화 속 슈퍼히어로의 모습이고, 현재 사람들이 원하는 이상적 인간의 모습은 현재 영화 속 슈퍼히어로의 모습으로 드러나고 있는 것이다.

➕ 오답 챙기기

① 영화 속 슈퍼히어로는 자신의 이상을 실현하기 위하여 불의와 싸운다.

┉ 2문단에서 과거의 슈퍼히어로는 정의를 대변하며 불의와 싸우고, 현재의 슈퍼히어로는 일종의 놀이에 가깝게 상대와 싸운다는 내용은 확인할 수 있으나, 슈퍼히어로가 자신의 이상을 실현하기 위하여 불의와 싸운다는 내용은 이 글에서 확인할 수 없다.

③ 영화 속 슈퍼히어로는 모두 자신의 정체성과 관련된 내적 갈등을 겪는다.

┉ 3문단에서 과거의 슈퍼히어로는 본인의 정체성과 슈퍼히어로로서의 정체성을 철저하게 분리하며 자신의 정체를 감추기 위해 애를 쓴다는 내용은 확인할 수 있으나, 슈퍼히어로 모두 자신의 정체성과 관련된 내적 갈등을 겪는지의 여부는 확인할 수 없다.

④ 영화 속 슈퍼히어로의 모습은 시대와 관계없이 일정하게 유지되고 있다.

┉ 4문단에서 시대의 변화에 따라 이상적인 사람의 모습도 달라지고 있으며 이러한 모습이 영화 속 슈퍼히어로를 통해 드러난다고 이야기하고 있다. 따라서 슈퍼히어로의 모습이 시대와 관계없이 일정하게 유지되고 있다고 보기는 어렵다.

⑤ 사람들은 영화 속 슈퍼히어로의 모습을 바탕으로 자신의 삶의 목표를 설정한다.

┉ 이 글을 통해 영화 속 슈퍼히어로의 모습이 시대가 원하는 이상적 인간의 모습임을 확인할 수 있다. 그러나 사람들이 영화 속 슈퍼히어로의 모습을 통해 자신의 삶의 목표를 설정하는지는 확인할 수 없다.

2　▼ 정보 간의 관계 파악　답 ④

㉠과 ㉡에 대한 설명으로 적절하지 않은 것은?

④ ㉠은 시대가 원하는 이상적 인간상이지만, ㉡은 이상적 인간상과는 거리가 있다.

┉ 이 글은 과거의 슈퍼히어로와 현재의 슈퍼히어로를 다양한 측면에서 비교하고 있다. 이를 통해 각각의 특징을 구체적 예시와 함께 설명하며 영화 속 슈퍼히어로의 모습 속에 우리가 사는 시대가 원하는 이상적인 인간의 모습이 담겨 있다고 결론 내리고 있다. 이는 과거에는 과거의 슈퍼히어로를, 현재에는 현재의 슈퍼히어로를 이상적 인간으로 여기고 있다는 것이라 할 수 있다. 따라서 ㉠은 과거의 이상적 인간상, ㉡은 현재의 이상적 인간상이라 할 수 있다.

➕ 오답 챙기기

① ㉠은 늘 고뇌*에 차 있고 진지하지만, ㉡은 유머와 웃음을 적절하게 활용한다.

┉ 4문단에서 과거와 현재 슈퍼히어로의 성격을 비교하고 있다. 과거의 슈퍼히어로는 늘 고뇌에 차 있고 진지하지만, 현재의 슈퍼히어로는 유머와 웃음을 적절하게 활용하여 유연한 분위기를 만든다고 하였다.

② ㉠의 영웅적 능력은 부여*받은 것이지만, ㉡의 영웅적 능력은 만들어진 것이다.

┉ 1문단에서 과거와 현재 슈퍼히어로의 탄생 배경을 비교하고 있다. 과거의 슈퍼히어로는 태어날 때부터 영웅적 능력을 부여받거나, 불의의 사고로 초인적 능력을 얻게 되지만, 현재의 슈퍼히어로는 만들어지는 존재라고 하였다.

③ ㉠은 정의를 대변*하며 불의와 싸우지만, ㉡은 일종의 놀이처럼 상대와 싸운다.

┉ 2문단에서 과거와 현재 슈퍼히어로의 삶의 태도를 비교하고 있다. 과거의 슈퍼히어로는 정의를 대변하며 불의와 싸우지만, 현재의 슈퍼히어로는 자신이 즐겁게 지내는 것을 가장 중요하게 여기며, 일종의 놀이에 가깝게 상대와 싸운다고 하였다.

⑤ ㉠은 자신의 정체를 감추려고 노력하지만, ㉡은 자신의 정체를 감추려 하지 않는다.

┉ 3문단에서 과거와 현재 슈퍼히어로의 정체성을 비교하고 있다. 과거의 슈퍼히어로는 본인의 정체성과 슈퍼히어로로서의 정체성을 분리하며 자신의 정체를 감추려고 노력하지만, 현재의 슈퍼히어로는 자신의 정체를 굳이 감추려고 하지 않는다고 하였다.

어휘 충전

* **고뇌**(苦 쓸 고 惱 괴로워할 뇌): 괴로워하고 번뇌함.
* **부여**(附 붙을 부 與 줄 여): 사람에게 권리·명예·임무 따위를 지니도록 해 주거나, 사물이나 일에 가치·의의 따위를 붙여 줌.
* **대변**(代 대신할 대 辯 말 잘할 변): 어떤 사실이나 의미를 대표적으로 나타냄.

확장되는 디자인

출전 박완선, 『21세기 청소년 인문학』 지문 난이도 ★★☆☆☆

(955자)

1 » 디자인 분야는 매우 다양하고 어떤 측면에서 보느냐에 따라, 또는 시대의 변화에 따라 달라진다. 오늘날에는 모든 디자인이 서로 중복되고 보완하는 관계에 있기 때문에 명확히 구분하기가 더욱 어려워지고 있다. 특히 요즘은 모든 디자인이 한꺼번에 이루어지는 경우가 많아서 경계를 분명하게 나누기가 더욱 어렵다.

2 » 전통적인 디자인의 분류는 디자인을 시각전달 디자인, 제품 디자인, 환경 디자인으로 나누는 것이다. 이렇게 디자인을 크게 세 영역으로 분류하고, 각 영역 속의 개별적인 디자인 분야로 들어가면 예전부터 있었던 디자인 분야는 물론, 시대의 변화와 발전에 따라 이전에는 없었던 새로운 분야의 디자인이 생겨난 것을 알 수 있다.

3 » 예를 들어, 컴퓨터가 널리 사용된 이후에는 컴퓨터를 디자인의 도구로 이용하는 컴퓨터 그래픽이나 컴퓨터를 매체로 사용하는 웹디자인 분야 등이 새로 생겨나게 되었다. 이렇게 컴퓨터와 같은 새로운 도구가 생기면 그 영향으로 디자인의 환경이 바뀔 뿐만 아니라 새로운 디자인 분야가 생겨나기도 하는 것이다.

4 » 표현 형식에 따라 디자인을 분류할 수도 있다. 2차원(평면) 디자인, 3차원(입체) 디자인, 시각과 관련된 영상, 소리 등을 동반하는 4차원 디자인과 같이 분류하는 것인데, 이는 표현 형식 또는 표현 매체에 따라 디자인을 분류한 것이다. 이러한 분류 방식은 시각전달 디자인이나 제품 디자인, 환경 디자인 안에서 디자인을 다시 세부적으로 분류할 때 쓰이기도 한다.

5 » 요즘에는 디자인의 여러 가지 요소의 결합과 모호함으로 인해 가치 창조를 기준으로 새롭게 디자인을 분류하는 방법도 생겼다. 이것은 정보 통신 기술의 발전으로 디자인 작업에 인터넷이 적극적으로 활용되면서 기존의 개별적인 디자인 작업들이 전략적 제휴를 통한 집단적 공유가 가능해짐으로써 달라진 현상이다. 이제 디자인은 하나의 전문 분야에서의 해결만이 아니라 프로젝트를 중심으로 문제를 해결하는 과정 안에서의 역할이 더 중요해진 것이다.

분류 ①

분류 ②

분류 ③

지문 구조 해석

1 구분하기 어려운 디자인 분야
- 디자인 분야를 구분하기 어려운 까닭
  - 어떤 측면에서 보느냐에 따라, 시대의 변화에 따라 달라지기 때문
  - 모든 디자인이 서로 중복되고 보완하는 관계에 있기 때문
  - 모든 디자인이 한꺼번에 이루어지는 경우가 많기 때문

2 디자인의 분류 ① – 전통적 분류
- 전통적인 디자인의 분류: 시각전달 디자인, 제품 디자인, 환경 디자인
- 각 개별적인 디자인 분야: 예전부터 있었던 디자인 분야 + 시대의 변화와 발전에 따라 새로 생겨난 디자인 분야

3 새로운 디자인 분야가 생겨나는 경우
- 시대의 변화와 발전에 따라 이전에는 없었던 새로운 분야의 디자인이 생겨난 사례(예시)

4 디자인의 분류 ② – 표현 형식에 따른 분류
- 표현 형식에 따른 디자인의 분류: 2차원 디자인, 3차원 디자인, 4차원 디자인
- 표현 형식에 따른 디자인의 분류는 전통적인 디자인의 분류 안에서 다시 세부적으로 분류할 때 사용되기도 함

5 디자인의 분류 ③ – 가치 창조에 따른 분류
- 가치 창조에 따른 분류를 하게 된 원인
- 인터넷의 사용으로 달라진 디자인 환경
- 협업 중심으로 변화하고 있는 디자인 환경

지문 정보 확인 1 ○ 2 ○ 3 ✕

지문 Point 분석 주제: 디자인의 분류 기준과 구체적 분류 사례

해제: 다양한 기준으로 디자인을 분류하여 설명하고 있는 글이다. 전통적인 디자인의 분류는 디자인을 시각전달 디자인, 제품 디자인, 환경 디자인으로 나누는 것인데, 이 각 영역 속에서 시대의 변화에 따라 새로운 디자인 분야가 생겨나기도 한다. 디자인은 표현 형식에 따라 2차원, 3차원, 4차원 디자인으로 분류할 수도 있으며, 이는 전통적으로 디자인을 분류한 후 디자인을 다시 세부적으로 분류할 때 사용하기도 한다. 또한 디자인은 가치 창조에 따라 분류하기도 하는데, 이는 디자인 작업에 인터넷이 활용되면서부터 생겨난 변화이다.

지문 구조 한눈에 보기

화제 제시 **1**	
	디자인 분야
	↓
구체화	전통적 분류
2 **3**	표현 형식에 따른 분류
4 **5**	가치 창조에 따른 분류

1 ▼ 내용 전개 방식 파악   답 ②

윗글의 서술 방식으로 가장 적절한 것은?

② 대상을 일정한 기준*에 따라 나누어 설명하고 있다.

⋯ 이 글은 디자인이라는 대상을 일정한 기준에 따라 나누어 설명하고 있는데, 이러한 설명 방법을 분류라고 한다. 2문단에서는 디자인을 전통적인 기준을 적용하여 시각전달 디자인, 제품 디자인, 환경 디자인으로 나누고 있으며, 4문단에서는 표현 형식이라는 기준을 적용하여 2차원 디자인, 3차원 디자인, 4차원 디자인으로 나누고 있다.

➕ 오답 챙기기

① 말이나 사물의 뜻을 명백히 밝혀 규정*하고 있다.

⋯ 말이나 사물의 뜻을 명백히 밝혀 규정하는 설명 방법을 정의라고 하는데, 이 글에 정의의 방법이 사용되지는 않았다.

③ 복잡한 대상을 부분이나 요소*로 나누어 설명하고 있다.

⋯ 복잡한 대상을 부분이나 요소로 나누는 설명 방법을 분석이라고 하는데, 이 글에 분석의 방법이 사용되지는 않았다.

④ 대상이 변화한 모습을 시간 순서에 따라 제시하고 있다.

⋯ 시대나 환경의 변화에 따라 디자인의 분류 기준이 달라진다는 내용을 언급하고 있으나, 디자인이라는 대상이 변화한 모습을 시간 순서에 따라 제시하고 있는 것은 아니다.

⑤ 두 대상을 견주어 비슷한 부분에 초점*을 맞추어 설명하고 있다.

⋯ 둘 이상의 대상을 견주어 비슷한 부분에 초점을 맞추는 설명 방법을 비교라고 하는데, 이 글에 비교의 방법이 사용되지는 않았다.

어휘 충전

* **기준**(基 터 기 準 법도 준): 기본이 되는 표준.
* **규정**(規 법 규 定 정할 정): 내용이나 성격, 의미 따위를 밝혀 정함.
* **요소**(要 구할 요 素 흴 소): 사물의 성립이나 효력 발생 따위에 꼭 필요한 성분. 또는 근본 조건.
* **초점**(焦 그을릴 초 點 점 점): 사람들의 관심이나 주의가 집중되는 사물의 중심 부분.

---

2 ▼ 세부 정보 파악   답 ③

윗글을 통해 알 수 있는 내용이 아닌 것은?

③ 인터넷의 발달로 개별적인 디자인 작업은 불가능하게 되었다.

⋯ 5문단에서 디자인 작업에 인터넷이 적극적으로 활용되면서 기존의 개별적인 디자인 작업들이 전략적 제휴를 통해 집단적으로 공유되고 있다는 내용을 확인할 수 있다. 아울러 디자인은 하나의 전문 분야에서의 해결만이 아니라 프로젝트를 중심으로 문제를 해결하는 과정 안에서의 역할이 더 중요해졌다는 내용도 확인할 수 있다. 그러나 이러한 내용이 개별적인 디자인 작업이 불가능하게 되었음을 의미한다고 보기는 어렵다.

➕ 오답 챙기기

① 과거에는 디자인을 크게 세 가지 영역으로 나누었다.

⋯ 2문단에서 전통적으로 디자인을 시각전달 디자인, 제품 디자인, 환경 디자인으로 나누었음을 확인할 수 있다.

② 오늘날에는 디자인의 경계를 분명하게 나누기가 어렵다.

⋯ 1문단에서 디자인 분야는 매우 다양하고 어떤 측면에서 보느냐에 따라, 또는 시대의 변화에 따라 달라지며, 오늘날에는 모든 디자인이 서로 중복되고 보완하는 관계에 있기 때문에 명확히 구분하기가 더욱 어려워졌다는 내용을 확인할 수 있다.

④ 새로운 매체나 도구가 생기면 새로운 디자인 분야가 생겨나기도 한다.

⋯ 3문단에서 새로운 도구가 생기면 그 영향으로 디자인의 환경이 바뀌며, 새로운 디자인 분야가 생겨나기도 한다는 것을 확인할 수 있다.

⑤ 2차원, 3차원, 4차원 디자인은 디자인을 표현 형식에 따라 나눈 것이다.

⋯ 4문단에서 표현 형식에 따라 디자인을 2차원 디자인, 3차원 디자인, 4차원 디자인으로 나눌 수 있음을 확인할 수 있다.

STUDY 10

어휘 확인

1 ㉠	2 ㉡	3 ㉣	4 ㉤	5 ㉢
6 ㉥	7 ㉠	8 ㉡	9 ㉤	10 ㉢
11 불의	12 정체성	13 분야	14 제휴	15 공유

평양의 도시 구조

출전 김진수, 『똑똑한 지리책 2』 **지문 난이도** ★★★☆☆

(1,091자)

1 » 평양은 북한의 수도이며, 사회주의 도시 계획에 따라 계획적으로 정비된 도시이다. 대한민국의 도심은 경제 가치에 따라 주로 부가 가치가 높은 고밀도의 업무·상업 지구 중심으로 형성되었지만, 북한의 도심은 거리 중심으로 형성되었다. 서울이 지역 단위로 개발되었다면 평양은 '통일 거리', '미래 과학자 거리' 등 거리 중심의 신도시로 개발되어 '○○ 거리'라고 불리는 주요 거리가 30여 곳 있다.

2 » 서울과 달리 평양에는 상업용 빌딩, 호텔 등이 모여 있는 중심 업무 지구가 없다. 자본주의 국가의 도시인 서울은 접근성과 지대를 고려해 지역이 나뉘었으나, 북한은 당과 정부의 계획에 의해 건물의 위치가 결정되었기 때문이다. 평양의 도심부에는 미술관, 박물관 등의 공공시설과 문화 시설이 들어서 있으며, 국회의 성격을 지닌 만수대 의사당이 위치한다.

3 » 평양에서 이루어지는 '거리' 단위의 건축에는 주택은 물론, 학교 등의 공공시설, 음식점 같은 상점, 각종 편의 시설 등이 어우러진다. 직장을 중심으로 주거지가 결정되기 때문에 집과 가까운 거리에 직장이 위치한다. 아침이 되어도 평양의 도로가 복잡하지 않은 이유는 주민들의 출퇴근 및 통학 거리가 매우 짧기 때문이다.

4 » 평양의 거리에서 큰길에 닿아 있는 곳에는 주로 고층 아파트가 분포한다. 아파트로 둘러싸인 공간의 내부에는 공공시설, 상점, 편의 시설 등이 들어서 있는데, 이로 인해 자동차를 타고 평양을 여행하다 보면 평양이 거대한 아파트로 이루어진 도시라는 착각이 들기도 한다. 또한 평양은 서울에 비해 밀도가 낮고, 녹지대가 많은 것이 특징이다.

5 » 평양은 재개발을 통해 도시를 정비했는데, 재개발 역시 거리 단위로 이루어졌다. 평양의 재개발은 당과 정부에서 관할한다. 최근에는 창전 거리에서 재개발이 이루어졌다. 평양의 핵심부인 창전 거리에는 고층 아파트 단지 14개 동이 위치하고 그 안에 결혼식장, 아동 백화점, 편의 시설, 문화 시설, 학교 등이 갖추어져 있다. 주민들은 자가용을 타고 다니는 사람이 드물고 주로 대중교통을 이용한다. 평양에는 2개 노선의 지하철이 있으며, 지상에는 전기로 움직이는 전차가 있다. 항상 자동차들로 빽빽한 서울에 비해, 평양의 거리는 중심부를 제외하면 매우 한적하다.

---

1 거리 중심으로 개발된 평양
- 대한민국은 업무·상업 지구 중심으로, 북한은 거리 중심으로 도심이 형성됨
- 서울은 지역 단위로, 평양은 거리 중심의 신도시로 개발됨

2 평양 도심의 특징
- 서울: 접근성과 지대를 고려한 지역 구분
  평양: 당과 정부의 계획에 의해 건물 위치 결정
- 평양의 도심부: 미술관, 박물관 등의 공공시설과 문화 시설, 국회의 성격을 지닌 만수대 의사당

3 평양 사람들의 주거 위치
- 대부분이 직장과 가까운 곳에 주거함
- 평양의 도로가 복잡하지 않은 이유: 주민들의 출퇴근 및 통학 거리가 매우 짧기 때문

4 평양의 아파트 분포
- 대로변에 분포한 평양의 고층 아파트: 아파트로 둘러싸인 공간 내부에 공공시설, 상점, 편의 시설 등이 들어섬
- 서울과의 차이점: 밀도가 낮고 녹지대가 많음

5 평양의 재개발과 교통
- 평양의 재개발: 거리 단위로 이루어지며, 당과 정부에서 관할함
- 평양의 교통: 주로 대중교통을 이용

✎ 지문 정보 확인 1 X   2 ○   3 ○

지문 Point 분석 주제: 평양의 도시 구조의 특징

해제: 북한의 수도인 평양의 도시 구조에 대해 분석하고 있는 글이다. 평양은 사회주의 도시 계획에 따라 계획적으로 정비된 도시로, 경제 가치에 따라 개발된 서울과는 여러 가지 면에서 차이가 있다. 평양의 도심, 거리 단위의 건축, 아파트 분포, 재개발 및 교통이라는 세부 항목에 따라 평양 도시 구조에 대해 면밀하게 설명하고 있다.

지문 구조 한눈에 보기

| 화제 제시 **1** |
| 평양의 도시 개발 소개 |

↓

구체화 **2 3**	평양 도심의 특징
	평양 사람들의 주거 위치
4 5	평양의 아파트 분포
	평양의 재개발과 교통

1 ▼ 핵심 정보 파악　　　　　　　　　　답 ③

윗글을 통해 알 수 있는 내용이 <u>아닌</u> 것은?

③ 평양에 사는 사람들의 경제력

┅> 평양에 사는 사람들의 경제력이 어느 정도인지는 이 글에서 구체적으로 밝히고 있지 않다.

① 평양의 거리 이름의 예

┅> 1문단에 '통일 거리', '미래 과학자 거리'와 같은 평양의 거리 이름이 제시되어 있다.

② 평양의 지하철 노선 개수

┅> 5문단에서 평양에는 2개 노선의 지하철이 있음을 밝히고 있다.

④ 평양의 도심부에 위치한 시설

┅> 2문단에서 평양 도심부에는 미술관, 박물관 등의 공공시설과 문화 시설이 들어서 있다고 하였다.

⑤ 평양의 고층 아파트 존재 여부

┅> 4문단에서 평양의 거리에서 큰길에 닿아 있는 곳에는 주로 고층 아파트가 분포한다고 하였다.

2 ▼ 내용 전개 방식 파악　　　　　　　　답 ①

윗글의 전개 방식에 대한 설명으로 가장 적절한 것은?

① 평양의 도시 개발*에 대해 항목*별로 나누어 특징을 설명하고 있다.

┅> 이 글은 1문단에서 평양의 도시 개발이 사회주의 도시 계획에 따라 거리 중심으로 이루어졌음을 밝히고 있다. 그리고 2~5문단에서는 평양 도심의 특징, 평양 사람들의 주거 위치, 평양의 아파트 분포, 평양의 재개발과 교통이라는 구체적인 항목별로 평양이라는 도시의 특징을 설명하고 있다.

⊕ 오답 챙기기

② 평양의 도시 개발이 이루어져 온 과정을 시대에 따라 서술하고 있다.

┅> 이 글은 사회주의 도시 계획에 따라 개발되어 거리 중심의 도시 구조를 갖고 있는 평양의 도시 개발에 대해 항목별로 분석하고 있다. 그러나 시대에 따른 개발 과정을 언급하고 있지는 않다.

③ 평양이 거리 중심으로 개발된 이유를 밝히고 그와 상충*되는 의견을 제시하고 있다.

┅> 이 글은 평양의 도시 개발에 대해 설명하고 있는 글로서 상충되는 의견을 다루고 있지는 않다.

④ 평양과 서울의 도시 개발의 차이점과 공통점에 대해 항목별로 사례를 들어 설명하고 있다.

┅> 자본주의 국가의 도시인 서울과 사회주의 국가의 도시인 평양의 개발 방식 및 도시 구조의 차이점을 부분적으로 언급하고 있지만, 평양과 서울의 도시 개발의 차이점과 공통점에 대해 항목별로 사례를 들어 설명하고 있지는 않다.

⑤ 평양의 도시 구조를 소개한 뒤 평양이 경제 가치*에 따라 재개발되어야 한다고 주장하고 있다.

┅> 이 글은 평양 도시 구조의 특징에 대해 설명하고 있을 뿐, 평양이 경제 가치에 따라 재개발되어야 한다고 주장하고 있지는 않다.

* **개발**(開 열 개 發 필 발): 토지나 천연자원 따위를 유용하게 만듦.
* **항목**(項 목덜미 항 目 눈 목): 법률이나 하나의 일을 구성하고 있는 낱낱의 부분이나 갈래.
* **상충**(相 서로 상 衝 찌를 충): 맞지 아니하고 서로 어긋남.
* **가치**(價 값 가 値 값 치): 사물이 가지고 있는 쓸모.

3 ▼ 세부 정보 파악　　　　　　　　　　답 ④

윗글을 이해한 내용으로 적절한 것은?

④ 평양의 고층 아파트는 주로 대로변에 위치하며 편의 시설 등이 갖추어져 있다.

┅> 4문단을 보면 거리에서 큰길에 닿아 있는 곳, 즉 대로변에 고층 아파트가 분포하고, 아파트로 둘러싸인 공간의 내부에는 편의 시설 등이 존재한다는 것을 알 수 있다.

⊕ 오답 챙기기

① 평양은 사회주의 도시 계획에 따라 지역 단위로 개발되었다.

┅> 1문단에서 평양은 북한의 수도로, 사회주의 도시 계획에 따라 계획적으로 정비된 도시임을 밝히고 있다. 하지만 서울이 지역 단위로 개발된 것에 비해 평양은 거리 중심의 신도시로 개발되었다고 하였으므로 평양이 지역 단위로 개발되었다는 진술은 적절하지 않다.

② 북한 도심의 건물 위치는 접근성과 지대를 고려하여 결정되었다.

┅> 2문단에서 자본주의 국가의 도시인 서울은 접근성과 지대를 고려해 지역이 나뉘었으나, 북한은 당과 정부의 계획에 의해 건물의 위치가 결정되었기 때문에 평양에는 상업용 빌딩, 호텔 등이 모여 있는 중심 업무 지구가 없다고 하였다.

③ 평양의 도심부에는 상업용 빌딩, 호텔 등 중심 업무 지구가 위치한다.

┅> 2문단에서 서울과 달리 평양에는 상업용 빌딩, 호텔 등이 모여 있는 중심 업무 지구가 없다고 하였다.

⑤ 평양의 재개발은 당과 정부에서 관할하며 경제 가치에 따라 개발이 이루어졌다.

┅> 5문단에서 평양의 재개발은 당과 정부에서 관할하며, 거리 단위로 이루어졌다고 하였다. 경제 가치에 따른 개발이 이루어진 곳은 자본주의 국가의 도시인 서울로, 평양은 사회주의 도시 계획에 따라 개발이 이루어졌으므로 경제 가치에 따른다는 진술은 적절하지 않다.

터널링 이펙트의 두 가지 결과

출전 이완배, 『고교 독서평설 2018년 4월 호』　지문 난이도 ★★★☆☆

(1,129자)

❶ 》 '터널링 이펙트(tunneling effect)'는 경제학에서 사용하는 용어로, 결핍과 효율성의 관계를 정의할 때 사용하는 개념이다. 어두운 터널 안에 들어가면 앞이 잘 보이지 않기 때문에 터널 안에 있는 사람들은 오로지 터널 밖으로 나가는 데만 집중한다. 이 사람들은 앞만 열심히 쳐다보기 때문에 시야가 좁아지며, 자신이 집중한 일 이외의 대부분을 잊게 된다. 이런 현상을 터널링 이펙트라고 부른다.

❷ 》 뭔가가 부족하다고 느끼는 결핍의 상황은 일의 효율성을 높인다. 사람은 결핍을 느끼지 않을 때는 절박하게 일하지 않는다. 가진 돈이 많은 사람은 돈을 벌기 위해 열심히 노력하지 않는 것이 일반적이고, 마감 날짜까지 시간이 많으면 마음에 여유가 생겨 최선을 다하지 않는 경우가 많다. 인간이 구체적이고 획기적인 집중력을 발휘하려면 시간이 부족해야 한다. 누군가에게 일을 시킬 때 시간을 넉넉히 주는 것이 별로 효과가 없는 것도 그 때문이다. 이것이 바로 결핍의 효과이다.

❸ 》 그러나 부족한 상태가 효율성을 높이는 면이 있음에도 불구하고 결핍은 그보다 훨씬 큰 부정적 효과를 낳기도 한다. 1984년에서 2000년까지 미국에서 교통사고로 사망한 소방관들은 전체 사망자의 25%로, 소방관 사망 원인의 2위로 밝혀졌다. 게다가 안전을 제일로 생각하는 소방관들이 교통사고로 목숨을 잃는 대부분의 이유가 안전벨트 미착용이었다. 이것은 결핍과 연관하여 설명할 수 있는데, 긴급한 화재 신고를 받으면 소방관은 엄청난 시간 결핍 상황을 겪는다고 할 수 있다. 단 1초라도 빨리 출동해야 한 명이라도 더 구할 수 있기 때문이다. 즉 소방관이 시간 결핍 상황을 맞으면 오로지 사람을 구하는 일에만 집중하여 그 일의 효율성은 높아지지만, 그 일에만 집중하는 바람에 다른 일에는 신경을 쓰지 못한다. 그래서 소방관들은 차 문을 닫는다거나 안전벨트를 채우는 기본적인 일들을 잊어버리게 되는 것이다.

❹ 》 이처럼 터널링 이펙트는 어떤 일에 과몰입한 사람의 경우 그 일을 성취하는 데 있어서 효율성은 매우 높을 수 있지만, 주변의 다른 요소들을 고려하지 못하는 부작용이 있음을 경각하게 해 준다. 경제학의 측면에서 보다 높은 성취를 위해 사람들을 결핍의 상황에 처하게 하는 것이 효과가 있을 수 있지만, 거기에 동반되는 위험 요소도 반드시 인지해야 한다.

---

1 터널링 이펙트의 개념

- 터널링 이펙트: 경제학에서 결핍과 효율성의 관계를 정의할 때 사용하는 개념
- 터널 안에 있는 사람들: 터널 밖으로 나가는 데만 집중 → 시야가 좁아지고 다른 일들은 잊게 됨

2 결핍의 긍정적 효과

- 결핍의 상황은 일의 효율성을 높임
- 결핍을 느끼지 않을 때 사람들이 보이는 행동의 사례
- 인간은 시간의 결핍 상황에서 구체적이고 획기적인 집중력을 발휘하게 됨 → 결핍의 긍정적 효과

3 결핍의 부정적 효과

- 터널링 이펙트로 인한 미국 소방관들의 사망 사례
- 극도의 시간 결핍 상황에서 기본적인 일들을 잊어 위험에 처하게 됨 → 결핍은 일의 효율성을 높이는 긍정적인 결과도 가져오지만, 위험한 상황에 처하게 되는 부정적인 결과도 동반할 수 있음

4 터널링 이펙트의 양면성

- 터널링 이펙트의 양면성

긍정적 효과	부정적 효과
효율성 ↑	위험성 ↑

- 터널링 이펙트의 위험 요소 인지의 필요성

✎ 지문 정보 확인 　1○　2○　3✕

지문 구조 한눈에 보기 

지문 Point 분석　주제: 터널링 이펙트로 인한 두 가지 상반된 결과

해제: 경제학에서 결핍과 효율성의 관계를 설명할 때 사용하는 터널링 이펙트라는 개념에 대해 소개하며, 터널링 이펙트로 인해 얻을 수 있는 두 가지 상반된 결과에 대해 설명하고 있는 글이다. 결핍의 상황에서 사람들은 일에 집중력을 발휘해 효율성을 극대화할 수 있지만, 한 가지 일에만 지나치게 몰입하기 때문에 주변 상황을 살피지 못하고 위험에 처하게 되는 부정적 결과를 초래하는 경우도 있다. 터널링 이펙트의 양면성을 인지하고 결핍의 상황에서 발생할 수 있는 위험 요소에 주의를 기울여야 한다.

1 ▼ 세부 정보 파악   답 ①

윗글에 대한 이해로 적절하지 <u>않은</u> 것은?

① 일의 효율성*을 높이기 위해서는 시간을 넉넉히 주는 것이 좋다.

… 2문단에 따르면 사람들은 마감 날짜까지 시간이 많으면 마음에 여유가 생겨 최선을 다하지 않는 경우가 많다. 즉 집중력을 발휘하기 위해서는 시간이 부족해야 하기 때문에 누군가에게 일을 시킬 때 시간을 넉넉하게 주는 것은 별로 효과가 없다.

➕ 오답 챙기기

② 결핍은 효율성을 높이는 효과가 있지만 위험 요소*가 동반되기도 한다.

… 4문단에서 보다 높은 성취를 위해 사람들을 결핍의 상황에 처하게 하는 것이 효과가 있을 수 있지만, 거기에 동반되는 위험 요소도 반드시 인지해야 한다고 하였다.

③ 터널링 이펙트란 자신이 집중한 일 이외의 대부분을 잊는 현상*을 말한다.

… 1문단에서 터널 안에 있는 사람들은 오로지 터널 밖으로 나가는 데만 집중하여 시야가 좁아지고 자신이 집중한 일 이외의 대부분을 잊게 된다고 말하며, 이것이 터널링 이펙트의 개념임을 밝히고 있다.

④ 소방관들은 엄청난 결핍의 상황에서 기본적인 일들을 잊어버리는 경우가 있다.

… 3문단에서 소방관들은 단 1초라도 빨리 출동해야 한 명이라도 더 구할 수 있기 때문에 엄청난 시간 결핍 상황을 겪는다고 하였다. 그리고 이로 인해 차 문을 닫는다거나 안전벨트를 채우는 등의 기본적인 일들을 잊어버리는 경우가 있다고 하였다.

⑤ 어떤 일에 과몰입한 사람은 주변의 다른 요소들을 고려하지 못하는 모습을 보인다.

… 4문단에서 어떤 일에 과몰입한 사람의 경우 그 일을 성취하는 데 있어서 효율성은 매우 높을 수 있지만, 주변의 다른 요소들은 고려하지 못하는 부작용이 있다고 하였다.

> **어휘 충전**
> * **효율성**(效 본받을 효 率 율 性 성품 성): 들인 노력과 얻은 결과의 비율이 높은 특성.
> * **현상**(現 나타날 현 狀 형상 상): 나타나 보이는 현재의 상태.
> * **요소**(要 중요할 요 素 흴 소): 사물의 성립이나 효력 발생 따위에 꼭 필요한 성분. 또는 근본 조건.

2 ▼ 내용 전개 방식 파악   답 ④

윗글에 사용된 설명 방법을 〈보기〉에서 모두 고른 것은?

> **보기**
> ㉠ 핵심 용어의 개념이 변화된 원인과 변화 과정을 소개하고 있다.
> ㉡ 구체적인 예를 들면서 중심 화제와 관련된 내용을 설명하고 있다.
> ㉢ 화제에 대한 상반된 견해를 대비하여 절충적* 대안을 제시하고 있다.
> ㉣ 특정 현상으로부터 초래*될 수 있는 상반된 결과를 심층적*으로 설명하고 있다.

④ ㉡, ㉣

… 이 글은 결핍으로 인해 발생되는 터널링 이펙트의 개념을 설명하고, 터널링 이펙트를 원인으로 하여 발생될 수 있는 상반된 결과에 대해 심층적으로 설명하고 있다. 즉 결핍의 상황으로 인해 일의 효율성은 높아질 수 있으나, 지나치게 한 가지 일에만 몰두하여 다른 일에 신경을 쓰지 못하고 그로 인해 위험에 처하게 되는 부정적인 결과가 나타난다는 상반된 결과에 대해 설명하고 있다(㉣). 그리고 가진 돈이 많은 사람, 마감 날짜까지 시간이 많이 남은 사람의 예시를 통해 결핍이 일의 효율성을 높이는 데 효과적이라는 점을 설명하고 있으며, 사람을 구해야 한다는 한 가지 일에만 몰두하여 기본적인 일들을 잊어 위험에 처하게 되는 소방관들의 예시를 통해 결핍으로 인해 발생되는 부정적인 결과에 대해 설명하고 있다(㉡).

➕ 오답 챙기기

① ㉠, ㉢ / ② ㉠, ㉣ / ③ ㉡, ㉢ / ⑤ ㉢, ㉣

㉠ 핵심 용어의 개념이 변화된 원인과 변화 과정을 소개하고 있다.

… 1문단에서 이 글의 핵심 용어인 터널링 이펙트의 개념을 설명하고 있으나, 이 개념이 변화된 원인과 변화 과정을 소개하고 있지는 않다.

㉢ 화제에 대한 상반된 견해를 대비하여 절충적 대안을 제시하고 있다.

… 2문단과 3문단에서 각각 결핍의 긍정적 효과와 부정적 효과에 대해 다루고 있지만, 터널링 이펙트라는 화제에 대한 상반된 견해나 그 절충적 대안을 제시하고 있지는 않다.

> **어휘 충전**
> * **절충적**(折 꺾을 절 衷 속옷 충 的 과녁 적): 서로 다른 사물이나 의견, 관점 따위를 알맞게 조절하여 서로 잘 어울리게 하는. 또는 그런 것.
> * **초래**(招 부를 초 來 올 래): 어떤 결과를 가져오게 함.
> * **심층적**(深 깊을 심 層 층 的 과녁 적): 정도나 경지가 깊이 있고 철저한. 또는 그런 것.

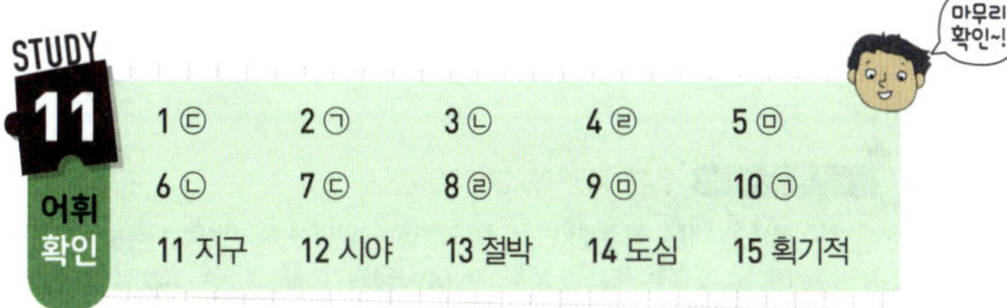

STUDY 11 어휘 확인				
1 ㉢	2 ㉠	3 ㉡	4 ㉣	5 ㉤
6 ㉡	7 ㉢	8 ㉣	9 ㉤	10 ㉠
11 지구	12 시야	13 절박	14 도심	15 획기적

폭풍 에너지의 위험성

출전 그레이엄 테터솔, 『괴짜가 사랑한 통계학』　지문 난이도 ★★★★☆

(1,263자)

1 » 1987년 10월, 영국에 불어닥친 사이클론의 풍속은 시속 200킬로미터에 이르렀다. 당시 1,500만 그루의 나무가 이 파격적인 사이클론으로 인해 땅바닥에 내팽겨쳐졌다. 그런데 흥미로운 사실이 하나 있다. 그것은 바로 바람이 지나가면서 대상에 미치는 힘은 그 속도의 제곱에 비례한다는 점이다. 그렇다면 사이클론이 지닌 에너지는 얼마나 대단한 규모일까?

2 » 사이클론은 인도양, 아라비아해, 벵골만에서 발생하는 열대성 저기압으로, 발생하는 지역에 따라 태풍, 허리케인 등으로 부른다. 대폭풍의 기상도를 살펴보면, 상공 어딘가를 축으로 거대한 타이어 모양을 이루며 반시계 방향으로 회전하는 바람을 볼 수 있다. 태풍 중심 부근의 속도는 시속 80킬로미터에 달하는데, 이 중심이 폭풍 에너지의 대부분을 운반하며 순환하는 대기이다.

3 » 폭풍 에너지를 측정하기 위해서는 에너지와 힘뿐만 아니라 움직이는 물체에 대한 몇 가지 기본 원리를 이해할 필요가 있다. 자동차, 바위, 대기 등 움직이는 물체는 모두 운동 에너지를 갖고 있다. 이 에너지는 열에너지로 바뀌거나 물체의 속도를 감소시킴으로써 다른 물체로 전이될 수 있다. 시속 110킬로미터로 달리는 자동차를 생각해 보자. 이 차를 정지시키는 브레이크에서 발생하는 열은 한 솥 가득 든 물을 끓일 정도로 대단하다. 이때 발생하는 에너지로 자동차의 속도를 줄이는 것이다.

4 » 폭풍이 커다란 공장의 굴뚝을 넘어뜨리고 우리가 사는 집의 지붕을 들어 올리며 바다에서 거대한 파도를 일으키는 것은 폭풍의 운동 에너지 중 일부가 물체를 움직이는 데 사용되기 때문이다. 그 결과 바람의 속도는 감소된다. 숲으로 산책을 가 보면 바람이 부는 날조차도 나무들 사이의 대기가 고요하다는 걸 느낄 것이다. 나무는 바람의 운동, 즉 에너지를 흡수하는 데 능숙하다. 바로 이 때문에 나무들은 폭풍에 다치기가 쉽다.

5 » 시속 80킬로미터의 바람을 동반한 채 불어오는 거대한 폭풍은 원자 폭탄 한 개가 지닌 에너지의 2만 4천 배이다. 대형 핵폭탄과 맞먹는 에너지인 셈이다. 그러나 폭풍 에너지는 두터운 대기 전역으로 골고루 퍼진다. 반면에 원자 폭탄은 도시 상공에서 에너지를 방출한다. 따라서 동일 면적당 에너지는 원자 폭탄과 폭풍이 비슷할 것이다.

6 » 물론 원자 폭탄으로부터 나오는 에너지는 1초보다 짧은 순간에 방출되지만 폭풍 에너지는 1만 초 이상의 시간 동안 분산된다. 또한 폭풍은 분명 우리에게 피해를 입히지만 콘크리트와 강철을 녹이지는 않는다. 그럼에도 불구하고 카트리나, 데비, 그레이스와 같은 아름다운 이름의 허리케인은 인류에게 너무나 두려운 존재이다.

지문 구조 해설

1 사이클론의 힘
- 사이클론이 지닌 힘의 구체적 사례
- 바람이 지닌 힘과 속도는 비례 관계

2 사이클론의 개념과 특징
- 사이클론의 개념: 인도양, 아라비아해, 벵골만에서 발생하는 열대성 저기압
- 사이클론의 다른 이름: 태풍, 허리케인 등
- 사이클론의 특징: 거대한 타이어 모양을 이루며 반시계 방향으로 회전

3 움직이는 물체와 관련된 원리
- 움직이는 물체와 관련된 원리

움직이는 물체
운동 에너지를 가짐
↓
운동 에너지 → 열에너지로 바뀌거나 다른 물체로 전이됨

4 물체를 움직이는 데 사용되는 폭풍 에너지
- 폭풍이 물체를 움직이는 원리: 폭풍의 운동 에너지 중 일부가 굴뚝, 지붕 등의 물체를 움직이는 데 사용됨

5 폭풍과 원자 폭탄의 비교 ①
- 폭풍과 원자 폭탄의 공통점: 엄청난 에너지를 지님
- 폭풍과 원자 폭탄의 차이점 ①

폭풍	원자 폭탄
에너지가 대기 전역으로 분산	도시 상공에서 에너지를 방출

6 폭풍과 원자 폭탄의 비교 ②
- 폭풍과 원자 폭탄의 차이점 ②

폭풍	원자 폭탄
에너지가 1만 초 이상의 시간 동안 분산	에너지가 1초보다 짧은 순간에 방출

지문 정보 확인　1 ○　2 X　3 X

지문 Point 분석　주제: 폭풍 에너지의 위험성

해제: 사이클론은 태풍, 허리케인 등으로도 불리는 열대성 저기압으로 폭풍 에너지를 포함하여 움직이는 대기이다. 이것이 지니고 있는 운동 에너지가 다른 물체를 움직이는 데 사용되기 때문에 많은 피해를 낳게 되는데, 이는 대형 핵폭탄에 맞먹는 에너지로 대기 전역으로 골고루 퍼지며 상대적으로 긴 시간 동안 분산된다는 점에서 인류에게 두려운 존재라고 할 수 있다.

지문 구조 한눈에 보기

화제 제시 **1**

구체화	
2 3	사이클론의 개념
4 5	폭풍 에너지가 물체를 움직이는 원리
6	폭풍과 원자 폭탄의 비교

정보를 전달하는 글 이해하기

1 ▼ 내용 전개 방식 파악　　　　답 ③

윗글의 서술 방식으로 적절하지 않은 것은?

③ 구체적인 수치를 언급하여 통념*의 문제점을 밝히고 있다.

⋯ 5문단에서 폭풍 에너지를 원자 폭탄이 지닌 에너지와 비교하며 구체적인 수치를 언급하고 있지만, 통념의 문제점을 밝히고 있지는 않다.

➕ 오답 챙기기

① 실제 사례를 제시하여 독자의 관심을 유발*하고 있다.

⋯ 1문단에서 1987년 10월, 영국에 불어닥친 사이클론의 피해 사례를 언급하며 독자의 관심을 유발하고 있다.

② 중심 화제의 개념을 정의하여 독자의 이해를 돕고 있다.

⋯ 2문단에서 사이클론의 개념을 정의하고 사이클론을 부르는 다른 이름을 제시하여 독자의 이해를 돕고 있다.

④ 스스로 묻고 답하는 방법으로 글의 내용을 전개하고 있다.

⋯ 1문단을 질문의 형식으로 마무리하고, 이후 이 질문에 대한 답을 제시하는 방식으로 내용을 전개하고 있다.

⑤ 비교의 방법을 사용하여 중심 화제의 특성을 설명하고 있다.

⋯ 5문단과 6문단에서 폭풍 에너지를 원자 폭탄이 지닌 에너지와 비교하며 그 특성을 설명하고 있다.

> **어휘 충전**
> * **통념**(通 통할 통 念 생각할 념): 일반적으로 널리 통하는 개념.
> * **유발**(誘 꾈 유 發 필 발): 어떤 것이 다른 일을 일어나게 함.

2 ▼ 세부 정보 추론　　　　답 ①

윗글을 통해 알 수 있는 내용으로 적절하지 않은 것은?

① 사이클론이 지닌 에너지는 중심부*에서 멀어질수록 점점 커진다.

⋯ 2문단에서 사이클론의 개념을 제시하며 태풍 중심 부근의 속도는 시속 80킬로미터에 달하는데, 이 중심이 폭풍 에너지의 대부분을 운반한다고 언급하고 있다. 따라서 중심부에서 멀어질수록 폭풍 에너지는 약해진다는 사실을 추론할 수 있다.

➕ 오답 챙기기

② 달리는 자동차는 운동 에너지가 열에너지로 바뀌어 멈추게 된다.

⋯ 3문단에서 달리는 자동차에서 브레이크를 밟는 경우, 열이 발생하고 이때 발생하는 에너지로 자동차의 속도가 줄어든다고 언급하고 있다. 따라서 달리는 자동차는 운동 에너지가 열에너지로 바뀌어 멈추게 된다고 할 수 있다.

③ 움직이는 열차와 날아가는 새는 모두 운동 에너지를 지니고 있다.

⋯ 3문단에서 움직이는 물체는 모두 운동 에너지를 갖고 있다고 언급하고 있다. 따라서 움직이는 열차와 날아가는 새는 모두 운동 에너지를 지니고 있다고 할 수 있다.

④ 태풍의 이동 속도가 빠를수록 진행 경로의 건물에 미치는 힘은 커진다.

⋯ 1문단에서 바람이 지나가면서 대상에 미치는 힘은 그 속도의 제곱에 비례한다는 점을 언급하고 있다. 따라서 태풍의 이동 속도가 빠를수록 진행 경로의 건물에 미치는 힘은 커진다고 할 수 있다.

---

⑤ 폭풍 에너지는 원자 폭탄 에너지보다 고루 퍼지고 긴 시간 동안 분산*된다.

⋯ 5문단과 6문단에서 폭풍 에너지와 원자 폭탄이 지닌 에너지를 비교하며 폭풍 에너지는 원자 폭탄 에너지에 비해 두터운 대기 전역으로 골고루 퍼지고, 1만 초 이상의 상대적으로 긴 시간 동안 분산된다고 언급하고 있다.

> **어휘 충전** 
> * **중심부**(中 가운데 중 心 마음 심 部 나눌 부): 사물의 한가운데나 복판이 되는 부분.
> * **분산**(分 나눌 분 散 흩을 산): 갈라져 흩어짐. 또는 그렇게 되게 함.

3 ▼ 구체적 사례에의 적용　　　　답 ⑤

윗글을 읽고 〈보기〉의 상황에 대해 학생들이 보인 반응으로 적절하지 않은 것은?

> **보기**
>
> 선생님: 움직이는 모든 물체에서는 에너지가 발생해요. 움직이는 물체가 지닌 운동 에너지는 다음 공식으로 구할 수 있습니다.
>
> $$\text{운동 에너지} = \text{질량} \times \text{속도}^2 / 2$$
>
> 자, 그럼 이를 바탕으로 자동차가 시속 100킬로미터로 달리는 상황에 대해 생각해 볼까요?

⑤ 〈보기〉의 자동차 질량의 절반인 오토바이가 자동차와 동일한 운동 에너지를 가지려면 자동차보다 2배 빠른 속도로 움직여야겠군.

⋯ 〈보기〉에 따르면 운동 에너지는 질량에 비례하고 속도의 제곱에 비례함을 알 수 있다. 따라서 질량이 절반인 오토바이가 2배 빠른 속도로 움직일 경우 자동차보다 큰 운동 에너지를 갖게 된다.

➕ 오답 챙기기

① 〈보기〉의 자동차의 속도가 시속 50킬로미터로 줄어든다면, 운동 에너지는 1/4로 줄어들겠군.

⋯ 〈보기〉의 자동차의 속도가 절반으로 줄어든다면 운동 에너지는 속도의 제곱에 비례하므로 1/4로 줄어들게 된다.

② 〈보기〉의 자동차보다 2배 무거운 트럭이 동일한 속도로 움직인다면, 운동 에너지는 2배로 늘어나겠군.

⋯ 운동 에너지는 질량에 비례하므로 〈보기〉의 자동차보다 2배 무거운 트럭이 동일한 속도로 움직인다면, 운동 에너지는 2배로 늘어날 것이다.

③ 〈보기〉의 자동차에서 밖으로 머리를 내민다면, 시속 100킬로미터의 바람이 가진 힘을 느낄 수 있겠군.

⋯ 3문단과 〈보기〉에 따르면 모든 움직이는 물체는 운동 에너지를 지니고 있다. 따라서 〈보기〉의 자동차에서 밖으로 머리를 내민다면, 시속 100킬로미터의 바람이 가진 힘을 느낄 수 있을 것이다.

④ 1987년 영국에 피해를 줬던 사이클론의 힘은 〈보기〉의 자동차가 가진 운동 에너지의 4배에 육박했겠군.

⋯ 1문단에서 영국에 피해를 줬던 사이클론의 속도는 시속 200킬로미터에 달했다고 언급하고 있다. 따라서 〈보기〉의 자동차의 속도가 시속 100킬로미터이므로 사이클론의 운동 에너지가 자동차에 비해 4배 정도 더 큼을 알 수 있다.

출전 『두산백과』 지문 난이도 ★★★★☆

(1,207자)

1 » 지하수 등의 물로 가득찬 모래 지반층에 지진과 같은 강한 충격이 가해지면 모래 입자들이 재배열되면서 수축하고, 모래 입자들 사이의 틈에서 기존보다 강한 수압이 생기게 된다. 이 때문에 모래 지반층의 강도가 크게 감소되어 순간적으로 모래가 액체처럼 움직이게 되는데, 이를 ㉠액상화라고 한다. 액상화된 지하수와 흙, 모래 등은 수압으로 인해 땅 위로 상승하여 밖으로 분출되는데, 이 때문에 땅 밑에는 빈 공간이 생기고 주변의 지반이 내려앉는 지반 침하 현상이 발생한다. 이러한 현상으로 인해 주변 건물이 무너지는 피해가 유발된다.

2 » 액상화는 빈번하게 나타나는 현상이 아니어서 아직까지도 액상화 현상의 발생 원인에 대한 요인들이 검토되고 있다. 2017년까지 알려진 액상화 현상의 요인은 크게 외적 요인과 내적 요인으로 나뉜다. 외적 요인으로는 지진의 강도나 그 지속 시간 등이 있으며, 내적 요인으로는 모래의 밀도, 지하수면의 깊이, 기반암의 지질 구조, 모래의 입도 분포 등이 있다.

3 » 땅 밑의 모래 입자가 크면 클수록 입자 사이의 틈이 커지게 되고, 틈 안에 물이 ㉡들어가기 쉽다. 이때 지하수의 수위가 높아져 이러한 틈에 지하수가 채워져 있을 경우, 순간적으로 발생하는 지진 등에 의해 액상화 현상이 발생한다. 또한 땅 밑에 단층이 있을 경우에는 땅이 견딜 수 있는 하중이 더 작아, 수압을 견디기 어려운 것으로 예측된다.

4 » 지진에 의해 발생한 액상화 현상은 1964년 일본의 니가타 지진, 1976년 중국의 탕산 지진, 1995년 일본의 한신 대지진, 2011년 일본의 동일본 대지진, 2011년 뉴질랜드의 크라이스트처치 지진 때 관측되었으며, 우리나라에서는 2017년 11월 포항 지역에 발생한 지진 때 지진 관측 이래 최초로 관측되었다.

5 » 일본의 니가타 지진 당시에는 액상화 현상으로 아파트 3채가 기울어지는 등의 피해를 입었으며, 중국의 탕산 지진의 경우 24만여 명이 사망하는 등 액상화 현상 때문에 큰 피해를 입었다.

6 » 1964년 니가타 지진 이후 일본은 전국 각지의 액상화 위험성을 등급 및 이력으로 표기한 '액상화 지도'를 제작·공개하였으며, 지방 자치 단체들이 모래 지반 지역에 대한 조사를 토대로 지반 개량 사업을 벌였다. 또한 건설 회사들도 액상화 피해를 줄이는 다양한 건설 공법을 개발하였다. 이처럼 모래 지반 지역을 중심으로 액상화 지도를 제작하고 액상화 현상에 따른 위험도가 큰 지역부터 지반 보강 공사를 수시로 함으로써 피해를 줄일 수 있다.

---

1 액상화의 발생 과정과 피해
- 액상화의 발생 과정
- 액상화의 개념

액상화	모래 지반층의 강도가 감소하여 모래가 액체처럼 움직이게 되는 현상

- 액상화 현상으로 인한 피해

2 액상화 현상의 발생 원인
- 액상화 현상의 요인

외적 요인	지진의 강도, 지속 시간 등
내적 요인	모래의 밀도, 지하수면의 깊이, 기반암의 지질 구조, 모래의 입도 분포 등

3 지진에 의한 액상화 현상이 발생하기 쉬운 조건
- 액상화 현상이 발생하기 쉬운 조건 ①: 땅 밑의 모래 입자의 크기 ↑
- 액상화 현상이 발생하기 쉬운 조건 ②: 땅 밑에 단층이 있을 경우

4 지진에 의한 액상화 현상이 관측된 사례
- 지진에 의해 발생한 액상화 현상이 관측된 사례

5 지진에 의한 액상화 현상의 피해 사례
- 일본의 니가타 지진: 아파트 3채가 기울어짐
- 중국의 탕산 지진: 24만여 명 사망

6 액상화 현상의 피해를 줄이기 위한 노력
- 액상화 현상으로 인한 피해를 줄이기 위한 노력

지문 구조 한눈에 보기

화제 제시 **1**

구체화 **2 3**	액상화 현상의 원인
4 5	액상화 현상의 피해 사례

마무리 **6**
해결을 위한 노력

✎ 지문 정보 확인 1 ✗ 2 ○ 3 ✗

지문 Point 분석 주제: 액상화 현상에 대한 이해

해제: 액상화 현상의 발생 원인과 그로 인한 피해에 대해 설명하고 있는 글이다. 액상화 현상은 모래 지반층의 강도가 크게 감소되어 모래가 액체처럼 움직이게 되는 현상으로, 그 요인은 크게 외적 요인과 내적 요인으로 나눌 수 있다. 특히 지진으로 인한 액상화 현상은 땅 밑의 모래 입자가 크거나 단층이 있을 경우 발생하기 쉬운데, 이로 인한 피해를 줄이기 위한 노력이 진행되고 있다.

정보를
전달하는
글 이해하기

1　▼ 내용 전개 방식 파악　　　답 ⑤

윗글에 대한 설명으로 적절하지 <u>않은</u> 것은?

⑤ 특정 현상의 피해를 예방할 수 있는 방안과 그 한계를 제시하고 있다.

⋯ 이 글의 핵심 소재는 '액상화 현상'으로, 지진에 의해 발생한 액상화 현상은 많은 피해를 낳는다는 점을 다루고 있다. 6문단에서 지진에 의한 액상화 현상의 피해를 예방하기 위한 방안을 제시하고 있으나, 그 한계를 언급하고 있지는 않다.

➕ 오답 챙기기

① 특정 현상의 개념을 정의*하여 제시하고 있다.

⋯ 1문단에서 '액상화'의 개념을 정의하고, 이로 인해 발생하는 지반 침하 현상에 대해 소개하고 있다.

② 특정 현상의 발생 원인을 구분*하여 제시하고 있다.

⋯ 2문단에서 액상화 현상의 발생 원인에 대한 요인을 외적 요인과 내적 요인으로 구분하여 설명하고 있다.

③ 특정 현상이 관측된 실제 사례를 나열*하여 제시하고 있다.

⋯ 4문단에서 일본, 중국, 뉴질랜드와 우리나라에서 지진에 의해 발생한 액상화 현상이 관측된 사례를 나열하여 제시하고 있다.

④ 특정 현상으로 인한 피해를 구체적 수치*를 통해 제시하고 있다.

⋯ 5문단에서 일본과 중국에서 지진에 의해 발생한 액상화 현상으로 인해 얼마만큼의 피해가 발생했는지 구체적인 수치를 언급하며 제시하고 있다.

어휘 충전
* **정의**(定 정할 정 義 뜻 의): 어떤 말이나 사물의 뜻을 명백히 밝혀 규정함. 또는 그 뜻.
* **구분**(區 구역 구 分 나눌 분): 일정한 기준에 따라 전체를 몇 개로 갈라 나눔.
* **나열**(羅 그물 나 列 벌일 열): 죽 벌여 놓음. 또는 죽 벌여 있음.
* **수치**(數 셀 수 値 값 치): 계산하여 얻은 값.

2　▼ 핵심 정보 파악　　　답 ②

㉠에 대한 이해로 적절하지 <u>않은</u> 것은?

② 모래 지반층의 입자가 강한 충격으로 팽창하여 발생한다.

⋯ 1문단에서 액상화는 모래 지반층에 지진과 같은 강한 충격이 가해졌을 때, 입자들이 수축하고 기존보다 강한 수압이 생기기 때문에 발생한다고 언급하고 있다. 따라서 모래 지반층의 입자가 팽창하여 발생한다는 설명은 적절하지 않다.

➕ 오답 챙기기

① 땅의 표면이 내려앉는 현상의 원인이 되기도 한다.

⋯ 1문단에서 액상화로 인해 땅 밑에 빈 공간이 생기고 주변의 지반이 내려앉는 지반 침하 현상이 발생한다고 언급하고 있다.

③ 땅 아래 모래 입자 간 공간이 넓을수록 발생할 확률이 높다.

⋯ 3문단에서 땅 밑의 모래 입자가 크면 클수록 입자 사이의 틈이 커지게 되고, 틈 안에 물이 들어가기 쉬워지기 때문에 지진 등에 의한 액상화 현상이 발생할 가능성이 높음을 언급하고 있다.

④ 지층이 갈라져 어긋나 있을 경우 지하수와 흙, 모래가 땅 위로 분출될 수 있다.

⋯ 3문단에서 땅 밑에 단층이 있을 경우, 즉 지층이 갈라져 어긋나 있을 경우에는 땅이 견딜 수 있는 하중이 더 작아, 수압을 견디기 어려워 액상화 현상이 더 쉽게 발생할 수 있음을 언급하고 있다.

⑤ 일본에서는 1964년 이후 지자체를 중심으로 한 지반 개량 사업 등으로 피해를 예방하고 있다.

⋯ 6문단에서 1964년 니가타 지진 이후 일본은 지진에 의한 액상화 현상의 피해를 막기 위해 지방 자치 단체들이 모래 지반 지역에 대한 조사를 토대로 지반 개량 사업을 벌이고 있음을 언급하고 있다.

3　▼ 어휘의 문맥적 의미 파악　　　답 ③

〈보기〉는 사전에서 동사 '들어가다'를 검색한 결과이다. 〈보기〉를 참고할 때, ㉡과 문맥적 의미가 가장 유사한 것은?

> **보기**
>
> 들어가다 〔동사〕
> ① 「1」 밖에서 안으로 향하여 가다.
> 　「2」 전기나 수도 따위의 시설이 설치되다.
> 　「3」 새로운 상태나 시기가 시작되다.
> ② 「1」 어떤 단체의 구성원이 되다.
> 　「3」 말이나 글의 내용이 머릿속에 남다.

③ 그녀는 시내로 들어가는 버스를 탔다.

⋯ ㉡의 '들어가다'는 ① 「1」의 '밖에서 안으로 향하여 가다.'라는 의미의 동사이다. ③의 '들어가다'도 '(시내) 밖에서 (시내) 안으로 향하여 가다.'라는 의미를 지니므로 ㉡과 문맥적 의미가 가장 유사하다고 볼 수 있다.

➕ 오답 챙기기

① 학교에 들어갈 나이가 되다.

⋯ ② 「1」의 '어떤 단체의 구성원이 되다.'라는 의미의 동사이다.

② 내일부터 새 학기에 들어간다.

⋯ ① 「3」의 '새로운 상태나 시기가 시작되다.'라는 의미의 동사이다.

④ 아직도 전화가 들어가지 않은 마을이 있다.

⋯ ① 「2」의 '전기나 수도 따위의 시설이 설치되다.'라는 의미의 동사이다.

⑤ 노인은 그 말도 귀에 들어가지 않는 모양이었다.

⋯ ② 「3」의 '말이나 글의 내용이 머릿속에 남다.'라는 의미의 동사이다.

STUDY 12　어휘 확인

1 ㉢	2 ㉣	3 ㉠	4 ㉤	5 ㉰
6 ㉫	7 ㉦	8 ㉢	9 ㉠	10 ㉡
11 분산	12 방출	13 동반	14 비례	15 흡수

옳고 그름을 판단하는 기준

인문

출전 이창후, 「영화로 읽는 윤리학 이야기」 **지문 난이도** ★★★★☆

(1,219자)

❶ » 윤리학에서 관심을 두고 있는 것은 "어떤 행위는 옳고 어떤 행위는 그른가?"이다. 이것을 한마디로 말하면 '행위 규범의 문제' 또는 '행위 기준의 문제'라고 할 수 있다. 행위 규범의 문제에서 우리가 답을 찾아야 하는 질문은 "우리가 따라야 할 규범은 무엇인가?"이다. 대부분의 경우 우리가 따라야 할 규범이 무엇인지는 알기 쉬워 보인다. 예를 들어, "거짓말을 해서는 안 된다."와 같은 규범은 따라야 할 규범이겠지만 "약한 자의 돈은 뺏어도 된다."와 같은 규범은 따르지 말아야 할 규범일 것이다.

❷ » [A] 하지만 그렇게 간단하지만은 않다. 여러 규범이 충돌할 때에는 어떤 규범은 따르고 어떤 규범은 따르면 안 되는지 알기 어렵다. 스파이 영화에서 주인공이 처한 상황에 담긴 윤리적 갈등을 고민하는 사람은 거의 없을 것이다. 믿었던 상관이 주인공을 무서운 사건의 범인으로 지목하고 체포 명령을 내렸다고 하자. 주인공은 악당과 연락해서 도망을 가는 것이 옳을까? 아니면 상관의 명령에 순순히 복종해서, 자신이 억울하더라도 법이나 조직의 규칙에 따라 체포되어야만 할까? "모함당한 사람은 법을 지키지 않아도 된다."는 우리가 따라야 할 규범인가, 따르지 말아야 할 규범인가?

❸ » "우리가 따라야 할 규범은 무엇인가?"에 대해 도움이 될 수 있는 대답은 "옳은 규범을 따라야 한다."이다. 이 대답은 실질적으로 도움이 안 될 것처럼 보이지만 학문적으로는 의미가 있다. 그래서 "어떤 규범이 옳은가?"와 같은 질문이 뒤따르게 된다.

❹ » [B] 이 질문에 학자들이 대답하는 방식에는 크게 두 가지가 있다. 하나는 "우리의 목적에 도움이 되는 행위를 하라는 규범이 옳고, 그렇지 않은 규범은 그르다."라는 것이고, 다른 하나는 "절대적으로 옳은 규범들이 있으며, 그 규범이나 그 규범을 따르기 위한 다른 규범들만이 옳고, 그렇지 않은 규범은 옳지 않다."라는 것이다. 이에 따라서 목적론적 윤리설과 의무론적 윤리설이 나타나게 된다. 이 두 입장은 역사적으로 오랫동안 발전해 왔으며, 지금도 윤리학에서 핵심적인 이론이라 할 수 있다.

❺ » 이 두 가지 윤리설은 규범의 옳고 그름을 결정하는 방식이 서로 다르다. 목적론적 윤리설은 규범 외적인 것, 즉 목적이 규범을 정당화한다. 목적이라는 것은 행위의 결과이므로, 행위의 결과를 기준으로 규범의 옳고 그름을 따질 수 있다. 반면 의무론적 윤리설은 어떤 규범은 무조건 옳다고 말한다. 즉 규범 그 자체 안에 기준이 있어서, 올바른 규범을 지키는 것이 옳은 행위가 되는 것이다.

지문구조 해설

1 '행위 규범의 문제'의 특성

• 윤리학의 관심

어떤 행위는 옳고 어떤 행위는 그른가?
우리가 따라야 할 규범은 무엇인가?

2 행위 규범이 충돌하는 사례

• 행위 규범이 충돌할 때 선택의 어려움

스파이 영화의 주인공이 처한 고난 속 윤리적 갈등	
악당과 손잡아야 하는가?	법이나 규칙에 따라야 하는가?

우리가 따라야 할 규범은 무엇인가?

3 "우리가 따라야 할 규범은 무엇인가?"에 대한 답

우리가 따라야 할 규범은 무엇인가?
옳은 규범을 따라야 한다.
어떤 규범이 옳은가?

4 옳은 규범을 판단하는 기준 두 가지

• 옳은 규범을 판단하는 기준

우리의 목적에 도움이 되는 행위를 하라는 규범이 옳고, 그렇지 않은 규범은 그르다.	절대적으로 옳은 규범들이 있으며, 그 규범이나 그 규범을 따르기 위한 다른 규범들만 옳다.
목적론적 윤리설	의무론적 윤리설

5 두 윤리설에서 규범의 옳고 그름을 결정하는 방식

목적론적 윤리설	의무론적 윤리설
행위의 결과를 기준으로 규범의 옳고 그름을 따짐	올바른 규범을 지키는 것이 옳은 행위가 됨

✎ 지문 정보 확인 1 ○ 2 ✕ 3 ✕

지문 구조 한눈에 보기

화제 제시 **1**
화제에 대한 설명 **2** **3**
행위 규범이 충돌하는 경우 어떤 규범이 옳은가에 대한 고민
기준 제시 **4** **5**
목적론적 윤리설, 의무론적 윤리설

지문 Point 분석 **주제: 규범의 옳고 그름을 판단하는 기준**

해제: 행위 규범의 옳고 그름을 판단하는 데에 기준이 되는 두 가지 윤리설을 설명하고 있는 글이다. 사람이 행위를 할 때 여러 규범이 충돌하는 경우가 있을 수 있다. 이 경우 '우리가 따라야 할 옳은 규범은 무엇인가?'와 같은 고민을 하게 된다. 글쓴이는 이에 대하여 학문적으로 의미 있는 두 가지 윤리설을 소개한다. 목적론적 윤리설은 행위 판단의 기준이 행위의 목적, 즉 결과이므로 행위의 결과를 기준으로 규범의 옳고 그름을 따질 수 있다. 반면 의무론적 윤리설은 절대적으로 옳은 규범이 존재하며, 그 올바른 규범을 지키는 것이 옳은 행위가 된다.

설명 방법
견습하기

1　▼ 내용 전개 방식 파악　　　　답 ④

[A]와 [B]에서 사용한 설명 방법을 바르게 파악한 것은?

④ [A]: 구체적인 상황을 예로 들어 설명하고 있다.
　[B]: 두 대상의 차이점에 초점을 맞추어 비교*하고 있다.

⋯ 대상에 대해 설명하는 글을 쓸 때에는 논리적으로 정보를 제시하는 구조를 많이 활용한다. 이를 위해서 정의, 예시, 열거, 비교와 대조, 인과 등 다양한 설명 방법을 활용할 수 있다. 그중에서 [A]는 여러 규범이 충돌하는 상황을 영화 속 상황을 예로 들어 설명하고 있으며, [B]는 "어떤 규범이 옳은가?"에 대해 답하는 방식 두 가지를 설명하고 있는데, 그 차이점에 초점을 맞추어 비교하고 있다.

➕ 오답 챙기기

① [A]: 핵심 개념에 대한 정의*를 내리고 있다.
　[B]: 시간의 흐름에 따라 사건을 서술하고 있다.

⋯ [A]에서 개념에 대한 정의를 내리고 있지는 않다. 또한 [B]에서 시간의 흐름에 따라 사건을 서술하고 있지도 않다.

② [A]: 사건이 일어나게 된 원인*을 분석하고 있다.
　[B]: 핵심 개념에 대한 정의를 내리고 있다.

⋯ [A]에서는 사건이 일어나게 된 원인을 분석하기보다는 상황에 대해 설명하는 것에 중점을 두고 있다. 또한 [B]에서 개념에 대한 정의를 내리고 있지도 않다.

③ [A]: 시간의 흐름에 따라 사건을 서술하고 있다.
　[B]: 사건이 일어나게 된 원인을 분석하고 있다.

⋯ [A]에서 영화 속 상황을 설명하고 있지만 시간의 흐름에 따라 사건의 전개 과정을 설명하고 있는 것은 아니다. 또한 [B]에서 사건이 일어나게 된 원인을 분석하고 있는 것도 아니다.

⑤ [A]: 두 대상의 차이점에 초점을 맞추어 비교하고 있다.
　[B]: 구체적인 상황을 예로 들어 설명하고 있다.

⋯ [A]에서 두 대상의 차이점을 비교하고 있지 않으며, [B]에서 구체적인 상황을 예로 들어 설명하고 있지도 않다.

어휘 충전

* **비교**(比 견줄 비 較 견줄 교): 둘 이상의 사물을 견주어 서로 간의 유사점, 차이점, 일반 법칙 따위를 고찰하는 일.

* **정의**(定 정할 정 義 뜻 의): 어떤 말이나 사물의 뜻을 명백히 밝혀 규정하는 것. 어떤 대상의 본질이나 개념을 진술하는 것으로, 어떤 대상이 다른 것과 어떻게 다른지 설명하는 방식임.

* **원인**(原 근원 원 因 인할 인): 어떤 사물이나 상태를 변화시키거나 일으키게 하는 근본이 된 일이나 사건.

2　▼ 구체적 사례에의 적용　　　　답 ③

윗글을 바탕으로 〈보기〉를 이해한 내용으로 적절하지 않은 것은?

> **보기**
>
> 　2019년 ○월 ○○일
> 　오늘 학교에서 오전에 친구들끼리 다툼이 있었다. 오해가 풀리지 않아 수업 시간까지 분위기가 냉랭했다. 수업 시간에 들어오신 국어 선생님께서 우리 반 분위기가 좋지 않다며 무슨 일이 있었는지 나에게 물어보셨다. 선생님께 친구들이 싸운 이야기를 하면 그 친구들이 선생님께 혼나거나 불편해할 것 같아서 나는 아무 말도 하지 못했다. 그런데 한편으로는 사실을 숨기거나 거짓말을 하는 건 나쁜 일인데, 선생님께 사실을 말씀드리는 게 좋지 않을까 하는 생각이 들기도 했다. 이럴 때에는 어떻게 행동하는 게 옳은지 매번 고민스럽다.

③ '나'가 선생님께 사실을 알리는 것은 목적론적 윤리설의 관점에서 보면 올바른 행동이다.

⋯ 〈보기〉는 여러 행위 규범이 충돌하는 사례를 보여 주고 있다. 친구들이 다툰 경우, 이를 선생님께 말하는 것은 거짓말을 하지 않을 수 있는 선택이다. 반면 친구들을 위해서는 이 사실을 숨기는 것이 더 좋을 수도 있다. 이 때문에 '나'는 친구들이 선생님께 혼나는 일을 피한다는 선한 결과를 위해서 싸운 사실을 숨길 것인가와 거짓말을 하는 것은 나쁜 일이므로 사실을 솔직하게 말해야 할까로 고민하고 있다. 사실을 숨기는 것은 좋은 결과를 위해 행동을 선택하는 것이므로 목적론적 윤리설에 맞는 행동이고, 사실을 알리는 것은 거짓말을 하지 않기 위해 선생님께 사실을 알리는 것이므로 의무론적 윤리설에 맞는 행동이라고 볼 수 있다.

➕ 오답 챙기기

① '나'는 어떤 행위가 옳은지에 대해 고민하고 있다.

⋯ '나'는 친구들이 싸운 사실을 선생님께 알리는 것이 옳은지, 그렇게 하지 않는 것이 옳은지에 대해 고민하고 있다.

② 여러 행위 규범이 서로 충돌할 때가 있음을 보여 주는 사례이다.

⋯ '나'가 친구들이 싸운 사실을 선생님께 알리는 것이 옳은지, 그렇게 하지 않는 것이 옳은지에 대해 고민하는 것은 여러 행위 규범이 충돌하는 경우가 있음을 보여 주는 사례이다.

④ 친구들을 걱정하여 아무 말도 하지 않는 것은 행위의 결과를 기준으로 결정하는 것이라 할 수 있다.

⋯ 친구들이 선생님께 혼나거나 불편해하는 것을 막기 위해 거짓말을 하는 것은 좋은 결과를 위해 행위를 판단하는 것으로 볼 수 있다.

⑤ 의무론적 윤리설의 관점에서 보면 사실을 숨기거나 거짓말을 하는 것이 나쁘다는 것은 무조건 옳은 규범이 될 수 있다.

⋯ 〈보기〉에서 '거짓말을 하는 건 나쁜 일'이라고 한 것은 절대적으로 옳은 규범을 의미한다고 볼 수 있다.

옛 그림을 분류하는 방법

출전 최석조, 『김홍도의 풍속화로 배우는 옛사람들의 삶』 **지문 난이도** ★★★☆☆

(1,255자)

❶ » 옛 그림을 분류하는 가장 흔한 방법은 그리는 대상에 따라 나누는 것이다. 이 방법에 따르면 우리 옛 그림은 산수화, 사군자화, 화조화, 인물화, 영모화, 풍속화 등으로 나눌 수 있다.

❷ » 먼저 산수화는 산과 물, 즉 자연을 그린 그림이다. 보통 바위, 나무, 바다, 강, 폭포, 집과 함께 사람도 그린다. 사람도 자연의 일부이기 때문이다. 자연을 그린다는 점에서는 외국의 풍경화와 비슷하지만, 자연을 있는 그대로 그렸다기보다는 자연물을 빌려 화가의 마음을 담아낸다는 점이 특징이다. 산수화는 대부분 먹으로 그리는데, 특히 정선의 진경산수화가 유명하다.

❸ » 사군자화는 매화, 난초, 국화, 대나무의 네 가지 식물을 사계절에 맞춰 그린 그림이다. 매화는 이른 봄에 추위를 이기고 피어서, 난초는 깊은 산속에서 은은한 향기를 내뿜어서, 국화는 늦가을에 찬 서리를 맞고 피어서, 대나무는 겨울에도 푸르게 자라서 선비들이 좋아했다. 모두 군자의 고결한 인품을 상징한다고 보았기 때문에 선비들은 사군자 그림을 반드시 배웠다고 한다.

❹ » 화조화는 꽃, 나무와 새를 그린 그림이다. 이들은 옛날부터 우리 주위에서 쉽게 볼 수 있었는데, 아름다운 꽃과 나무는 사람들에게 기쁨을 주고, 까치 같은 길조는 행운을 가져다준다고 믿었기에 흔한 그림 소재가 되었다. 화조화는 본래의 느낌을 살려 화려한 색으로도 그렸고, 풍경과 더불어 은은한 먹으로도 그렸다. 작은 생명도 소중히 여겼던 옛 사람들의 마음씨를 엿볼 수 있는 그림으로, 풀과 벌레를 그린 초충도 역시 화조화에 포함될 수 있다.

❺ » 인물화는 말 그대로 사람을 그린 그림인데, 초상화와 자화상이 대표적이다. 옛날에는 제사상에 반드시 초상화를 놓았기 때문에 인물화를 많이 그렸다. 이때는 있는 모습 그대로 똑같이 그린다. 심지어 못난 부분이나 흉터는 물론 그 사람의 성격까지도 담아낸다. 지금도 옛날에 그려진 초상화를 보면 그 사람의 병이나 성격까지 알아낼 수 있다고 한다.

❻ » 영모화는 털을 가진 동물을 그린 그림으로, '영'은 새의 깃을, '모'는 짐승의 털을 뜻한다. 넓게 보면 화조화도 영모화에 포함된다. 영모화에는 우리 주위에서 자주 보는 동물들을 잘 관찰하여 섬세하게 그린 작품이 많다. 산수화와는 달리 마치 사진처럼 정확하게 묘사한 게 특징이다.

❼ » 풍속화는 사람들의 생활 모습을 그린 그림이다. 원레 조선 전기에는 사람들이 살아가는 모습을 세속적이라고 하찮게 여겨 풍속화는 그리지 않았다. 그런데 조선 후기로 들어서면서, 윤두서, 조영석이 풍속화를 그리기 시작하였고, 김홍도는 수준을 한 단계 끌어올려 풍속화를 활짝 꽃피웠다.

지문 구조 해석

1 그리는 대상에 따른 옛 그림 분류
• 그리는 대상에 따른 옛 그림 분류: 산수화, 사군자화, 화조화, 인물화, 영모화, 풍속화 등으로 나뉨

2 산수화의 개념과 특징
• 산수화
 – 자연을 그린 그림
 – 자연물을 빌려 화가의 마음을 담아냄

3 사군자화의 개념과 특징
• 사군자화
 – 매화, 난초, 국화, 대나무를 사계절에 맞춰 그린 그림
 – 군자의 고결한 인품을 상징한다고 보아 선비들이 반드시 배움

4 화조화의 개념과 특징
• 화조화
 – 꽃, 나무, 새를 그린 그림
 – 작은 생명도 소중히 여긴 옛 사람들의 마음씨가 엿보임
 – 초충도 포함될 수 있음

5 인물화의 개념과 특징
• 인물화
 – 사람을 그린 그림(초상화, 자화상)
 – 있는 모습 그대로 똑같이 그림

6 영모화의 개념과 특징
• 영모화
 – 털을 가진 동물을 그린 그림
 – 화조화도 포함될 수 있음
 – 정확한 묘사에 초점을 둠

7 풍속화의 개념과 특징
• 풍속화
 – 사람들의 생활 모습을 그린 그림
 – 조선 전기에는 세속적이라고 하찮게 여겨 그리지 않음
 – 조선 후기 김홍도 등에 의해 발전함

✏ 지문 정보 확인 1○ 2× 3○

지문 Point 분석 주제: 그리는 대상에 따른 옛 그림의 분류

해제: 우리의 옛 그림을 분류하여 설명하고 있는 글이다. 옛 그림을 분류하는 가장 흔한 방법은 그리는 대상에 따라 나누는 것인데, 이러한 방법에 따라 우리 옛 그림을 산수화, 사군자화, 화조화, 인물화, 영모화, 풍속화 등으로 나누어 각각의 개념과 특징을 설명하고 있다.

지문 구조 한눈에 보기

화제 제시 **1**

↓

구체화 **2 3**	산수화, 사군자화, 화조화, 인물화, 영모화, 풍속화의 개념과 특징
4 5	
6 7	

1　▼ 세부 정보 파악　　　　　　　　　　답 ④

윗글의 내용과 일치하지 <u>않는</u> 것은?

④ 산수화는 실제로 존재하는 자연물을 있는 그대로 표현한다는 점이 특징이다.

⋯ 2문단에서 산수화는 자연을 있는 그대로 그렸다기보다는 자연물을 빌려 화가의 마음을 담아낸다는 점이 특징이라고 하였다.

➕ 오답 챙기기

① 화조화는 새를 그린다는 점에서 영모화에 포함될 수 있다.

⋯ 4문단에서 화조화는 꽃, 나무, 새를 그린 그림이라고 하였고, 6문단에서 영모화는 털을 가진 동물을 그린 그림인데, 넓게 보면 화조화도 영모화에 포함될 수 있다고 하였다.

② 사군자화는 군자의 인품을 상징하는 네 가지 식물을 그린 그림이다.

⋯ 3문단에서 매화는 이른 봄에 추위를 이기고 피어서, 난초는 깊은 산속에서 은은한 향기를 내뿜어서, 국화는 늦가을에 찬 서리를 맞고 피어서, 대나무는 겨울에도 푸르게 자라서 모두 군자의 고결한 인품을 상징한다고 하였다.

③ 화조화의 그림 소재는 우리 주변에서 쉽게 볼 수 있는 것들이다.

⋯ 4문단에서 화조화는 옛날부터 우리 주위에서 쉽게 볼 수 있는 꽃, 나무, 새를 그린 그림이라고 하였다.

⑤ 인물화와 영모화의 공통점은 모두 대상을 사실적으로 정확하게 그린다는 점이다.

⋯ 5문단에서 인물화는 있는 모습 그대로 똑같이 그렸다고 하였고, 6문단에서 영모화는 마치 사진처럼 정확하게 묘사한 것이 특징이라고 하였다.

설명 방법 연습하기

2　▼ 내용 전개 방식 파악　　　　　　　　답 ③

윗글의 주된 서술 방식에 대한 설명으로 가장 적절한 것은?

③ 일정한 기준*을 세워 이에 따라 대상을 분류*하여 서술하고 있다.

⋯ 이 글은 우리의 옛 그림을 그리는 대상에 따라 나누어 설명하고 있다.

➕ 오답 챙기기

① 여러 대상을 공통점과 차이점을 중심으로 비교하고 있다.

⋯ 2문단에서 산수화와 서양의 풍경화의 공통점과 차이점을 설명하거나, 6문단에서 영모화와 산수화의 차이점을 설명하는 부분이 나오기는 하지만, 글 전체를 아우르는 서술 방식이라고 보기는 어렵다.

② 핵심 개념이 형성되어 온 과정을 시대 순으로 정리하고 있다.

⋯ 우리 옛 그림의 개념이 형성되어 온 과정을 설명하고 있지는 않다.

④ 핵심 개념에 대하여 있는 그대로 묘사*하여 사실적*으로 표현하고 있다.

⋯ 이 글의 핵심 개념은 옛 그림을 분류하는 방법인데, 이에 대해 묘사하고 있지는 않다.

⑤ 시간의 흐름에 따라 대상에 대한 평가*가 어떻게 달라졌는지를 밝히고 있다.

⋯ 7문단에서 풍속화를 조선 전기에는 세속적이라고 하찮게 여겨 잘 그리지 않았으나 조선 후기에는 윤두서, 조영석, 김홍도 등이

활발하게 그렸다는 사실을 이야기하고 있다. 하지만 글 전체에 대한 서술 방식으로 보기는 어렵다.

📌 어휘 충전

* **기준**(基 터 기 準 법도 준): 기본이 되는 표준.

* **분류**(分 나눌 분 類 무리 류): 종류에 따라서 가름.

* **묘사**(描 그림 묘 寫 베낄 사): 어떤 대상이나 사물, 현상 따위를 언어로 서술하거나 그림을 그려서 표현함.

* **사실적**(寫 베낄 사 實 열매 실 的 과녁 적): 사물을 있는 그대로 그려 내는 것.

* **평가**(評 평할 평 價 값 가): 사물의 가치나 수준 따위를 평함. 또는 그 가치나 수준.

3　▼ 구체적 사례에의 적용　　　　　　　답 ⑤

윗글에 비추어 〈보기〉를 이해한 내용으로 가장 적절한 것은?

보기

▲ 김홍도, 「서당」

⑤ 조선 전기에는 낮게 평가하여 그리지 않았던 부류의 그림이다.

⋯ 〈보기〉는 김홍도가 그린 그림으로, 풍속화에 해당한다. 그런데 7문단에서 조선 전기에는 사람들이 살아가는 모습을 세속적이라고 하찮게 여겨 풍속화는 그리지 않았다고 하였으므로 적절한 진술이다.

➕ 오답 챙기기

① 학문을 수양하는 선비들이 좋아했던 부류의 그림이다.

⋯ 3문단에서 선비들이 좋아했던 그림은 사군자화임을 확인할 수 있다.

② 인물을 보면 그 사람의 성격이나 질병까지 알아낼 수 있다.

⋯ 인물을 보면 그 사람의 성격이나 질병까지 알아낼 수 있는 그림은 인물화이다.

③ 사람들의 생활 모습을 그렸다는 점에서 인물화에 포함된다.

⋯ 사람들의 생활 모습을 그린 그림은 인물화가 아니라 풍속화이다.

④ 대상에 화가의 마음을 담아내는 것을 가치 있게 평가하였다.

⋯ 대상에 화가의 마음을 담아내는 것을 가치 있게 평가한 것은 산수화이다.

STUDY 13　어휘 확인　（마무리 확인~!）

1 ⓛ	2 ②	3 ②	4 ⑩	5 ③
6 ③	7 ⑩	8 ②	9 ②	10 ⓛ
11 갈등	12 연관성	13 모함	14 묘사	15 분류

우리나라에서는 왜 숟가락이 사라지지 않았을까?

출전 한국 역사 연구회, 『조선 시대 사람들은 어떻게 살았을까 1』　지문 난이도 ★★★☆☆

(1,199자)

1 » 우리나라 식생활에서 특이한 점은 숟가락과 젓가락을 모두 사용한다는 것이다. 오늘날 전 세계에서 음식을 맨손으로 먹는 인구는 약 40%, 나이프와 포크로 먹는 인구는 약 30%, 젓가락으로 먹는 인구는 약 30%라고 한다. 그러나 처음에는 어느 민족이나 모두 음식을 손으로 집어먹었다. 유럽도 마찬가지였다.

> **1** 숟가락과 젓가락을 모두 사용하는 우리나라
> · 화제 제시 – 독자의 흥미 유발
> · 구체적인 수치 제시 – 글의 신뢰성 확보

2 » 동로마 제국의 비잔티움에서 10세기경부터 식탁에 등장한 포크는 16세기에 이탈리아 상류 사회로 전해져 17세기 서유럽의 식생활에 상당한 변화를 일으켰으나, 신분이나 지역에 관계없이 전 유럽에 보편화된 것은 18세기에 이르러서였다. 15세기의 예절서에서 음식 먹는 손의 반대편 손으로 코를 풀라고 했던 것이나, 16세기의 사상가 몽테뉴가 음식을 너무 급하게 먹다가 종종 손가락을 깨물었다는 기록으로도 당시에 포크가 아니라 손가락을 사용하였음을 알 수 있다.

> **2** 18세기에 포크 사용이 일반화되었던 유럽(서유럽)
> · 포크가 처음으로 등장한 다음 아주 오랜 시간이 지난 후에 전 유럽에 보편화됨

3 » 그러나 동아시아 지역에서는 손으로 음식을 먹는 일이 서양보다 훨씬 일찍 사라졌다. 손 대신에 숟가락을 ㉠쓰기 시작했고, 이어서 젓가락을 만들어 숟가락과 함께 썼던 것이다. 그런데 우리나라 고려 후기 즈음해서 중국과 일본에서는 숟가락을 쓰지 않고 젓가락만 쓰기 시작했다. 선조 때 윤국형은 임진왜란 당시 조선에 온 중국인들이 상하를 막론하고 숟가락을 쓰지 않는 것을 보고 기이하게 생각하였고, 통신사로 일본에 다녀온 신숙주도 일본에는 젓가락만 있고 숟가락이 없는 것을 특별히 기록으로 남겨 놓은 바 있다.

> **3** 숟가락을 쓰지 않고 젓가락만 쓰기 시작한 중국과 일본(동아시아)
> · 중국과 일본이 숟가락을 사용하지 않았다는 구체적인 근거를 제시함

4 » 하지만 우리나라에서는 지금도 숟가락을 사용하고 있을 뿐 아니라, 숟가락을 밥상 위에 내려놓는 것으로 식사를 마쳤음을 나타낼 정도로 숟가락은 식사 자체를 의미한다. 그렇다면 유독 우리나라에서만 왜 숟가락과 젓가락을 동시에 사용하는 것일까?

> **4** 우리나라 밥상에 있어 숟가락의 중요성
> · 우리나라 밥상에 있어서 숟가락의 사용이 차지하는 중요성
> · 물음의 방식을 통해 독자의 관심 유도함

5 » 우리나라는 물기가 있는 젖은 음식이 많고, 또 언제나 밥상에 국이 오른다. 국은 대개 건더기가 많으며, 거기에 밥을 말아 먹기도 한다. 미역국, 된장국, 해장국 등 거의 모든 국이 그러하다. 찌개류나 '물만밥'도 숟가락이 필요한 음식이다. 게다가 고려 후기에는 몽고풍의 요리가 전해져 고기를 물에 넣고 삶아 그 우러난 국물과 고기를 함께 먹는 지금의 설렁탕, 곰탕이 생겨났다. 특히 국밥은 애초부터 밥을 국에 말아 놓은 것인데 이런 식생활 풍습은 전 세계에서 유일한 것이라고 한다. 이처럼 우리나라 음식에 물기가 많고, 밥상에 항상 올라가는 국에 건더기가 많은 것은 다른 나라와 달리 우리나라에서는 숟가락이 사라지지 않은 주된 요인으로 작용했다.

> **5** 우리나라 식생활 풍습의 특징과 우리나라에서 숟가락이 사라지지 않은 이유
> · 우리나라 식생활 풍습과 국의 특징 – 숟가락을 사용해야 하는 주요 요인이 됨
> · 우리나라에서 숟가락이 사라지지 않은 구체적인 근거 제시
> · 우리나라에서 숟가락이 사라지지 않은 주된 요인

✎ **지문 정보 확인** 1 ○　2 X　3 ○

지문 구조 한눈에 보기

중심 화제 제시 **1**

↓

구체화 1 **2 3 4**

유럽의 포크 사용, 중국과 일본의 젓가락 사용, 우리나라의 숟가락과 젓가락 사용

↓

구체화 2 + 결론 **5**

우리나라 식생활 풍습의 특징 + 숟가락 사용의 이유

🔎 **지문 Point 분석**　**주제: 우리나라 식생활 풍습의 특징과 우리나라에서 숟가락이 사라지지 않은 이유**

해제: 다른 나라와 달리 우리나라에서는 숟가락이 사라지지 않은 이유를 우리나라의 식생활 풍습과 관련지어 설명하고 있는 글이다. 중국과 일본에서도 처음에는 숟가락과 젓가락을 함께 사용했지만 차츰 숟가락은 사라지고 젓가락만 사용하게 되었는데, 우리나라에서만 유독 젓가락과 숟가락을 동시에 사용하는 이유는 우리나라 특유의 식생활 풍습이 주요 요인으로 작용했다. 즉 물기가 많은 음식과 밥상에 매일 오르는 건더기가 많은 국을 먹기 위해서는 숟가락 사용이 반드시 필요했기 때문이다.

1 ▼ 세부 정보 파악 답 ④

윗글의 내용과 일치하지 <u>않는</u> 것은?

④ 포크는 식탁에 등장한 지 얼마 되지 않아 유럽의 모든 사람에게 보급되었다.

⋯ 2문단에서 포크는 동로마 제국의 비잔티움에서 10세기경에 식탁에 처음으로 등장했지만 전 유럽에 널리 퍼진 것은 18세기에 이르러서였다고 하였다.

➕ 오답 챙기기

① 동아시아 지역에서는 젓가락보다 숟가락을 먼저 사용했다.

⋯ 3문단에서 동아시아 지역에서는 손 대신에 숟가락을 쓰기 시작했고, 이어서 젓가락을 만들어 숟가락과 함께 썼다고 하였다.

② 중국에서는 숟가락과 젓가락을 함께 사용했던 시기가 있었다.

⋯ 3문단에서 동아시아 지역에서는 젓가락을 만들어 숟가락과 함께 썼고, 우리나라 고려 후기 즈음해서 중국과 일본에서는 숟가락을 쓰지 않고 젓가락만 쓰기 시작했다고 하였다.

③ 설렁탕과 같은 몽고풍의 요리는 우리나라의 숟가락 사용에 영향을 끼쳤다.

⋯ 5문단에서 고려 후기에는 몽고풍의 요리가 전해져 고기를 물에 넣고 삶아 그 우러난 국물과 고기를 함께 먹는 지금의 설렁탕이 생겨났고, 이는 다른 나라와 달리 우리나라에서는 숟가락이 사라지지 않은 주된 요인으로 작용했다고 하였다.

⑤ 우리나라에서 숟가락이 사라지지 않은 것은 밥상에 매일 오르는 국과 관련 있다.

⋯ 5문단에서 우리나라는 밥상에 언제나 국이 오르는데, 이 국들은 건더기가 많다고 하였다. 그리고 이는 다른 나라와 달리 우리나라에서는 숟가락이 사라지지 않은 주된 요인으로 작용했다고 하였다.

2 ▼ 논증 방식 파악 답 ⑤

〈보기〉를 참고할 때, [A]와 유사한 논증* 방식이 사용된 것은?

> **보기**
>
> 논증의 대표적인 방법으로는 연역법과 귀납법이 있다. 연역법은 일반적인 원리*나 이론으로부터 구체적인 사례를 추론*하는 방법이고, 귀납법은 구체적인 사실을 바탕으로 어떤 원리를 일반화하는 방법으로, 구체적인 자료를 통해 결론을 도출* 한다.

⑤ 염소는 허파로 숨을 쉰다. 토끼도 허파로 숨을 쉰다. 사람도 허파로 숨을 쉰다. 그런데 염소, 토끼, 사람은 모두 포유동물이다. 이로 보아 모든 포유동물은 허파로 숨을 쉴 것이다.

⋯ 〈보기〉를 참고할 때 [A]는 구체적인 자료(우리나라는 음식에 물기가 많고, 미역국, 해장국, 설렁탕처럼 국에 건더기가 많음.)를 통해 결론(우리나라에서는 숟가락이 사라지지 않음.)을 이끌어 냈으므로 귀납법이 사용되었다고 볼 수 있다. ⑤ 역시 허파로 숨을 쉬는 염소, 토끼, 사람 등의 구체적 자료를 통해 모든 포유동물은 허파로 숨을 쉴 것이라는 일반적인 원리를 이끌어 냈으므로 귀납법이 사용되었다고 볼 수 있다.

➕ 오답 챙기기

① 지금까지 발견된 에메랄드*는 모두 녹색이다. 그러므로 다음에 발견될 에메랄드도 녹색일 것이다.

⋯ '지금까지 발견된 에메랄드는 모두 녹색이다.'는 일반적 원리에 해당되고 이로부터 '다음에 발견될 에메랄드도 녹색일 것이다.'라는 구체적인 사례를 추론했으므로 연역법이 사용되었다고 볼 수 있다.

② 물이 없는 곳에서는 생물이 살지 못한다. 달에는 물이 없다. 그러므로 달에서는 생물이 살지 못한다.

⋯ '물이 없는 곳에서는 생물이 살지 못한다.'는 일반적 원리에 해당하고 이로부터 '달에서는 생물이 살지 못한다.'라는 구체적인 사례를 추론했으므로 연역법이 사용되었다고 볼 수 있다.

③ 여름 날씨는 습하고 덥다. 지금이 바로 여름이다. 그러므로 지금의 날씨는 습하고 더울 수밖에 없다.

⋯ '여름 날씨는 습하고 덥다.'는 일반적 원리에 해당하고 이로부터 '지금의 날씨는 습하고 더울 수밖에 없다.'라는 구체적인 사례를 추론했으므로 연역법이 사용되었다고 볼 수 있다.

④ 민희는 일찍 시장을 떠났다. 왜냐하면 오후에는 시장이 매우 시끄러운데, 민희는 시끄러운 것을 참을 수 없었기 때문이다.

⋯ 민희는 시끄러운 것을 참을 수 없었기 때문에 일찍 시장을 떠났다고 했으므로, 인과(원인과 결과)의 설명 방식이 사용되었다고 볼 수 있다.

> **어휘 충전**
>
> * **논증**(論 논의할 논 證 증거 증): 옳고 그름에 대하여 그 이유나 근거를 들어 밝힘.
> * **원리**(原 근원 원 理 다스릴 리): 사물의 기본이 되는 이치나 법칙. 원칙.
> * **추론**(推 옮길 추 論 논의할 론): 어떤 일을 이치에 따라 미루어 생각하여 논함.
> * **도출**(導 이끌 도 出 날 출): 어떤 생각이나 결론·반응 따위를 이끌어 냄.
> * **에메랄드**: 초록빛을 띠고 있는 보석.

3 ▼ 어휘의 문맥적 의미 파악 답 ④

밑줄 친 단어 중, ㉠과 문맥적 의미가 가장 가까운 것은?

④ 그곳에는 컴퓨터를 쓸 줄 아는 사람이 아무도 없었다.

⋯ ㉠의 '쓰다'는 '컴퓨터를 쓸 줄 아는'의 '쓰다'와 같이 '어떤 일을 하는 데에 재료나 도구, 수단을 이용하다.'의 의미로 볼 수 있다.

➕ 오답 챙기기

① 영수는 글씨를 또박또박 잘 쓴다.

⋯ '사람이 글씨를 연필 등으로 획을 그어 모양을 이루다.'의 의미이다.

② 나는 울음을 참으려고 안간힘을 썼다.

⋯ '사람이 힘이나 마음을 무엇을 하는 데에 들이거나 기울이다.'의 의미이다.

③ 그는 노래도 부르고 곡도 쓰는 가수 겸 작곡자이다.

⋯ '머릿속에 떠오른 곡을 일정한 기호로 악보 위에 나타내다.'의 의미이다.

⑤ 그는 오랜만에 창고를 청소하더니 온몸에 먼지를 썼다.

⋯ '사람이 몸에 가루나 액체를 덮은 상태로 되다.'의 의미이다.

지문 난이도 ★★★★☆

(1,298자)

1 » ⓐ'인간의 선택은 합리적이다.'라는 주류 경제학의 기본 전제와 달리, 행동 경제학은 ⓑ'사람들은 감정에 휘둘리고, 충동적이고, 근시안적이다.'라는 생각에서 출발해 경제 현상을 설명하려고 했다.

2 » 행동 경제학자 대니얼 카너먼은 ⓒ다음과 같은 실험을 통해 이러한 이론을 뒷받침했다. 600명의 사람들에게 치명적인 질병에 걸렸다고 가정한 채 치료법을 선택하라고 했다. 첫 번째 질문에서는 A 치료법을 쓰면 200명이 살게 되고, B 치료법을 쓰면 600명이 다 살 확률이 1/3, 아무도 살지 못할 확률이 2/3라고 했다. 두 번째 질문에서는 A 치료법을 쓰면 400명이 죽게 되고, B 치료법을 쓰면 아무도 죽지 않을 확률이 1/3, 600명이 다 죽을 확률이 2/3라고 했다. 그 결과 첫 번째 질문에서는 대부분의 사람이 A 치료법을, 두 번째 질문에서는 B 치료법을 선택했다. 논리적으로 두 개의 질문에 제시된 네 개의 치료법은 모두 동일한 기댓값을 가짐에도 불구하고 사람들은 전혀 다른 판단을 한 것이다.

3 » 대니얼 카너먼은 ⓓ이 같은 실험을 통해 사람들이 늘 합리적인 판단을 내리지는 않는다는 것을 증명했다. 이는 판단에 있어서 흔히 범하는 오류로 사람은 자신이 합리적인 선택을 했다고 생각하지만 본질적으로 감성적 판단에 의해서 의사 결정을 하는 경향이 강한 것으로 나타났다.

4 » 이처럼 동일한 사건이나 상황임에도 불구하고 어떤 방식으로 질문하느냐에 따라 개인의 판단이나 선택이 달라질 수 있는 현상을 '프레이밍 효과'라고 한다. 이때 제공되는 인식의 틀을 프레임이라고 하는데, 이 틀은 정보를 제공받은 자의 의사 결정에 영향을 미치게 된다. 즉 인식의 틀에 따라서 의사 결정이 달라진다는 것으로, 같은 말을 가지고도 어떤 틀에 담느냐에 따라서 받아들이는 사람이 전혀 다른 행동을 할 수 있다는 것이다.

5 » 예를 들어, 똑같은 옷이 A 가게에서는 2만 원인데, B가게에서는 1만 원으로 무려 50%나 싸다. 당연히 대부분의 사람은 품을 들여서라도 B 가게로 갈 것이다. 그럼, 대형 TV를 예로 들어 보자. A 가게에서는 300만 원인데, 버스로 두 정거장 거리에 있는 B 가게에서는 299만 원이다. 1만 원의 혜택을 보기 위해서 품을 들일 것인가. 대부분 아닐 것이다. 옷과 TV, 두 사례 모두 할인 혜택이 1만 원으로 절대 액수는 같지만, 사람들의 반응은 이처럼 크게 달라질 수 있다는 것이다.

6 » 이와 같은 프레이밍 효과를 활용하면 상대방의 의사 결정에 중요한 영향을 끼칠 수 있게 되는데, 실제로 이러한 프레이밍 효과는 마케팅 분야에서는 이미 널리 사용되고 있고, 각종 뉴스와 정부의 홍보 내용 속에도 자주 볼 수 있다.

지문 구조 해설

1 행동 경제학에서 바라본 인간의 속성

· 행동 경제학에서 바라본 인간의 속성

주류 경제학	행동 경제학
인간의 선택은 합리적임	인간은 합리적이지 않음(감성적임)

2 실험을 통한 행동 경제학의 이론 증명

· 구체적인 실험을 통해 행동 경제학의 전제를 증명함 – 연역적 논증
· 첫 번째 질문의 A 치료법과 두 번째 질문의 A 치료법의 결과가 같음
· 첫 번째 질문의 B 치료법과 두 번째 질문의 B 치료법의 결과가 같음
· 합리적 판단이라기보다는 감정에 바탕을 둔 선택으로 볼 수 있음

3 행동 경제학에서 본 사람들의 의사 결정 경향

· 실험을 통해 내린 결론 – 연역적 논증으로 행동 경제학의 이론을 증명함

4 프레이밍 효과와 프레임의 개념

· 프레이밍 효과의 개념
· 프레임의 개념

5 프레이밍 효과의 구체적 사례

· 동일한 상황임에도 사람들의 판단이나 선택이 달라짐 → 프레이밍 효과

6 프레이밍 효과의 의의와 활용

· 프레이밍 효과의 의의
· 프레이밍 효과는 사회의 다양한 분야에서 널리 활용되고 있음

지문 구조 한눈에 보기

이론 소개(전제) **1**
행동 경제학의 이론
↓
구체화(사례 + 설명) **2**
구체적 실험을 통한 이론 증명
↓
결론 **3**
실험을 통한 결론 도출
↓
화제 제시 **4**
프레이밍 효과의 개념
↓
구체화 **5**
프레이밍 효과의 구체적 사례
↓
의의 **6**
프레이밍 효과의 의의

✎ 지문 정보 확인　1 ✕　2 ○　3 ✕

지문 Point 분석　주제: 사람들의 판단에 중요한 영향을 끼치는 프레이밍 효과의 의의와 활용

해제: 동일한 사건이나 상황이라도 어떤 방식으로 질문하느냐에 따라 개인의 판단이나 선택이 달라질 수 있는 현상인 '프레이밍 효과'에 대해 설명하고 있는 글이다. 행동 경제학은 실험을 통해 이러한 프레이밍 효과의 이론을 증명했는데, 이는 상대방의 의사 결정에 중요한 영향을 끼칠 수 있으며, 실제로 이러한 프레이밍 효과는 사회의 다양한 분야에서 널리 활용되고 있다.

1   ▼ 핵심 내용 이해   답 ①

'프레이밍 효과'에 대한 이해로 적절하지 <u>않은</u> 것은?

① 주류 경제학자들과 행동 경제학자들의 생각을 공통적으로 뒷받침하는 이론이다.

⋯ 2문단에 제시된 행동 경제학자 대니얼 카너먼의 실험은 동일한 상황이라도 어떤 방식으로 질문하느냐에 따라 개인의 판단이나 선택이 달라질 수 있는 프레이밍 효과를 뒷받침하고 있는 사례이다. 따라서 프레이밍 효과는 행동 경제학자들의 생각을 뒷받침하는 이론이지, '인간의 선택은 합리적이다.'라는 주류 경제학자들의 생각을 뒷받침하는 이론이라고 할 수는 없다.

➕ 오답 챙기기

② 동일*한 상황임에도 불구하고 표현 방식에 따라 개인의 선택이 달라질 수 있다고 본다.

⋯ 4문단에서 프레이밍 효과는 동일한 사건이나 상황임에도 불구하고 어떤 방식으로 질문하느냐에 따라 개인의 판단이나 선택이 달라질 수 있는 현상이라고 하였다.

③ 인간은 이성적 판단보다는 감성적 판단에 의존*하는 경향*이 강하다는 생각을 바탕으로 한다.

⋯ 프레이밍 효과는 행동 경제학을 뒷받침하고 있는 이론이다. 행동 경제학은 1문단에서 '사람들은 감정에 휘둘리고, 충동적이고, 근시안적이다.'라는 생각에서 출발해 경제 현상을 설명하려고 했다고 하였고, 3문단에서는 실험을 통해 사람은 자신이 합리적인 선택을 했다고 생각하지만 본질적으로 감성적 판단에 의해서 의사 결정을 하는 경향이 강하다고 하였다. 이로 볼 때, 프레이밍 효과는 인간은 이성적 판단보다는 감성적 판단에 의존하는 경향이 강하다는 생각을 바탕으로 한다고 볼 수 있다.

④ 컵에 물이 반쯤 담긴 것을 보고 '물이 반이나 남았네.'와 '물이 반밖에 안 남았네.'로 다르게 인식하는 경우와 유사하다.

⋯ '물이 반이나 남았네.'와 '물이 반밖에 안 남았네.'는 모두 동일한 상황인데도 표현 방식을 다르게 했으므로 프레이밍 효과를 보여 주는 사례로 볼 수 있다.

⑤ 수술을 해야 하는 환자들에게 실패율 10%보다 성공률 90%로 말했을 때에 환자들이 수술을 더 많이 받아들이는 것으로 나타난다.

⋯ 4문단에서 프레이밍 효과는 동일한 사건이나 상황임에도 불구하고 어떤 방식으로 질문하느냐에 따라 개인의 판단이나 선택이 달라질 수 있는 현상이라고 하였다. 이로 볼 때 실패율 10%나 성공률 90%는 모두 동일한 상황인데도, 성공률 90%로 말했을 때에 환자들이 수술을 더 많이 받아들인다는 것은 프레이밍 효과를 보여 주는 사례로 볼 수 있다.

🎩 어휘 충전

* **동일**(同 같을 동 一 하나 일): 서로 똑같음.
* **의존**(依 의지할 의 存 있을 존): 다른 것에 기대어 생활하거나 존재함.
* **경향**(傾 기울 경 向 향할 향): 사상이나 행동 또는 어떤 현상에서 나타나는 일정한 방향성.

2   ▼ 논증 방식 파악   답 ④

〈보기〉를 참고하여 ⓐ~ⓓ를 이해한 내용으로 적절하지 <u>않은</u> 것은?

> **보기**
>
> 연역법은 일반적인 원리나 이론으로부터 구체적인 사례를 추론하는 방법으로, 가설*을 설정*하고 구체적 사실 또는 경험적 자료를 통해 이를 증명하여 결론을 도출한다. 대표적인 예는 다음과 같다.
> - 모든 사람은 죽는다. → 대전제(일반적 원리나 이론)
> - 소크라테스는 사람이다. → 소전제(구체적 사실 또는 경험적 자료)
> - 그러므로 소크라테스는 죽는다. → 결론(증명)

④ ⓒ는 ⓐ의 대전제를 증명하는 구체적 사례로 볼 수 있다.

⋯ ⓑ의 '사람들은 감정에 휘둘리고, 충동적이고, 근시안적이다.'는 논리적이고 과학적인 사고방식이나 행동 양식을 의미하는 합리적 판단과는 거리가 먼 사람들의 속성으로 볼 수 있다. 따라서 대니얼 카너먼의 실험 ⓒ는 ⓑ에 제시된 행동 경제학자들의 이론을 뒷받침하는 구체적 사례이지, ⓐ의 '인간의 선택은 합리적이다.'라는 주류 경제학자들의 이론을 뒷받침하는 구체적 사례로는 볼 수 없다.

➕ 오답 챙기기

① ⓐ와 ⓑ는 모두 〈보기〉의 대전제에 해당한다고 볼 수 있다.

⋯ ⓐ와 ⓑ는 각각 주류 경제학과 행동 경제학의 일반적 이론(가설)에 해당하므로 〈보기〉에서 설명하고 있는 대전제에 해당한다고 볼 수 있다.

② ⓑ와 ⓓ는 동일한 관점*을 지니고 있다고 볼 수 있다.

⋯ ⓑ는 논리적이고 과학적인 사고방식이나 행동 양식을 의미하는 합리적 판단과는 거리가 먼 사람들의 속성으로 볼 수 있다. 따라서 ⓓ와 동일한 관점을 지녔다고 볼 수 있다. 즉 ⓑ라는 가설(대전제)을 설정하고 ⓒ라는 구체적인 사실과 경험적 자료를 통해 이를 증명하여 ⓓ라는 결론을 도출한 것이다.

③ ⓒ는 〈보기〉의 소전제인 구체적 사실 또는 경험적 자료에 해당된다고 볼 수 있다.

⋯ ⓒ는 ⓑ를 뒷받침해 주는 구체적 사실(경험적 자료)에 해당하므로 〈보기〉에서 설명하고 있는 소전제에 해당한다고 볼 수 있다.

⑤ ⓓ는 ⓒ를 바탕으로 도출된 결론에 해당한다고 볼 수 있다.

⋯ 3문단에서 대니얼 카너먼은 실험 ⓒ을 통해 결론인 ⓓ를 증명했다고 했으므로 ⓓ는 ⓒ를 바탕으로 도출된 결론에 해당한다고 볼 수 있다.

🎩 어휘 충전

* **가설**(假 거짓 가 設 말씀 설): 어떤 사실을 설명하려고 임시로 세운 이론.
* **설정**(設 베풀 설 定 정할 정): 새로 만들어 정해 둠.
* **관점**(觀 볼 관 點 점찍을 점): 사물을 관찰할 때, 그것을 바라보는 방향이나 생각하는 입장.

STUDY 14 어휘 확인

1 ㉣	2 ㉠	3 ㉤	4 ㉢	5 ㉤
6 ㉠	7 ㉢	8 ㉤	9 ㉣	10 ㉤
11 근시안	12 애초	13 인식	14 오류	15 보편화

밥상 떠난 오징어를 찾습니다

출전 이정아, 『과학동아 2019년 02호』 지문 난이도 ★★★☆☆

(1,280자)

1 » 한국인이 사랑하는 '국민 생선' 중 하나인 오징어가 최근 몇 년간 어획량이 급감하면서 몸값이 천정부지로 뛰어 '금징어'가 됐다. 오징어 연간 어획량은 2016년 12만 톤, 2017년 8만 7천 톤으로 떨어졌고, 2018년에는 5만 톤 이하로 급격히 떨어진 것으로 추정된다.

2 » 전문가들은 오징어 어획량의 급감 이유 중 하나로 기후 변화에 따른 해양 환경 변화에 주목한다. 한국은 사계절이 뚜렷한 온대성 기후였지만 지구 온난화에 따라 아열대성 기후로 바뀌면서 대기 온도가 지속적으로 상승하고 있다. 고수온 현상의 영향으로 인해 오징어 분포 범위가 동해, 서해, 남해 등으로 넓어지면서 어획 효율이 낮아진 것이다. 오징어는 난류성 어종이라 원래 8~9월 동해안에 머물다가 10월 이후에는 따뜻한 남쪽으로 이동한다. 국립수산과학원은 지난 40여 년 동안 한반도의 바다 수온이 약 1.2℃ 올랐다고 발표하였다. 이는 같은 기간 전 세계 상승 폭의 3배 수준이다. 물고기의 경우 수온이 1℃ 증가하면 체감 온도가 8℃ 오르기 때문에 수온 증가로 오징어는 아주 큰 변화를 겪고 있다.

3 » 오징어가 겪고 있는 변화 중 하나로 오징어 산란장 형성과 번식의 부진을 들 수 있다. 오징어는 겨울철에는 동중국해 남부와 중부, 가을철에는 동중국해 북부와 동해 남부 해역에서 산란한다. 산란하기 가장 알맞은 수온은 18~23℃이나 최근 산란장의 가을철 수온은 산란하기에 적당한 온도보다 높고, 겨울철 수온은 낮아 산란량이 감소한 것이다.

4 » 그렇다면 오징어를 양식하면 안정적인 개체 수 회복에 도움이 될까? 실제로 명태 역시 기후 변화로 인해 한국 바다에 씨가 마른 상태였지만, 양식 기술의 개발로 화려하게 부활하였다. 이에 국립수산과학원은 명태와 마찬가지로 적정 수온을 유지하는 기술을 활용하여 '오징어 자원 회복 프로젝트'를 시작하였다. 그러나 기대와는 달리 아직 성공하지 못하고 있다. 오징어는 '난괴'로 불리는 지름 80cm 정도의 커다란 알 주머니를 물에 낳는데, 3~4일이 지나면 난괴가 흐물흐물 녹으면서 유생들이 빠져나온다. 갓 태어난 유생은 크기가 약 1mm로 매우 작아 채집하기가 쉽지 않기 때문에 난관에 부딪친 것이다.

5 » 결국 지구 온난화로 인한 수온 상승은 어장 지도를 바꾸어 놓을 만큼 생태계 질서에 심각한 영향을 주고 있다. 오징어의 자리를 대신하여 열대 어종인 해파리가 번식하면서 우리나라 바다에 사는 물고기 싱딩수가 사라질 위기에 처해 있는 게 현실이다. 밥상 떠난 오징어를 찾기 위해 양식 기술을 개발하는 것도 중요하지만 오징어가 안정적으로 산란할 수 있는 환경이 더 이상 사라져서는 안 될 것이다.

지문 구조 해석

1 오징어 어획량이 급감하고 있는 문제 상황
- 최근 오징어의 어획량이 급감하면서 오징어 가격이 오르고 있는 상황임

2 오징어 어획량의 급감 이유
- 오징어 어획량의 급감 이유: 기후 변화에 따른 해양 환경 변화 때문

원인
지구 온난화로 인한 대기 온도 상승
고수온으로 인해 오징어 분포 범위가 넓어지면서 어획 효율이 낮아짐

3 산란에 어려움을 겪고 있는 오징어
- 오징어 산란장 형성과 번식의 부진
- 산란하기에 적당한 온도가 갖추어지지 못하자 산란량이 감소하게 됨

결과

4 오징어 양식 개발이 어려운 이유

명태와 오징어	양식 기술
기후 변화로 인해 산란량이 감소함	→ 적정 수온 유지를 통해 개체 수를 늘리고자 했지만 오징어는 실패함

- 오징어 양식 기술 실패 원인: 갓 태어난 유생의 크기가 너무 작아 채집하기 어려움

5 오징어 산란 회복을 위한 생태 환경 조성의 필요성
- 지구 온난화로 인해 바다의 생태계 질서가 위협받고 있음
- 오징어가 안정적으로 산란할 수 있는 환경 마련이 필요함

✎ 지문 정보 확인 1 ○ 2 ✗ 3 ○

지문 Point 분석 주제: 오징어 어획량 감소 원인 및 산란 회복을 위한 생태계 보호의 필요성

해제: 오징어 어획량의 감소 원인과 산란 환경 회복의 필요성을 설명하고 있는 글이다. 오징어 어획량 감소는 기후 변화에 따른 해양 환경 변화에서 그 원인을 찾아볼 수 있다. 지구 온난화로 인해 바다의 수온이 올라가 오징어 분포 범위가 넓어지면서 어획 효율이 낮아진 것이다. 또한 산란하기에 적당한 온도가 갖춰지지 못하면서 번식이 부진하게 되었고, 아직 양식 기술은 성공하지 못하고 있다. 결국 오징어의 안정적인 산란 환경을 조성하기 위해서는 생태계 질서를 회복하는 것이 우선이다.

지문 구조 한눈에 보기

1　▼ 세부 정보 파악　　　　　답 ④

윗글에 대한 설명으로 적절하지 <u>않은</u> 것은?

④ 오징어를 대체*할 수 있는 새로운 어종*을 소개하여 문제에 대한 해결 방안을 제시하고 있다.

⋯ 이 글은 오징어의 어획량이 감소하게 된 원인 및 오징어 산란 환경 회복의 필요성을 설명하고 있다. 오징어를 대체할 수 있는 새로운 어종을 소개하여 문제에 대한 해결 방안을 제시하고 있지는 않다.

➕ 오답 챙기기

① 전문가들의 의견을 통해 오징어가 급감*하게 된 원인으로 기후 변화를 제시하고 있다.

⋯ 2문단에서 전문가들의 의견을 끌어들여 오징어의 어획량이 급감하게 된 원인으로 기후 변화를 제시하고 있다.

② 바다 수온이 얼마만큼 증가하였는지 구체적인 수치*를 제시하여 심각성을 보여 주고 있다.

⋯ 2문단에서 바다 수온이 약 1.2℃ 올랐음을 언급하고 있으며, 얼마나 큰 상승 폭인지 구체적인 수치를 통해 설명하고 있다.

③ 명태 양식* 기술의 성공 사례를 바탕으로 오징어 양식 개발이 시작되었음을 언급하고 있다.

⋯ 4문단에서 명태 역시 기후 변화로 인해 한국 바다에 씨가 마른 상태였지만, 양식 기술의 개발로 화려하게 부활하였음을 언급하며, 이러한 기술을 활용하여 오징어 양식 개발이 시작되었음을 설명하고 있다.

⑤ 오징어의 안정적인 산란 환경 조성*을 위해서는 생태계의 질서 회복이 중요함을 강조하고 있다.

⋯ 5문단에서 오징어가 안정적으로 산란할 수 있는 환경 마련을 위해 생태계 질서 회복이 필요함을 언급하고 있다.

어휘 충전

* **대체**(代 대신할 대 替 바꿀 체): 다른 것으로 대신함.

* **어종**(魚 물고기 어 種 씨 종): 물고기의 종류.

* **급감**(急 급할 급 減 덜 감): 급작스럽게 줄어듦.

* **수치**(數 셀 수 值 값 치): 계산하여 얻은 값.

* **양식**(養 기를 양 殖 번식할 식): 물고기나 해조, 버섯 따위를 인공적으로 길러서 번식하게 함.

* **조성**(造 지을 조 成 이룰 성): 무엇을 만들어서 이룸.

2　▼ 세부 내용 추론　　　　　답 ②

윗글을 바탕으로 할 때, 〈보기〉의 빈칸에 들어갈 말로 가장 적절한 것은?

> **보기**
>
> 　국립수산과학원 동해수산연구소가 최근 갑오징어 양식 기술을 개발하는 데 성공하였다. 오징어 양식은 실패하였는데 어떻게 가능했을까? 이에 대한 답을 얻기 위해서는 오징어와 갑오징어를 비교하는 과정이 필요할 것이다. 오징어와 갑오징어는 모두 난류성 어종으로 생김새나 식감*이 매우 닮았다. 그러나 결정적으로 생물의 생활 상태 등이 달라 양식 기술도 달라질 수밖에 없었다. 갑오징어는 새끼가 2cm 이상으로 크고, 처음부터 오징어의 유생보다 더 자란 것처럼 태어나 먹이도 스스로 잡아먹는다. 그러므로 갑오징어의 양식 기술 개발이 먼저 성공할 수 있던 것은 ＿＿＿＿＿＿＿＿＿＿＿＿

② 양식 과정에서 오징어보다 갑오징어를 채집하는 것이 훨씬 쉬웠기 때문이다.

⋯ 오징어와 갑오징어는 생김새나 식감은 매우 닮았지만 생태 특성 등이 달라 양식 기술이 동일하게 적용되지 않는다. 갑오징어는 오징어보다 더 자란 형태로 태어나기 때문에 오징어보다 채집하기 쉬운 형태임을 이 글의 4문단을 바탕으로 추론할 수 있다.

➕ 오답 챙기기

① 갑오징어의 개체를 보호하기 위해 무분별한 남획*을 금지했기 때문이다.

⋯ 갑오징어의 남획과 관련한 내용은 〈보기〉에 언급되어 있지 않다.

③ 갑오징어는 열대 어종과 함께 번식*이 가능하여 개체 수가 줄어들지 않았기 때문이다.

⋯ 갑오징어가 열대 어종과 함께 번식이 가능하다는 내용은 〈보기〉에 언급되어 있지 않다.

④ 오징어와 달리 갑오징어는 수온이 변화해도 산란량에 큰 변화가 나타나지 않기 때문이다.

⋯ 갑오징어가 수온이 변화해도 산란량에 변화가 없다는 내용은 〈보기〉에 언급되어 있지 않다.

⑤ 오징어와 갑오징어 모두 난류성 어종이기 때문에 똑같은 양식 기술을 적용할 수 있었기 때문이다.

⋯ 오징어와 갑오징어 모두 난류성 어종이지만 〈보기〉에서 똑같은 양식 기술을 적용하기 어렵다고 언급하고 있다.

어휘 충전

* **식감**(食 먹을 식 感 느낄 감): 음식을 먹을 때 입안에서 느끼는 감각.

* **남획**(濫 넘칠 남 獲 얻을 획): 짐승·물고기 따위를 마구 잡음.

* **번식**(繁 번성할 번 殖 불릴 식): 붇고 늘어서 많이 퍼짐.

식량난 극복인가, 위험한 조작인가

출전 김수병, 『사람을 위한 과학』　지문 난이도 ★★★★☆

(1,371자)

1 ❯❯ "우리 슈퍼 돼지는 크고 아름다울 뿐만 아니라, 사료도 적게 먹고 배설물도 적게 배출할 겁니다." 영화 '옥자'에 등장하는 슈퍼 돼지는 단순히 '크고 맛 좋은 고기'를 위해 인간이 돼지 유전자를 변형해 만든 동물이다. 이러한 '유전자 조작'은 더 이상 머나먼 영화 속 이야기가 아니다. 유전자가 변형된 토마토, 옥수수 등의 식물들이 식량 부족의 해결사를 자처하며 현재 인간의 먹이가 되고 있다.

1 친숙한 먹거리가 된 유전자 변형 식물 소개
→ 유전자 조작은 더 이상 영화 속 이야기만이 아니며, 우리의 일상에 가까이 다가옴

2 ❯❯ 생명 공학의 힘으로 과학자들이 만들어 낸 새로운 농작물이 바로 GMO(유전자 변형 농작물)이다. 식물의 유전자를 인위적으로 바꾸어서 기존의 식물들이 가진 단점을 없애고 인간에게 유용한 식물로 탈바꿈시킨 것이다. 잘 무르지 않는 토마토나 제초제에 강한 콩, 옥수수 등이 그 예이다. 이에 대해 인류의 기아 문제를 해결할 수 있는 '제2의 녹색 혁명'으로 환영하는 목소리가 있는가 하면, 인간과 환경에 치명적인 악영향을 끼치는 '프랑켄푸드'(괴물 음식)에 지나지 않는다는 비판의 목소리도 동시에 터져 나오고 있다.

개념

2 GMO의 개념 및 GMO에 대한 상반된 관점
→ GMO의 개념

GMO | 식물의 유전자를 인위적으로 바꾸어 인간에게 유용한 식물로 탈바꿈시킨 것

→ GMO에 대한 상반된 관점이 존재함

3 ❯❯ GMO 찬성론자들은 유전자 변형 작물은 인체에 해가 없으며 식량 문제 해결의 대안이 될 수 있다고 주장한다. 예컨대 민들레에서 추출한 유전자를 쌀에 이식하여 비타민 A가 강화된 새로운 쌀이 영양학적으로 더 우수하다. 또, 올레인산이 함유된 유전자를 첨가한 대두가 있다고 하자. 올레인산은 인간에게 유용한 영양소이다. 곧, 이 대두도 인간에게 영양학적으로 더 우수할 수밖에 없다. 이외에도 병충해에 내성을 가진 작물의 개발을 통해 농약 사용을 줄임으로써 오히려 환경 파괴를 ⓐ막을 수 있다는 입장이다.

3 GMO 찬성론자들의 입장
→ 유전자 변형 작물은 인체에 해가 없으며, 식량 문제 해결의 대안이 될 수 있음
→ 병해충에 내성을 가진 작물을 개발하여 농약 사용을 줄일 수 있음

찬반 입장

4 ❯❯ 반면 ㉠반대론자들의 반박도 만만치 않다. GMO 식품의 안전성에 대한 논쟁에서 반대론자들이 들고 나오는 것은 '잠재적 위험성'이다. 사실, 다른 종의 유전자를 도입한 전혀 새로운 식품의 안전성을 검증하기에는 GMO가 세상에 나온 약 30여 년의 시간이 너무 짧을 수 있다. 실제로 유전자 조작을 통해 식물에 주입된 항생제 내성 유전자가 식품의 형태로 섭취되었을 경우 인체의 항생제 내성을 키울지도 모른다는 주장도 제기됐다. 또한 해충이나 제초제에 대한 저항성을 가진 식물의 유전자가 생태계로 전이됐을 경우, 역으로 해충과 잡초들이 저항성 유전자를 품게 됨으로써 슈퍼 해충이나 슈퍼 잡초가 탄생할 수 있다는 우려도 제기되고 있다.

4 GMO 반대론자들의 입장
→ GMO 식품의 잠재적 위험성
－ GMO 식품을 검증하기에는 GMO가 출시된 시간이 너무 짧음
→ 해충과 잡초들이 저항성 유전자를 가짐으로써 슈퍼 해충이나 슈퍼 잡초가 탄생할 수 있음

5 ❯❯ 이처럼 팽팽히 맞서고 있는 GMO 찬반 논쟁은 결과론적으로 GMO 식품에 대한 소비자들의 불신과 공포를 확대 생산하고 있는 것이 사실이다. 흔히 생명 공학 기술을 '칼의 양날'에 비유하듯이 GMO가 인류에게 약이 되는지 독이 되는지의 논쟁은 다른 어떤 것보다 신중을 기해야 한다. 결국 과학자들은 먹거리 안전에 대한 인식이 확실해질 수 있도록 생명 공학 기술이 초래하는 부작용을 최대한 줄이기 위해 노력해야 할 것이다.

5 먹거리 안전의 확보를 위한 연구의 필요성
→ GMO 찬반 논쟁이 GMO 식품에 대한 소비자들의 불신과 공포를 조성함
→ 먹거리 안전에 대한 인식을 강화할 수 있도록 지속적인 연구가 필요함

지문 정보 확인　1 X　2 ○　3 X

지문 구조 한눈에 보기

화제 제시 **1**

구체화 **2** **3**	GMO 개념 및 논쟁 제시
4	GMO 찬성 입장
	GMO 반대 입장

마무리 **5**

지문 Point 분석　**주제: GMO에 대한 상반된 관점 및 먹거리 안전을 위한 지속적인 연구의 필요성**

해제: GMO 찬반 논쟁에 대해 설명하고 있는 글이다. GMO 식품은 일상생활에서도 쉽게 접할 수 있는 먹거리가 되었지만 아직도 상반된 관점이 존재한다. GMO 찬성론자들은 유전자 변형 작물이 식량 문제 해결의 대안이 될 수 있다고 주장하나 GMO 반대론자들은 아직 잠재적 위험성을 지니고 있기에 안전성 확보가 되지 않았다고 주장한다. 이러한 논쟁은 소비자들에게 먹거리에 대한 불안감을 조성할 수 있기에 과학자들은 먹거리 안전의 확보를 위해 노력해야 한다.

1 ▼ 내용 전개 방식 파악   답 ③

윗글의 전개 방식에 대한 설명으로 적절하지 **않은** 것은?

③ 질문을 던짐으로써 독자의 관심을 유도*하고 있다.

┈▶ 이 글에서 독자에게 질문을 던지며 관심을 유도하고 있는 부분은 찾아볼 수 없다.

➕ 오답 챙기기

① 예시를 통해 독자의 이해를 돕고 있다.

┈▶ 2문단과 3문단에서 유전자 변형 식품의 예를 들어 독자의 이해를 돕고 있다.

② 핵심 개념을 밝히면서 내용을 전개하고 있다.

┈▶ 2문단에서 GMO가 무엇인지 그 개념을 밝히고 있다.

④ 서로 상반*된 관점을 지니고 있는 입장을 소개하고 있다.

┈▶ 3문단에서는 GMO 찬성론자들의 입장을, 4문단에서는 GMO 반대론자들의 입장을 각각 소개하고 있다.

⑤ 다른 대상과의 유사*한 속성*을 비교하여 결론을 내리고 있다.

┈▶ 3문단에 민들레 유전자를 이식함으로써 비타민 A가 강화되어 영양학적으로 우수해진 쌀과 비교하여, 올레이산이 함유된 유전자를 첨가한 대두 역시 영양학적으로 우수할 수밖에 없다는 결론을 내리는 유추의 설명 방식이 나타나 있다.

어휘 충전

* **유도**(誘 꾈 유 導 이끌 도): 사람이나 물건을 목적한 장소나 방향으로 이끎.
* **상반**(相 서로 상 反 돌이킬 반): 서로 반대되거나 어긋남.
* **유사**(類 무리 유 似 같을 사): 서로 비슷함.
* **속성**(屬 무리 속 性 성품 성): 사물의 특징이나 성질.

2 ▼ 구체적 사례에의 적용   답 ④

㉮의 입장을 뒷받침할 수 있는 사례를 〈보기〉에서 모두 고른 것은?

> **보기**
>
> ㉠ 척박*한 환경에서도 잘 버티는 유전자 변형 고구마를 만들어 내어 앞으로의 식량난을 해결하고자 한다.
> ㉡ 유전자 변형 감자를 먹인 쥐 실험에서 쥐의 면역* 체계와 질병 저항력이 떨어진다는 실험 결과가 나왔다.
> ㉢ 해충 저항성 토양 박테리아인 BT 유전자를 넣은 면화에는 해충이 접근하지 않아 살충제를 거의 사용하지 않게 되었다.
> ㉣ 면화에 애벌레 퇴치* 유전자를 주입하였는데, 새로워진 면화 잎에 애벌레가 스스로 적응하며 한 단계 '체질* 개선'이 되는 모습을 보여 주었다.

④ ㉡, ㉣

┈▶ 유전자 변형 식품이 가지고 있는 잠재적 위험성을 우려하는 입장을 뒷받침할 수 있는 사례를 찾아야 한다. GMO 반대론자들은 유전자 변형 식품에 주입된 항생제 내성 유전자가 인체에 유해할 수 있으며(㉡), 해충에 대한 저항성을 가진 식물의 유전자가 생태계로 전이됐을 때 이에 저항성 유전자를 품게 됨으로써 슈퍼 해충이 탄생할 수 있다고 주장하고 있다(㉣).

➕ 오답 챙기기

①㉠, ㉡ / ②㉠, ㉢ / ③㉡, ㉢ / ⑤㉢, ㉣

┈▶ GMO 찬성론자들은 GMO 식품이 식량난 문제를 해결해줄 것이며, 병충해에 내성을 가진 작물의 개발을 통해 농약의 사용을 줄일 수 있다는 입장이다. 따라서 ㉠, ㉢은 찬성론자들의 입장을 뒷받침하는 사례라고 할 수 있다.

어휘 충전

* **척박**(瘠 파리할 척 薄 얇을 박): 땅이 기름지지 못하고 몹시 메마름.
* **면역**(免 면할 면 疫 염병 역): 반복되는 자극 따위에 반응하지 않고 무감각해지는 상태를 비유적으로 이르는 말.
* **퇴치**(退 물러날 퇴 治 다스릴 치): 물리쳐서 아주 없애 버림.
* **체질**(體 몸 체 質 바탕 질): 날 때부터 지니고 있는 몸의 생리적 성질이나 건강상의 특질.

3 ▼ 어휘의 문맥적 의미 파악   답 ③

밑줄 친 단어 중, ⓐ와 문맥적 의미가 가장 유사한 것은?

③ 소방관들의 빠른 진압으로 화재를 막을 수 있었다.

┈▶ ⓐ의 '막다'는 '어떤 현상이 일어나지 못하게 하다.'의 의미이다. 이와 문맥적 의미가 가장 유사한 것은 ③의 '막다'이다.

➕ 오답 챙기기

① 정원을 울타리로 막아 버렸다.

┈▶ '트여 있는 곳을 가리개로 둘러싸다.'의 의미이다.

② 추위를 어떻게 막아야 할지 걱정이다.

┈▶ '강물, 추위, 햇빛 따위가 어떤 대상에 미치지 못하게 하다.'의 의미이다.

④ 경호원들이 우리가 안으로 들어가려는 것을 막았다.

┈▶ '어떤 일이나 행동을 못 하게 하다.'의 의미이다.

⑤ 상대편의 공격만 잘 막으면 이번 경기를 이길 수 있다.

┈▶ '외부의 공격이나 침입 따위에 버티어 지키다.'의 의미이다.

STUDY 15 어휘 확인

1 ㉢	2 ㉣	3 ㉠	4 ㉥	5 ㉡
6 ㉡	7 ㉣	8 ㉠	9 ㉢	10 ㉤
11 효율	12 변형	13 주입	14 개체	15 전이

인문

직접 행동, 시민의 저항이 법으로 발전해 온 것

출전 경기도 교육청, 『고등학교 더불어 사는 민주 시민』 | **지문 난이도** ★★★★☆

(986자)

❶ ≫ 2001년, 오이도역에서 휠체어 리프트가 추락해 장애인이 사망한 사건으로 인해 장애인들은 크게 분노했다. 지하철 선로를 점거하고 열차를 막아섰으며, 몸에 사슬을 걸고 버스와 도로를 점거하였다. 단식 농성에 이르기까지 장애인들의 시위는 오랜 기간 지속되었다. 이들의 요구는 '장애인 이동권' 보장이었다. 이동권이 누구의 이름이냐고 묻는 사람들이 있을 정도로 당시에는 이 말이 무척이나 생소한 개념이었다.

❷ ≫ 장애인 이동권 보장을 요구하는 장애인들의 시위로 인해 적지 않은 사회적 비용이 들었지만, 다른 한편으로 이 사건은 우리 사회가 가지고 있던 장애인에 대한 여러 가지 차별을 깨닫게 해 주었을 뿐만 아니라 실질적으로도 많은 것을 바꾸게 했다. 그동안 예산, 설계상·구조상의 문제 등 여러 가지 이유로 불가능하다고 했던 장애인 편의 시설들이 만들어지기 시작했다. 또 지하철역의 엘리베이터 설치, 저상 버스 도입, 보행 환경 개선 등 거리 모양이 매우 빠르게 바뀌기 시작한 것은 물론, 2003년에는 국립 국어원에서 '이동권'이라는 단어를 사전에 수록하기에 이르렀다.

❸ ≫ 이러한 장애인 이동권 보장 시위의 경우와 같이, 법이 인권을 보장하지 못하고 있다면 법의 범위와 한계를 넘어서더라도 인권을 확보하기 위한 행동은 정당하다고 평가받는다. 그것이 바로 '직접 행동' 또는 '시민 불복종'이라고 불리는 개념이다. 이 사례와 같이 인권은 역사적으로 끊임없이 부당한 현실과 왜곡된 법에 대해 불법을 감수한 시민들의 저항을 통해 점차 보장되어 왔다.

❹ ≫ [A] 법이 인권의 실현에 어느 정도 긍정적인 역할을 한 것은 분명하다. 근대 시민 혁명의 목표와 인권 선언의 핵심이 바로 법을 통한 인권의 보장이었다. 하지만 사회의 변화에 따라 법이 유연하게 변화하지 않고 과거의 모습만을 고집하게 되면 법과 인권은 같이 죽어 가게 된다. 그래서 법에도 혈관이 있어야 한다. 인간을 위한 따뜻한 피가 흘러야만 법과 인권은 함께 살아가는 것이다. 이를 위해 시민들은 항상 인권의 눈으로 법을 바라보아야 한다.

지문 구조 해설

1 오이도역 사건으로 인해 벌어진 장애인들의 시위
- 장애인들의 시위가 벌어진 계기
- 시위의 구체적인 모습
  - 지하철 선로와 열차 점거
  - 버스와 도로 점거
  - 단식 농성
- 시위를 벌인 장애인들의 요구 사항

2 시위로 인해 달라진 사회의 모습
- 시위의 의의
- 시위로 인해 달라진 사회의 구체적 모습
  - 장애인 편의 시설들이 만들어짐
  - 지하철역의 엘리베이터 설치
  - 저상 버스 도입
  - 보행 환경 개선
  - '이동권'이라는 단어가 사전에 수록

3 직접 행동의 개념과 그 의의
- 직접 행동(시민 불복종)의 개념: 법이 인권을 보장하지 못하고 있다면 법을 어기더라도 인권 확보를 위한 행동은 정당함
- 직접 행동의 의의: 부당한 현실과 왜곡된 법에 저항하면서 점차 인권을 확보해 옴

4 인권의 눈으로 법을 바라보아야 하는 까닭
- 법은 인권의 실현에 긍정적인 역할을 함
- 법이 사회의 변화에 따라 유연하게 변화하지 않으면 법을 통한 인권의 보장은 어려움
- 법은 인간의 권리를 먼저 생각해야 함 → 직접 행동의 필요성(인간을 위한 법을 만들기 위함)

✏ 지문 정보 확인 1 X 2 ○ 3 X

지문 Point 분석 | 주제: 직접 행동의 개념과 의의

해제: 직접 행동의 사례를 통해 그 개념과 의의를 설명하고 있는 글이다. 2001년 지하철역 장애인 사망 사건으로 인해 장애인들은 장애인 이동권 보장을 요구하며 직접 행동에 나섰다. 직접 행동은 법이 인권을 보장하지 못하는 경우 법을 어기더라도 인권을 확보하기 위해 행동하는 것이다. 이러한 직접 행동을 통해 보행 환경이 개선되는 등 사회에 적지 않은 변화가 있었다. 직접 행동은 사회의 변화에 법이 따라가지 못할 때, 그래서 인간의 권리가 침해될 때 필요한 것이다.

지문 구조 한눈에 보기 👀

사건 제시 ❶
오이도역 장애인 사망 사건

↓

사건에 따른 결과 ❷
장애인 이동권 보장 시위

↓

화제 제시 ❸
직접 행동의 개념과 의의

↓

마무리 ❹

1 ▼ 세부 정보 파악   답 ④

윗글을 통해 알 수 있는 내용이 아닌 것은?

④ 오이도역 사건으로 분노한 장애인들은 법의 범위 안에서 저항을 시도했다.

⋯ 직접 행동은 법의 범위와 한계를 넘어서더라도 인권을 확보하기 위해 행동하는 것을 의미한다. 오이도역 사건으로 인해 분노한 장애인들은 지하철 선로를 점거하고 열차를 막아섰으며, 버스와 도로를 점거하였다. 이는 인권의 보장을 위해 직접 행동에 나선 것으로 법의 범위와 한계를 넘어서 저항을 시도한 것이다. 따라서 장애인들이 법의 범위 안에서 저항을 시도했다는 진술은 적절하지 않다.

➕ 오답 챙기기

① 오이도역 사건 이전에 '이동권'은 많은 사람에게 낯선 단어였다.

⋯ 1문단에서 오이도역 사건이 일어났을 때 '이동권'이 당시 사람들에게는 무척 생소한 개념이었다는 내용을 확인할 수 있다.

② 오이도역 사건은 우리 사회가 지닌 장애인에 대한 차별을 깨닫게 했다.

⋯ 2문단에서 오이도역 사건은 우리 사회가 가지고 있던 장애인에 대한 여러 가지 차별을 깨닫게 해 주었다고 하였다.

③ 오이도역 사건 이후 장애인의 이동권은 실질적으로 개선되기 시작했다.

⋯ 2문단에서 오이도역 사건 이후 장애인의 이동권이 개선된 구체적인 모습을 확인할 수 있다.

⑤ 오이도역 사건은 부당한 현실에 대한 시민들의 '직접 행동'으로 볼 수 있다.

⋯ 이 글에 따르면 직접 행동은 법의 범위와 한계를 넘어서더라도 인권을 확보하기 위해 행동하는 것을 의미한다. 오이도역 사건으로 인해 분노한 장애인들은 지하철 선로를 점거하고 열차를 막아섰으며, 버스와 도로를 점거하였다. 이는 인권의 보장을 위해 시민들이 직접 행동에 나선 것이라 할 수 있다.

2 ▼ 내용 전개 방식 파악   답 ③

[A]에 사용된 표현 방법에 대한 설명으로 가장 적절한 것은?

③ 살아 있지 않은 것을 마치 살아 있는 것처럼 표현하고 있다.

⋯ 생명이 없는 것을 마치 생명이 있는 것처럼 표현하는 방법을 '활유법'이라고 한다. [A]에서는 법과 인권이라는 무생물을 생물처럼 표현하고 있다. '법과 인권은 같이 죽어 가게 된다.', '법에도 혈관이 있어야 한다.' 등은 모두 살아 있지 않은 것을 마치 살아 있는 것처럼 표현한 것이다.

➕ 오답 챙기기

① 연결되거나 비슷한 어구의 말을 여러 개 늘어놓고 있다.

⋯ 내용적으로 연결되거나 비슷한 어구를 여러 개 늘어놓아 전체의 내용을 표현하는 방법을 '열거법'이라고 한다. 그러나 [A]에는 열거법이 사용되지 않았다.

② 다른 이의 말을 인용*함으로써 글의 신뢰성*을 높이고 있다.

⋯ 남의 말이나 글을 자신의 말이나 글 속에 끌어 쓰는 방법을 '인용법'이라고 한다. 전문가나 권위자의 말을 인용하면 글의 신뢰성을 높일 수 있다. 그러나 [A]에는 인용법이 사용되지 않았다.

④ 스스로 묻고 답하는 형식을 통해 글의 내용을 부각*하고 있다.

⋯ 스스로 묻고 답하는 형식을 사용해 글을 쓰는 방법을 '문답법'이라고 한다. 문답법을 사용하면 독자의 집중을 유도할 수 있고, 글의 내용을 강조할 수 있다. 그러나 [A]에는 문답법이 사용되지 않았다.

⑤ 실제 말하고자 하는 바와 반대로 말하며 내용을 강조*하고 있다.

⋯ 실제 말하고자 하는 바와 반대로 말하며 내용을 강조하는 방법을 '반어법'이라고 한다. 그러나 [A]에는 반어법이 사용되지 않았다.

어휘 충전
* **인용**(뀌 끌 인 用 쓸 용): 남의 말이나 글을 자신의 말이나 글 속에 끌어 씀.
* **신뢰성**(信 믿을 신 賴 힘입을 뢰 性 성품 성): 굳게 믿고 의지할 수 있는 성질.
* **부각**(浮 뜰 부 刻 새길 각): 어떤 사물을 특징지어 두드러지게 함.
* **강조**(強 굳셀 강 調 고를 조): 어떤 부분을 특별히 강하게 주장하거나 두드러지게 함.

3 ▼ 글의 주제 추론   답 ④

윗글에서 글쓴이가 궁극적으로 말하고자 하는 것은?

④ 법은 인권을 보장할 수 있도록 변화해야 한다.

⋯ 4문단에 글쓴이가 궁극적으로 말하고자 하는 바가 드러나 있다. 글쓴이는 사회의 변화에 따라 법이 유연하게 변화하지 않는다면, 법과 인권이 같이 죽어 가게 된다고 말하고 있다. 이는 법이 인권을 보장할 수 있도록 유연하게 변화해야 함을 의미한다고 볼 수 있다. 따라서 글쓴이가 궁극적으로 말하고자 하는 바는 법은 인권을 보장하는 방향으로 변화해야 한다는 것이다.

➕ 오답 챙기기

① 장애인의 이동권 확보를 위해 노력해야 한다.

⋯ 장애인의 이동권 확보를 위해 직접 행동에 나선 사례를 언급하고 있으나, 이 글에서 궁극적으로 말하고자 하는 바라고 보기는 어렵다.

② 시위 없는 사회를 만들기 위해 노력해야 한다.

⋯ 글쓴이는 법이 인권의 보장을 위해 노력해야 한다고 말하고 있으며, 기본적인 인권의 보장이 이루어지지 않으면 시위와 같은 직접 행동을 통해서라도 법이 바뀌어야 한다고 말하고 있다.

③ 시민은 법을 지켜야 하는 의무를 지니고 있다.

⋯ 시민은 법을 지켜야 하는 의무를 지니고 있다는 것은 당연한 말이지만, 이 글에서 궁극적으로 주장하는 바와 거리가 있다.

⑤ 인권 보장 요구는 법의 범위 안에서 이루어져야 한다.

⋯ 이 글에서 설명한 직접 행동의 개념은 인권 보장이 이루어지지 않을 때는 법의 범위와 한계를 넘어선 것이다.

「달마도」의 가치

지문 난이도 ★★☆☆☆

(1,066자)

1 » 우리에게 친숙한 그림인 「달마도」는 김명국이 조선 통신사로 일본에 머물렀을 때 그린 것이다. 그는 1636년과 1643년에 통신사 수행 화원으로 발탁되어 일본에 방문하였는데, 특히 서화에 대한 일본인들의 요구가 많았기 때문에 통신사 구성원 중 수행 화원은 최고의 기량을 가진 화가가 선발되었다.

2 » 일본에 파견된 통신사 화원들은 다양한 그림을 남겼으나, 그중 도석 인물화가 큰 비중을 차지하고 있다. 도석 인물화는 도교의 신선이나 불교의 고승 등을 그린 것인데, 일본인들은 이것이 복(福)을 구하고 나쁜 일을 물리칠 수 있다고 ㉠생각했기 때문에 매우 좋아했다. 특히 도석 인물화로 유명했던 김명국이 통신사에 포함되었다는 소문이 나면 일본 전체가 떠들썩했고, 김명국의 그림을 얻으려 밀려드는 일본인들 때문에 그는 쉴 틈 없이 그림을 그려야 했다.

3 » 「달마도」는 인도의 고승 보리달마를 그린 작품으로, 김명국 그림 중 단연 걸작으로 꼽힌다. 옷의 전체적인 모습은 몇 개 안 되는 획으로 단순하게 그렸으며, 눈매와 코, 눈썹과 수염을 세밀하게 묘사하여 보리달마의 이국적인 얼굴을 잘 표현했다. 김명국은 평소 예측할 수 없는 파격적 형식미와 순간성 등을 느낄 수 있는 그림을 즐겨 그렸는데, 「달마도」의 힘 있게 뻗어 있는 거친 붓질은 그만의 파격과 순간성을 충분히 느낄 수 있게 한다. 이러한 특징은 다른 도석 인물화에서는 찾아볼 수 없는 독창적인 것이다.

김명국, 「달마도」

4 » 김명국은 '발묵(潑墨)'과 '파필(破筆)'이라는 화법의 대가였다. '발묵'은 붓에 먹을 듬뿍 머금은 채 빠르게 움직여 번지는 효과를 의도하는 기법이다. 이는 전통적 윤곽선을 무시한 기법으로, 김명국은 인물의 옷 등을 그릴 때 주로 이 화법을 사용했다. '파필'은 붓끝이 갈라지도록 거칠게 선을 긋는 기법이다. 이는 예상치 못한 형상을 자아낼 수 있는 기법으로, 순간성을 표현하는 효과적인 방법이었다.

5 » 「달마도」에는 김명국의 천부적 재능에 따른 독창성이 드러나 있으며, 전통적인 화법은 물론 작가의 끊임없는 노력에 의해 얻어진 개성적인 화법이 한데 어우러져 있다. 따라서 김명국이 그린 「달마도」는 우리나라 최고의 도석 인물화로 평가하기에 모자람이 없을 것이다.

지문 구조 배설

1 「달마도」를 그린 김명국
- 「달마도」가 창작된 배경
- 통신사 수행 화원으로 일본에 방문한 김명국
- 조선 통신사 수행 화원의 위상

2 도석 인물화로 유명했던 김명국
- 도석 인물화의 개념: 도교의 신선이나 불교의 고승 등을 그린 것
- 일본인들이 도석 인물화를 좋아했던 까닭
- 일본에서 유명했던 김명국의 그림

3 「달마도」의 특징
- 「달마도」의 특징 ①: 옷은 단순하게, 얼굴은 세밀하게 묘사함
- 김명국 그림의 경향: 파격적 형식미와 순간성
- 「달마도」의 특징 ②

  > 힘 있게 뻗어 있는 거친 붓질
  > ↓
  > 파격과 순간성을 느끼게 함

4 김명국이 사용한 그림 기법
- 발묵
  – 번지는 효과를 의도하는 기법
  – 옷 등을 그릴 때 사용
- 파필
  – 거칠게 선을 긋는 기법
  – 순간성을 표현하는 데 효과적

5 김명국의 「달마도」에 대한 평가
- 글쓴이의 평가(중심 생각): 「달마도」는 우리나라 최고의 도석 인물화임

✏️ 지문 정보 확인 1 ○ 2 X 3 ○

지문 구조 한눈에 보기 👀

화제 제시 **1**	
↓	
구체화 **2 3 4**	도석 인물화의 대가 김명국
	김명국이 그린 「달마도」의 특징
	김명국이 사용한 그림 기법
↓	
중심 생각(주장) **5**	

지문 Point 분석 주제: 「달마도」의 작가 김명국에 대한 소개와 「달마도」의 가치

해제: 우리에게 「달마도」로 널리 알려진 화가 김명국의 업적과 개성적 화풍 등을 소개하고 「달마도」에 대한 글쓴이 나름의 평가를 내리고 있는 글이다. 통신사 수행 화원들이 왜 일본에서 도석 인물화를 그렸는지, 일본에서 김명국의 인기가 어느 정도였는지를 확인할 수 있으며, 김명국의 개성적인 화풍이 「달마도」에 어떤 방식으로 실현되었는지 분석하고 있다. 아울러 이를 근거로 「달마도」의 의의와 가치에 대한 평가를 내리고 있다.

설득하는 글 이해하기

1 ▼ 내용 전개 방식 파악   답 ③

윗글에 대한 설명으로 가장 적절한 것은?

③ 작가의 행적과 작품의 특징을 분석한 후 글쓴이 나름의 평가를 내리고 있다.

⋯ 이 글은 「달마도」의 작가인 김명국의 행적을 언급하고, 그가 그린 작품의 특징을 분석하고 있다. 그리고 이를 근거로 글쓴이 자신의 주장을 내세우고 있다.

➕ 오답 챙기기

① 작가의 다양한 작품을 열거*한 후 창작 방법에 대해 평가하고 있다.

⋯ 작가의 다양한 작품이 제시되지 않았고, 작가가 주로 사용한 창작 방법이 드러나기는 하지만 이를 평가하고 있는 것은 아니다.

② 작가가 사용한 창작 방법을 비교하며 장점과 단점에 대해 서술한다.

⋯ 4문단에서 작가가 주로 사용한 창작 기법이 드러나기는 하지만, 이들의 장점과 단점에 대해 서술하고 있지는 않다.

④ 작가가 살았던 시대의 사회적 배경을 분석한 후 작품의 의의*를 설명하고 있다.

⋯ 조선 통신사 등 작가가 살았던 시대의 사회적 배경에 대한 언급은 있으나, 이러한 사회적 배경을 분석하고 있는 것은 아니다.

⑤ 작가의 생애*에서 중요한 내용을 시간 순서에 따라 밝힌 후 업적*을 평가하고 있다.

⋯ 작가의 생애가 일부 드러나기는 하지만, 이를 시간 순서에 따라 밝히거나 그의 업적을 평가하고 있는 것은 아니다.

> **어휘 충전**
> * **열거**(列 벌일 열 擧 들 거): 여러 가지 예나 사실을 낱낱이 죽 늘어놓는 설명 방법.
> * **의의**(意 뜻 의 義 옳을 의): 어떤 사실이나 행위 따위가 갖는 중요성이나 가치.
> * **생애**(生 날 생 涯 물가 애): 살아 있는 한평생의 기간.
> * **업적**(業 업 업 績 길쌈할 적): 어떤 사업이나 연구 등에서 세운 공적.

2 ▼ 다른 사례에의 적용   답 ⑤

윗글을 참고할 때, 〈보기〉의 빈칸에 들어갈 학생의 반응으로 적절하지 않은 것은?

보기

선생님: 이 작품은 김명국이 1643년에 그린 「수노인도」입니다. '수노인'은 도교에서 사람의 수명을 담당하는 신선이지요. 이 작품의 특징을 이야기해 볼까요?

학생: ___________

⑤ 「수노인도」에서 눈썹과 수염을 그린 부분에서는 발묵 기법을 활용하여 번지는 효과를 의도했을 것입니다.

⋯ 4문단에서 발묵은 번지는 효과를 의도한 기법임을 확인할 수 있

다. 그러나 「수노인도」에서 눈썹과 수염을 그린 부분은 「달마도」와 마찬가지로 세밀하게 묘사되었으며, 발묵 기법이 확인되지는 않는다.

➕ 오답 챙기기

① 「수노인도」는 도석 인물화의 일종으로 김명국이 일본에 머물렀을 때 그린 것으로 추측됩니다.

⋯ 2문단에서 도석 인물화는 도교의 신선이나 불교의 고승 등을 그린 그림임을 확인할 수 있다. 또한 1문단에서 「수노인도」를 1643년에 그렸다고 했으므로, 김명국이 통신사로 일본에 머물렀을 때 그린 그림이라고 추측할 수 있다.

② 「수노인도」가 창작되었을 때 일본인들은 이 그림이 나쁜 일을 물리칠 수 있다고 생각했을 것입니다.

⋯ 2문단에서 일본인들은 도석 인물화가 복을 구하고 나쁜 일을 물리칠 수 있다고 생각했기 때문에 좋아했음을 확인할 수 있다.

③ 「수노인도」의 힘 있게 뻗어 있는 거친 붓질을 통해 김명국만의 파격과 순간성을 느낄 수 있습니다.

⋯ 「수노인도」는 「달마도」와 마찬가지로 옷을 그릴 때 거친 붓질을 사용했다. 3문단에서 이러한 붓질은 김명국만의 파격과 순간성을 느끼게 한다는 설명을 확인할 수 있다.

④ 「수노인도」에서 옷의 전체적인 모습은 몇 개 안 되는 획으로 단순하게 그렸음을 확인할 수 있습니다.

⋯ 「수노인도」에서 옷은 몇 개 안 되는 단순한 획으로 단순하게, 얼굴은 세밀하게 묘사하였음을 확인할 수 있다.

3 ▼ 어휘의 문맥적 의미 파악   답 ①

㉠과 바꾸어 쓰기에 가장 적절한 것은?

① 판단(判斷)했기

⋯ '판단하다'는 '사물을 인식하여 논리나 기준 등에 따라 판정을 내리다.'의 의미로, ㉠과 바꾸어 쓰기에 가장 적절하다.

➕ 오답 챙기기

② 사색(思索)했기

⋯ '사색하다'는 '어떤 것에 대해 깊이 생각하고 이치를 따지다.'의 의미이다.

③ 고찰(考察)했기

⋯ '고찰하다'는 '어떤 것을 깊이 생각하고 연구하다.'의 의미이다.

④ 구상(構想)했기

⋯ '구상하다'는 '앞으로 이루려는 일에 대하여 그 일의 내용이나 규모, 실현 방법 따위를 어떻게 정할 것인지 이리저리 생각하다.'의 의미이다.

⑤ 궁리(窮理)했기

⋯ '궁리하다'는 '사물의 이치를 깊이 연구하다.'의 의미이다.

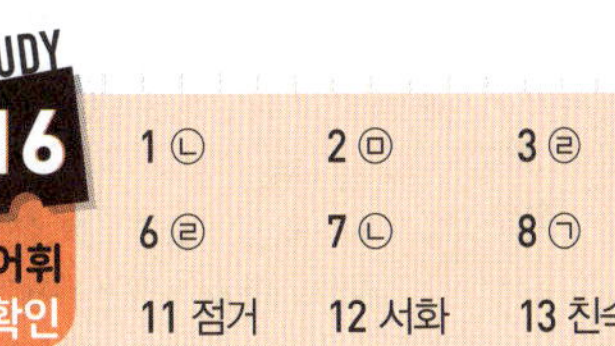

STUDY 16 어휘 확인

1 ㉡	2 ㉣	3 ㉣	4 ㉠	5 ㉢
6 ㉣	7 ㉡	8 ㉤	9 ㉤	10 ㉢

11 점거   12 서화   13 친숙   14 저상버스 15 상생

공기업 민영화, 공익을 위한 선택인가?

출전 경기도 교육청, 『고등학교 더불어 사는 민주 시민』　지문 난이도 ★★★★☆

(978자)

1 » 공기업은 일반적으로 정부의 지원 아래, 정부에서 해야 할 일들을 대행하기 때문에 안정적인 수익 구조를 갖고 있다. 2013년 4월 기획재정부가 발표한 295개 공공기관의 부채는 총 493.4조 원으로 전년에 비해 34.4조 원이 증가한 것으로 나타났다. 이 가운데 28개 공기업의 부채는 약 353.6조 원으로 국내 총생산(GDP) 대비 약 28%를 차지한다. 공기업의 부채는 해마다 증가하고 있을 뿐만 아니라 자본 대비 부채 비율도 200%를 넘어 지속적으로 악화되고 있는 추세이다. 이들 공기업의 높은 부채 비율은 적자로 이어지게 되고, 이것은 결국 공공요금의 인상 또는 국민의 세금 부담으로 떠넘겨지는 것이다.

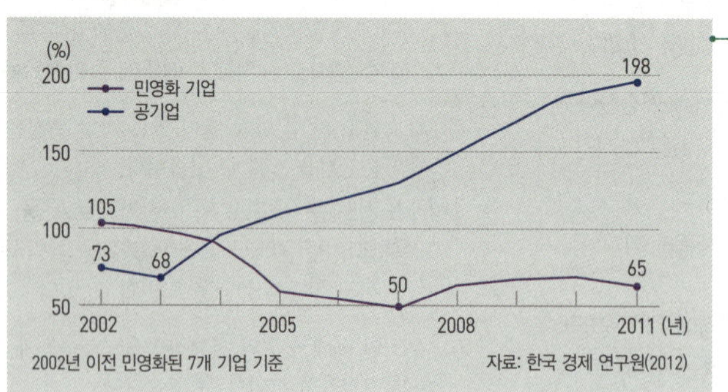

▲ 민영화 기업과 공기업의 부채 비율 추이

2 » 공기업은 주로 국민 생활에 필수적인 부분을 관리한다. 그런 이유로 저렴한 가격에 공급하기 위해 공급 가격이 생산 원가보다 낮은 경우가 발생하는 것이다. 적자를 감수하며 공급하는 저렴한 가격은 자원의 낭비를 가져오게 되고, 결국 비효율적인 자원 배분을 발생시킨다.

3 » 그리고 대부분의 공기업들은 특정 분야에서 독점적인 지위를 누리고 있다. 전기 · 수도 · 가스 등 초기 비용이 막대하게 들어가는 사회 간접 자본에 기업과 같은 민간 자본이 쉽게 진입하기 힘들고, 정부 자금으로 해당 분야의 시장을 먼저 점유할 수 있기 때문이다. 이런 이유로 공기업은 독점적인 지위를 누릴 수 있으며 다른 경쟁자가 존재하기 어렵다. 경쟁이 존재하지 않기 때문에 도덕적 해이, 효율성 저하 등과 같은 문제가 발생하게 되는 것이다.

4 » 해당 영역에서 공기업의 경쟁력을 키우기 위해서는 경쟁 구도를 만들어 주고 공기업을 견제할 수 있는 장치를 마련하여 저렴한 가격과 양질의 서비스를 제공하게 해야 한다. 그 해법으로 제기되고 있는 것이 바로 공기업의 민영화이다. 민영화가 이루어지게 되면 시장 경쟁과 이윤 추구에 의해 제품이나 서비스의 질이 향상되어 국민들에게 혜택을 줄 수 있게 된다는 것이 ㉠민영화 찬성 측의 주장이다.

---

1 해마다 증가하는 공기업의 부채

- 안정적인 수익 구조를 갖고 있는 공기업
- 해마다 증가하는 공기업의 부채
  - 국내 총생산 대비 약 28%
  - 자본 대비 부채 비율 200% 이상
  → 공공요금의 인상 또는 국민의 세금 부담으로 떠넘겨짐
- 민영화 기업과 공기업의 부채 비율 추이 그래프
  - 민영화 기업: 2002년 이후 부채 비율이 감소하거나 소폭 상승하는 경향
  - 공기업: 2003년 이후 부채 비율이 지속적으로 증가
  - 2011년 기준으로 민영화 기업과 공기업의 부채 비율은 130% 이상 큰 폭으로 차이남

2 공기업의 적자 감수로 인한 문제점

- 공기업은 주로 국민 생활에 필수적인 부분을 관리 → 저렴한 가격에 공급하기 위해 공급 가격을 생산 원가보다 낮게 책정 → 자원의 낭비, 비효율적 자원 배분 발생

3 공기업의 독점적인 지위로 인한 문제점

- 특정 분야에서 독점적인 지위를 누리고 있는 공기업
- 경쟁이 존재하지 않기에 도덕적 해이, 효율성 저하 등과 같은 문제 발생

4 공기업 민영화의 필요성

공기업 민영화
↓
시장 경쟁과 이윤 추구
↓
제품이나 서비스의 질 향상
↓
국민들에게 혜택

✏ 지문 정보 확인　1 X　2 ○　3 ○

지문 Point 분석　주제: 공기업의 여러 가지 문제와 그 해결 방안으로서 민영화의 필요성

해제: 공기업의 부채 증가로 인한 국민들의 부담 가중에 대해 문제 의식을 드러내고 있는 글이다. 공기업은 국민 생활에 필수적인 부분을 관리하기 때문에 공급 가격을 낮추는 경우가 많고 이것은 결국 비효율적인 자원 배분을 발생시킨다. 그리고 대부분의 공기업은 독점적인 지위를 누리기 때문에 도덕적 해이, 효율성 저하 등과 같은 문제가 발생하게 된다. 이러한 문제들의 해법으로 공기업을 민영화함으로써 시장 경쟁과 이윤 추구에 의해 제품 및 서비스의 질을 향상시켜 국민들에게 그 혜택을 주자는 민영화 찬성 측의 주장을 제시하고 있다.

지문 구조 한눈에 보기

1 ▼ 세부 정보 파악　　　　　답 ③

윗글을 통해 해결할 수 있는 질문이 <u>아닌</u> 것은?

③ 공기업의 부채로 인한 세금 부담에 대한 국민들의 의견은 어떠한가?

⋯ 1문단에 따르면 공기업의 부채는 해마다 증가하고 있을 뿐만 아니라 자본 대비 부채 비율도 지속적으로 악화되고 있다. 이들 공기업의 높은 부채 비율은 적자로 이어지게 되고, 이것은 결국 공공요금의 인상 또는 국민의 세금 부담으로 떠넘겨지는 것이다. 하지만 세금 부담에 대한 국민들의 의견이 어떠한지는 이 글에서 언급하고 있지 않다.

➕ 오답 챙기기

① 공기업의 부채는 증가 추세에 있는가?

⋯ 1문단에서 공기업의 부채는 해마다 증가하고 있다고 하였으며, 제시된 그래프를 통해서도 이를 확인할 수 있다.

② 공기업의 민영화가 필요한 이유는 무엇인가?

⋯ 4문단에서 해당 영역에서 공기업의 경쟁력을 키우기 위해서는 경쟁 구도를 만들어 주고 공기업을 견제할 수 있는 장치를 마련하여 저렴한 가격과 양질의 서비스를 제공하게 해야 한다고 말하며, 그 해법으로 공기업의 민영화를 제안하고 있다. 민영화가 이루어지게 되면 시장 경쟁과 이윤 추구에 의해 제품이나 서비스의 질이 향상되어 국민들에게 혜택을 줄 수 있게 되기 때문이다.

④ 공기업이 특정 분야에서 독점적인 지위를 누리게 되는 이유는 무엇인가?

⋯ 3문단에서 공기업이 독점적인 지위를 누리는 이유로 초기 비용이 막대하게 들어가는 사회 간접 자본에 기업과 같은 민간 자본은 쉽게 진입하기 힘든 데 비해 공기업은 정부 자금으로 해당 분야의 시장을 먼저 점유할 수 있기 때문이라고 말하고 있다.

⑤ 공기업이 생산 원가보다 저렴한 가격에 공급 가격을 책정하는 이유는 무엇인가?

⋯ 2문단에서 공기업은 주로 국민 생활에 필수적인 부분을 관리하기 때문에 저렴한 가격에 공급하기 위해 공급 가격이 생산 원가보다 낮은 경우가 발생한다고 말하고 있다.

2 ▼ 매체 활용의 적절성 평가　　　　　답 ④

공기업 민영화 반대 측에서 〈보기〉를 활용하여 ㉠에 대해 반박*한다고 할 때, 가장 적절한 것은?

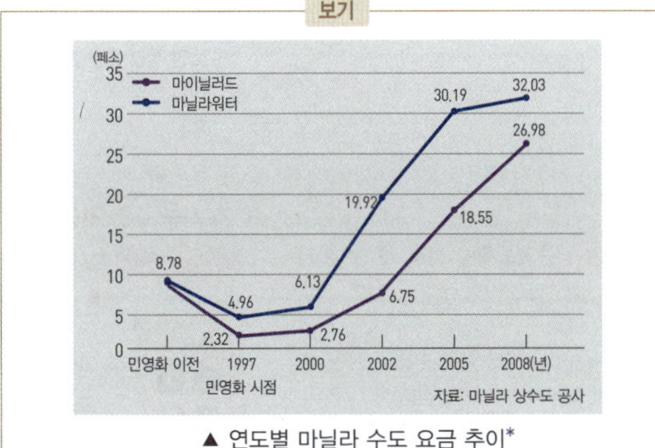

▲ 연도별 마닐라 수도 요금 추이*

1997년 마닐라 상하수도 공사를 공개 입찰*한 결과, 마이닐러드와 마닐라워터라는 민간 기업이 마닐라 시의 수도 공급을 양분하여 맡게 되었다.

④ 〈보기〉를 통해 마닐라의 수도 요금이 민영화를 기점*으로 급격하게 상승한 것을 알 수 있습니다. 우리나라도 공기업을 민영화한다면 결국 국민들이 비싼 요금을 지불해야 하는 결과를 가져올 것입니다.

⋯ <보기>의 그래프는 1997년 상하수도 공사를 민간 기업에 맡긴 이후로 마닐라의 수도 요금이 해마다 급격하게 상승했음을 보여 주고 있다. 사기업의 경우 이윤 추구가 중요하기 때문에 생산비 이하로 재화나 서비스를 판매하지 않기 때문이다. 따라서 민영화 찬성 측 주장에 대해 〈보기〉의 그래프를 통해 요금의 급격한 상승이 국민들에게 부담으로 작용할 수 있다는 점을 들어 반박할 수 있다.

➕ 오답 챙기기

① 〈보기〉를 통해 두 개의 민간 기업이 수도 공급을 맡아 수도 요금이 완만하게 상승했다는 것을 알 수 있습니다. 우리나라도 공기업을 민영화한다면 두 개 이상의 기업에 맡겨야 할 것입니다.

⋯ 〈보기〉의 그래프를 보면 두 개의 민간 기업이 수도 공급을 맡게 된 이후로 요금이 큰 폭으로 상승했다는 것을 알 수 있다. 수도 요금이 완만하게 상승했다는 진술은 적절하지 않다.

② 〈보기〉를 통해 마닐라의 수도 요금이 민영화를 기점으로 급격하게 상승한 것을 알 수 있습니다. 우리나라도 공기업을 민영화한다면 공기업의 부채가 늘어나 결국 국민이 그 부담을 떠안게 될 것입니다.

⋯ 공기업은 공급 가격을 낮게 책정하여 저렴한 가격으로 공급하기 때문에 적자를 감수하게 되는 것이다. 수도 요금이 상승하면 기업 측에서는 적자가 아닌 이윤을 보게 되고 부채는 줄어들 것이다.

③ 〈보기〉를 통해 마닐라의 수도 요금이 민영화와 직접적인 연관이 없다는 것을 알 수 있습니다. 우리나라도 공기업을 민영화한다면 결국 공기업의 독점적인 지위가 없어지므로 효율성이 저하될 것입니다.

⋯ 〈보기〉의 그래프를 통해 민간 기업이 수도 공급을 맡게 된 이후로 요금이 급격하게 상승하였음을 확인할 수 있다. 따라서 마닐라의 수도 요금이 민영화와 직접적인 연관이 없다는 진술은 적절하지 않다.

⑤ 〈보기〉를 통해 마닐라의 수도 요금이 해마다 하락하고 있다는 것을 알 수 있습니다. 우리나라도 공기업을 민영화한다면 공급 가격이 생산 원가보다 낮아져 결국 비효율적인 자원의 배분을 발생시킬 것입니다.

⋯ 〈보기〉의 그래프를 통해 마닐라의 수도 요금이 해마다 상승하고 있다는 것을 확인할 수 있다. 따라서 마닐라의 수도 요금이 해마다 하락하고 있다는 진술은 적절하지 않다.

어휘 충전

* **반박**(反 돌이킬 반 駁 얼룩말 박): 어떤 의견, 주장, 논설 따위에 반대하여 말함.

* **추이**(推 옮길 추 移 옮길 이): 일이나 형편이 시간의 경과에 따라 변하여 나감. 또는 그런 경향.

* **입찰**(入 들 입 札 패 찰): 상품의 매매나 도급 계약을 체결할 때 여러 희망자들에게 각자의 낙찰 희망 가격을 서면으로 제출하게 하는 일.

* **기점**(起 일어날 기 點 점찍을 점): 어떠한 것이 처음으로 일어나거나 시작되는 곳.

우리나라의 고령화 속도

출전 김진수, 『똑똑한 지리책 2』 **지문 난이도** ★★★★☆

(927자)

1 ▸ 우리나라의 출생률은 낮아졌지만, 소득이 증가하면서 생활 수준이 향상되고 보건 의료 기술이 발전함에 따라 평균 수명은 크게 늘어났다. 특히 <u>1988년부터 전 국민 의료 보험 제도가 실시</u>되면서 국민들의 건강 수준이 크게 향상되었다. <u>1960년대 우리나라의 평균 수명은 약 50세에 지나지 않았지만, 2010년에는 약 80세로 길어졌다.</u>

2 ▸ <u>전체 인구 가운데 65세 이상의 노인이 차지하는 비율을 고령화율이라고 한다.</u> 우리나라의 고령화율은 꾸준히 높아지고 있다. 2000년에는 노인 인구가 전체 인구의 7.2%를 차지하면서 고령화 사회에 들어섰고, 특히 농촌 지역은 65세 이상의 노인이 100명 중 15명일 정도로 고령화가 빠르게 진행되었다. 2017년 기준 우리나라의 고령화율은 14%에 도달했고, 일부 농촌 지역의 경우 고령화율이 30%를 넘어서기도 했다.

3 ▸ 2026년이 되면 우리나라는 65세 이상의 인구가 20%를 넘어서 초고령 사회로 접어든다고 한다. 놀라운 점은 우리나라의 고령화 수준이 2030년 즈음에는 선진국의 평균을 넘어선다는 것이다. 그만큼 고령화와 관련된 다양한 문제가 나타날 것이라고 짐작할 수 있다.

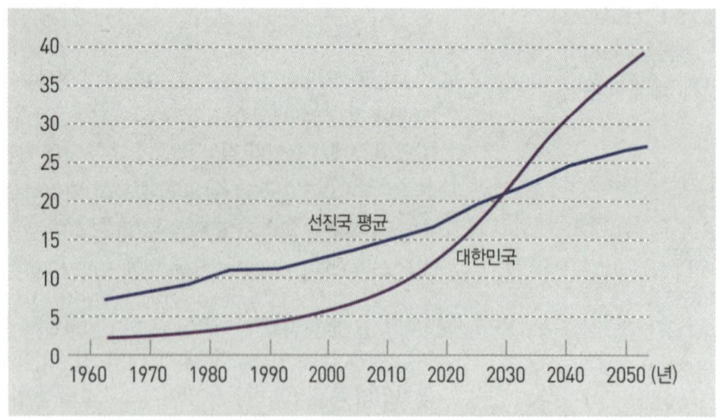

㉠ 대한민국과 선진국 평균 고령화율 비교

4 ▸ 고령화가 진행되면서 <u>일정한 소득이 없는 노인들은 빈곤과 질병, 외로움에 시달리고 있다.</u> 우리나라의 노인 빈곤율은 약 45% 정도인데, 이는 선진국에 비해 높은 수치이다. 노인들의 자살률이 빠르게 높아지는 이유도 이와 관련이 있다.

5 ▸ 노인 인구가 급속히 증가하는 과정에서 생산 가능 인구의 비중은 낮아지고 있다. 이렇게 노년 인구가 증가하고 청장년 인구가 감소하면 청장년층이 부담해야 할 개인적·사회적 비용이 증가한다. <u>정부는 고령화 사회에 대처하기 위해 노인 노동력을 활용할 만한 일자리를 늘리고, 노인들에게 취업 훈련을 받을 기회를 제공하기 위해 노력하고 있으며, 정년을 늦추는 기업도 많아지고 있다.</u>

지문 구조 해설

1 크게 늘어난 우리나라의 평균 수명
- 우리나라의 평균 수명이 크게 늘어나게 된 원인
- 50년 사이에 30세가량 늘어난 우리나라의 평균 수명

2 꾸준히 높아지고 있는 우리나라의 고령화율
- 고령화율의 개념
- 우리나라 고령화율 추세
  - 2000년: 고령화 사회 진입
  - 2017년: 고령화율 14%에 도달
  - 농촌 지역의 경우 더욱 빠르게 진행

3 선진국 평균을 넘어서게 될 우리나라 고령화 수준
- 2026년: 고령화율이 20%를 넘어 초고령 사회로 진입하게 됨
- 2030년: 우리나라 고령화 수준이 선진국 평균을 넘어설 것으로 예상

4 고령화 사회에서 노인들이 겪는 문제
- 일정한 소득이 없는 노인들은 빈곤과 질병, 외로움에 시달림
- 선진국에 비해 높은 우리나라 노인 빈곤율 → 노인들의 자살률이 빠르게 높아지는 이유

5 고령화 사회의 문제에 대한 대처 방안
- 노년 인구 증가, 청장년 인구 감소 → 청장년층이 부담해야 할 개인적·사회적 비용 증가
- 고령화 사회에 대한 정부의 대책
  - 노인 일자리 늘리기
  - 노인 취업 훈련 기회 제공
  - 기업 정년 늦추기

✏ 지문 정보 확인 1 X 2 ○ 3 ○

지문 Point 분석 주제: 우리나라 고령화의 추세와 특징

해제: 곧 초고령 사회로 접어들게 되는 우리나라의 고령화 추세와 특징에 대해 설명하고 있는 글이다. 우리나라는 생활 수준의 향상과 보건 의료 기술의 발달, 그리고 전 국민 의료 보험 제도 실시로 인해 평균 수명이 크게 길어지면서 고령화 사회로 진입하였다. 고령화가 빠르게 진행되면서 일정한 소득이 없는 노인들은 빈곤과 질병, 외로움 등 많은 어려움을 겪고 있다. 또한 청장년층이 부담해야 할 개인적·사회적 비용이 증가함에 따라 정부 차원의 다양한 대책 마련이 이루어지고 있다.

지문 구조 한눈에 보기

화제 제시 **1**
↓
우리나라 고령화율 추세
고령화 사회의 문제와 대처 방안

구체화 **2 3** / **4 5**

1 ▼ 세부 정보 파악   답 ②

윗글의 내용과 일치하지 <u>않는</u> 것은?

② 2017년을 기준으로 우리나라의 고령화 수준은 선진국의 평균*을 넘어섰다.

…› 3문단에 따르면 우리나라의 고령화 수준이 선진국의 평균을 넘어서게 되는 때는 2030년 즈음이다. 2문단에서 2017년 기준 우리나라의 고령화율은 14%에 도달했다고 하였으며, 이는 아직까지 선진국의 평균에는 미치지 못하는 수치이다.

➕ 오답 챙기기

① 1960년대에 비해 2010년 우리나라의 평균 수명*은 약 30년 정도 길어졌다.

…› 1문단에서 1960년대 우리나라의 평균 수명은 약 50세에 지나지 않았지만, 2010년에는 약 80세로 길어졌다고 하였으므로 1960년대에 비해 2010년에는 평균 수명이 약 30년 정도 길어졌다는 것을 알 수 있다.

③ 고령화율이란 전체 인구 가운데 65세 이상의 노인이 차지하는 비율*을 말한다.

…› 2문단에서 전체 인구 가운데 65세 이상의 노인이 차지하는 비율을 고령화율이라고 한다고 하였다.

④ 우리나라의 노인들은 빈곤 등의 이유로 자살을 선택하는 비율이 높아지고 있다.

…› 4문단에서 고령화 사회에 일정한 소득이 없는 노인들은 빈곤과 질병, 외로움에 시달리며, 우리나라의 노인 빈곤율은 약 45% 정도로 선진국보다 높은 수준이고 노인들의 자살률이 빠르게 증가하는 원인이 이와 관련이 있다고 말하고 있다.

⑤ 고령화 사회에 대처하기 위한 정부의 대책*은 노인 노동력의 활용과 연관이 있다.

…› 5문단에서 정부는 고령화 사회에 대처하기 위해 노인 노동력을 활용할 만한 일자리를 늘리고, 노인들에게 취업 훈련을 받을 기회를 제공하기 위해 노력하고 있으며, 정년을 늦추는 기업도 많아지고 있다고 말하고 있다. 이러한 노력들은 모두 노인 노동력의 활용과 연관이 있으며 노인들이 일자리를 얻게 되면 빈곤에서 벗어날 수 있기에 고령화 사회의 문제들을 해결할 수 있는 실마리가 될 수 있다.

어휘 충전

* **평균**(平 평평할 평 均 고를 균): 여러 수나 같은 종류의 양의 중간값을 갖는 수.
* **수명**(壽 목숨 수 命 목숨 명): 생물이 살아 있는 연한.
* **비율**(比 견줄 비 率 율 률): 다른 수나 양에 대한 어떤 수나 양의 비.
* **대책**(對 대답할 대 策 꾀 책): 어떤 일에 대처할 계획이나 수단.

2 ▼ 매체 활용의 적절성 평가   답 ⑤

㉠과 〈보기〉를 참고하여 고령화율에 대해 설명한 것으로 가장 적절한 것은?

보기

	미국	영국	프랑스	독일	대한민국	이탈리아	일본
2050년 전체 인구 중 65세 이상 인구 비율	20%	24%	27%	31%	38%	39%	39%

자료: 국제전략문제연구소(CSIS)

우리나라는 고령화율이 빠르게 증가하여 2030년 즈음에 선진국의 평균을 넘어설 전망이고, 2050년에는 일본 및 이탈리아와 함께 세계 최고령 국가가 될 것이다.

⑤ 2030년 이후 우리나라의 고령화율은 선진국의 평균을 넘어서고 그 격차가 점점 벌어질 것으로 예상된다.

…› ㉠을 보면 2030년을 기점으로 우리나라 고령화율이 선진국의 평균을 넘어서게 되고, 그 이후로 그 격차가 점점 벌어지게 된다는 것을 알 수 있다.

➕ 오답 챙기기

① 선진국의 고령화율 평균은 1960년대 이후로 점점 낮아지고 있다.

…› ㉠을 보면 선진국의 고령화율 평균은 1960년대 이후로 계속 증가한다는 것을 알 수 있다. 다만 우리나라와 비교했을 때 증가율이 상대적으로 작다는 것을 그래프를 통해 확인할 수 있다.

② 미국의 경우 우리나라보다 고령화율이 가파르게 증가할 것으로 예상된다.

…› ㉠에 나타난 선진국의 고령화율 평균과 〈보기〉의 표에 나타난 미국의 2050년 노인 인구 비율을 고려했을 때 미국이 우리나라보다 고령화율이 가파르게 증가할 것이라는 예상은 적절하지 않다.

③ 2050년에 우리나라의 노년 인구는 청장년 인구보다 많아질 것으로 예상된다.

…› 〈보기〉의 표에서 2050년 우리나라의 노인 인구 비율은 대부분의 선진국들에 비해 높을 것으로 예상할 수 있지만, 수치가 38%이기 때문에 청장년 인구보다 많아질 것이라는 예상은 적절하지 않다.

④ 2050년에 우리나라는 세계에서 고령화율이 가장 높은 국가가 될 것으로 예상된다.

…› 〈보기〉의 표에서 일본, 이탈리아의 경우 우리나라보다 고령화율이 더 높게 예상됨을 확인할 수 있다. 따라서 2050년에 우리나라가 세계에서 고령화율이 가장 높은 국가가 될 것이라는 예상은 적절하지 않다.

STUDY 17 어휘 확인

1 ©	2 ②	3 ㉠	4 ㉣	5 ㉡
6 ㉡	7 ②	8 ㉤	9 ㉠	10 ©
11 해이	12 소득	13 대행	14 비중	15 부채

거짓 결핵 백신 연구

출전 하인리히 창클, 『과학의 사기꾼』 | 지문 난이도 ★★★☆☆

(1,153자)

거북으로 결핵을 고친다?
의사 프리드만의 거짓 결핵 치료법

1 » 결핵은 결핵균이 몸속에 들어온 뒤 인체의 저항력이 약해져 발생하는 질병으로, 결핵에 걸리면 기운이 없고 쉽게 피로를 느끼며, 체중이 감소하는 등의 증상이 나타나게 된다. 결핵은 오랫동안 의학적으로 손을 쓸 수 없는 질병이었다. 그러나 신체 저항력이 결핵균을 차단하고 질병의 경과를 자발적으로 정지시키는 경우가 적지 않게 발생했다. 그렇기 때문에 수많은 돌팔이 의사나 의학 사기꾼들이 결핵 치료약을 발견했다고 주장한 것은 그리 놀랄 일이 아니었다.

2 » 수완이 뛰어난 의사 프리드리히 프리드만이 바로 그들 중 한 명이었다. 1902년 베를린 동물원의 한 경비가 결핵으로 죽은 거북을 건넨 일은 프리드만에게 최고의 기회를 마련해 주었다. 그는 결핵에 걸린 거북에서 박테리아를 추출하여 그것으로 결핵 치료 혈청을 만들 수 있을 것이라고 생각했다. 그가 기니피그에게 결핵 면역성을 부여했다고 주장하자 제약 회사 휙스트에서 그의 혈청에 관심을 보였다. 그러나 휙스트는 얼마 지나지 않아 프리드만과의 합동 연구를 종결시켰다.

3 » 하지만 프리드만은 거북에서 추출한 백신의 효과를 계속해서 세간에 퍼뜨렸다. 당시 독일 정부는 프랑스의 루이 파스퇴르가 결핵 백신을 먼저 발견하여 독일의 국가적 자존심에 심한 타격을 입힐까 봐 노심초사한 나머지 프리드만의 거북 백신에 대한 정통 의학계의 의혹을 모두 무시한 채 프리드만을 베를린 대학의 결핵 연구 및 퇴치 교수로 임명하였다.

4 » 여전히 프리드만의 치료법이 지닌 효과가 논란의 여지가 많았음에도 불구하고 그의 치료법을 옹호하는 의사들이 속속 출현했다. 특히 의학 교수 프리드리히 크라우스는 프리드만의 백신 연구를 열린 마음으로 대했고, 여러 차례에 걸쳐 자신의 환자들에게 나타난 사례들을 그에게 제공하기도 했다. 프리드만은 이러한 지지를 바탕으로 정통 의학계의 수많은 비판에 맞서 자신의 주장을 펼쳐 나갔다.

5 » 시간이 흐르면서 프리드만이 거북에서 추출한 균은 결핵균이 아닌 다른 균이었음이 밝혀졌다. 당연히 그의 백신은 효력이 전혀 없었을 것이며, 가끔씩 실제로 치료 효과가 나타난 것은 아마도 자연적 치유에 기인했을 것이다. 이처럼 우리가 흔히 '과학적'이라고 생각하는 많은 일들이 지극히 '비과학적'일 수 있다는 생각을 바탕으로 의문을 제기하고 비판적으로 현상을 바라보려는 노력이 필요하다.

---

1 결핵의 개념과 증상
- 결핵의 개념: 결핵균으로 인해 인체의 저항력이 약해져 발생하는 질병
- 결핵의 증상: 기운이 없고 쉽게 피로를 느끼며, 체중이 감소함
- 결핵은 자연적 치유가 이루어지기도 함

2 프리드만이 개발한 결핵 치료 혈청
- 프리드만이 개발한 결핵 치료 혈청의 원리

> 결핵에 걸린 거북에서 박테리아 추출
> ↓
> 결핵 치료 혈청 개발

3 프리드만의 결핵 백신 연구를 지원한 독일 정부
- 정통 의학계의 반대에도 불구하고 프리드만을 지원한 독일 정부의 입장: 국가적 자존심을 지키기 위함

4 자신의 주장을 펼쳐 나간 프리드만
- 프리드만이 결핵 치료 혈청에 대한 자신의 주장을 계속 펼칠 수 있었던 이유: 프리드리히 크라우스와 같은 의사들의 지지가 있었기 때문

5 프리드만 혈청의 문제점과 비판적 시각으로 바라봐야 하는 과학
- 프리드만이 개발한 결핵 치료 혈청의 문제점
- 프리드만의 결핵 치료 혈청이 효과가 있는 것처럼 보인 이유
- 글쓴이의 주장: 흔히 '과학적'이라고 생각하는 일들에 의문을 제기하고 비판적으로 현상을 바라보려는 노력이 필요함

✎ 지문 정보 확인 1○ 2✕ 3✕

지문 구조 한눈에 보기

화제 제시 **1**

구체화 **2 3 4**	프리드만이 개발한 결핵 치료 혈청
	프리드만을 지원한 독일 정부
	다른 의사들의 지지를 받은 프리드만

주장 제시 **5**

🧠 지문 Point 분석 **주제: 프리드만의 거짓 결핵 백신 연구**

해제: 프리드만의 거짓 결핵 치료법을 통해 우리가 흔히 과학적이라고 생각하는 현상들에 대해 비판적인 시각을 가져야 함을 주장하고 있는 기사문이다. 결핵으로 죽은 거북에서 결핵 치료 백신을 만들었다고 주장한 프리드만은 정통 의학계의 의혹 제기에도 불구하고 독일 정부의 지원과 그의 치료법을 옹호하는 의사들의 지지로 자신의 주장을 펼쳐 나갔다. 그러나 그의 백신은 결핵균이 아닌 다른 균에서 추출한 것으로 효력이 없었던 것으로서 밝혀졌다. 이를 통해 글쓴이는 우리가 '과학적'이라고 인식하는 일들에 의문을 제기하고 비판적으로 현상을 바라보려는 노력이 필요하다는 주장을 제시하고 있다.

1　▼ 반응의 적절성 평가　　　　　　　답 ⑤

〈보기〉에서 윗글을 읽은 학생들의 반응*으로 적절하지 <u>않은</u> 것을 모두 고르면?

⑤ ㄹ, ㅁ

ㄹ 독일 정부가 왜 프리드만을 지원*했는지에 대한 설명이 있었으면 더 좋았겠다는 생각이 들었어.

⋯ 3문단에 독일 정부는 프랑스의 파스퇴르가 결핵 백신을 먼저 발견해 독일의 국가적 자존심에 심한 타격을 입힐까 봐 염려하여 프리드만을 지원했음이 제시되어 있다. 따라서 이에 대한 설명이 필요하다는 반응은 적절하지 않다.

ㅁ 프리드만이 정통 의학계의 비판에도 자신의 주장을 펼쳐 나갈 수 있었던 이유를 검색*해 봐야겠어.

⋯ 4문단에 프리드리히 크라우스처럼 프리드만의 치료법을 옹호하는 의사들의 지지를 바탕으로 프리드만이 자신의 주장을 펼쳐 나갔음이 언급되어 있다. 따라서 이를 검색해 보겠다는 반응은 적절하지 않다.

➕ 오답 챙기기

① ㄱ, ㄷ / ② ㄱ, ㅁ / ③ ㄴ, ㄷ / ④ ㄷ, ㄹ

ㄱ 20세기 초반까지 왜 결핵을 치료하지 못했는지 조사해 봐야겠어.

⋯ 1문단에 오랫동안 의학적으로 결핵을 치료하는 방법이 없었음이 언급되어 있다. 따라서 이에 대해 조사해 보겠다는 반응은 적절하다.

ㄴ 획스트가 프리드만과의 합동* 연구를 그만둔 이유가 무엇인지 찾아봐야겠어.

⋯ 2문단에 획스트가 프리드만과의 합동 연구를 종결시켰다는 언급은 있지만, 그 이유에 대해서는 제시되어 있지 않다. 따라서 이에 대해 찾아보겠다는 반응은 적절하다.

ㄷ 결핵이 어떤 병인지 몰랐는데, 그 개념과 증상을 먼저 설명해 주어 도움이 되었어.

⋯ 1문단에 결핵은 무엇이며 어떤 증상을 동반하는 질병인지가 설명되어 있다. 따라서 이를 긍정적으로 평가하는 반응은 적절하다.

> **어휘 충전**
> * **반응**(反 돌이킬 반 應 응할 응): 자극에 대응하여 어떤 현상이 일어남. 또는 그 현상.
> * **지원**(支 지탱할 지 援 도울 원): 지지하여 도움.
> * **검색**(檢 검사할 검 索 찾을 색): 책이나 컴퓨터에서, 목적에 따라 필요한 자료들을 찾아내는 일.
> * **합동**(合 합할 합 同 같을 동): 둘 이상의 조직이나 개인이 모여 행동이나 일을 함께함.

2　▼ 글의 구조 파악　　　　　　　답 ③

〈보기〉를 바탕으로 윗글을 분석*한 내용으로 적절하지 <u>않은</u> 것은?

> **보기**
>
> 기사문은 보고 들은 사실을 전달하는 글로서 '표제, 부제, 전문, 본문'으로 구성된다. 표제는 기사 내용 전체를 간결하게 나타내는 제목이고, 부제는 기사 내용을 구체적으로 알리는 작은 제목이며, 전문은 기사 내용을 요약적으로 제시한 부분이고, 본문은 기사의 구체적인 내용을 서술한 부분이다. 기사문은 취재 대상을 결정하고 거기에 맞는 자료를 수집하고 취재한 후, 이를 토대로 작성된다. 기사문을 작성할 때는 육하원칙(누가, 언제, 어디서, 무엇을, 어떻게, 왜)에 의거해야 한다.

③ 이 글의 '전문'은 글의 첫머리에서 이 기사의 내용을 요약적으로 제시하고 있다.

⋯ 이 글은 기사문의 형태를 띠고 있지만, 첫머리에 기사 내용 전체를 요약적으로 제시하는 전문이 존재하지는 않는다. 글의 첫머리에서는 핵심 소재인 '결핵'의 개념과 증상을 설명하고 있을 뿐이다.

➕ 오답 챙기기

① 이 글의 '표제'는 의문문의 형식을 활용하여 이 기사의 취지*와 의도*를 드러내고 있다.

⋯ 이 글의 표제는 '거북으로 결핵을 고친다?'로, 의문문의 형식을 활용하여 '과학적'이라고 불리는 현상에 대해 비판적 시각을 가져야 한다는 기사의 취지와 의도를 드러내고 있다.

② 이 글의 '부제'는 표제의 내용을 보완*하여 이 기사가 프리드만의 결핵 치료법에 대해 다루고 있음을 알려 주고 있다.

⋯ 이 글의 부제는 '의사 프리드만의 거짓 결핵 치료법'으로, 표제의 내용을 보완하여 이 기사가 프리드만의 거짓 결핵 치료법을 다루고 있음을 드러내고 있다.

④ 이 글의 '본문'은 프리드만이 처음에 결핵 치료 혈청을 만들게 된 계기*를 제시하고 있다.

⋯ 본문에 해당하는 2문단에 프리드만이 우연히 결핵으로 죽은 거북을 얻게 되면서 결핵 치료 혈청을 만들 수 있을 것이라고 생각하게 된 내용이 제시되어 있다.

⑤ 이 글의 '본문'은 프리드만의 백신이 왜 효력이 있는 것처럼 보였는지에 대한 내용을 담고 있다.

⋯ 본문에 해당하는 5문단에 프리드만의 백신이 결핵균이 아닌 다른 균에서 추출했음에도 효과가 있는 것처럼 보였던 이유는 자연적 치유에 기인했을 것이라는 내용이 제시되어 있다.

> **어휘 충전**
> * **분석**(分 나눌 분 析 가를 석): 얽혀 있거나 복잡한 것을 풀어서 개별적인 요소나 성질로 나눔.
> * **취지**(趣 뜻 취 旨 뜻 지): 어떤 일의 근본이 되는 목적이나 긴요한 뜻.
> * **의도**(意 뜻 의 圖 그림 도): 무엇을 하고자 하는 생각이나 계획. 또는 무엇을 하려고 꾀함.
> * **보완**(補 기울 보 完 완전할 완): 모자라거나 부족한 것을 보충하여 완전하게 함.
> * **계기**(契 맺을 계 機 틀 기): 어떤 일이 일어나거나 변화하도록 만드는 결정적인 원인이나 기회.

스마트 그리드의 특징

출전 한국 과학 기술 기획 평가원, 『과학 기술 신직업』　**지문 난이도** ★★★★☆

(1,242자)

1 » ㉠스마트 그리드(Smart Grid)는 기존 전력망에 ICT(Information and Communications Technologies) 기술을 접목하여 전력 공급자와 소비자가 양방향으로 실시간 정보를 교환함으로써 에너지 효율을 극대화하는 차세대 지능형 전력망이다.

2 » 과학 기술의 발달과 정보화 사회의 도래는 에너지 소비가 급증하는 결과를 낳았다. 세계 각국은 화석 연료 고갈에 따른 에너지 부족을 해결하기 위해 대체 에너지원을 개발하는 한편, 전자 기기들을 전력 소모가 적도록 설계해서 에너지 사용량을 낮추려는 노력을 해 왔다. 그리고 기존 에너지 사용망에 신기술을 융합하여 에너지 효율을 높이는 방법을 연구하기 시작했다. 특히, 최근 몇 년간 대규모 정전 사태인 블랙아웃이 세계 각국에서 발생해 피해 사례가 속출하자, 기존 에너지 자원을 보다 효율적으로 활용하여 전력난을 극복하려는 연구가 진행되면서 스마트 그리드가 등장하게 되었다.

3 » '발전 – 송전 – 배전 – 판매'의 단계로 이루어진 ㉡기존 전력망은 양방향이 아닌 일방향적인 방식으로 소비자에게 제공되었다. 이에 반해 스마트 그리드는 ICT 기술을 적용하여 전력 공급자와 소비자를 네트워크로 연결함으로써 서로에게 필요한 정보를 실시간으로 주고받을 수 있게 했다.

4 » 전력 공급자는 스마트 그리드를 통해 전력 사용 현황을 실시간으로 파악하여 공급량을 탄력적으로 조절할 수 있다. 전력 공급이 자동 조정 시스템으로 움직이기 때문에 고장이 날 요인들을 미리 감지해서 정전을 최소화하는 것도 가능하다. 기존 전력 시스템과 달리 스마트 그리드는 전력 공급자와 소비자가 직접 연결되는 분산형 전원 체제이기 때문에 풍량과 일조량에 따라 전력 생산이 불규칙한 신재생 에너지를 보다 효율적으로 사용할 수 있도록 한다.

5 » 전력 소비자 역시 스마트 그리드를 통해 전력 사용 현황을 실시간으로 체크하여 요금이 비싼 시간대에는 전기 사용을 자제하고, 요금이 싼 시간대에 효율적으로 이용함으로써 스스로 전기 사용 시간과 그에 따른 전기 요금을 조절할 수 있다. 뿐만 아니라 태양광을 이용해 가정에서 전기를 생산한다면, 생산한 전기를 판매할 수도 있다.

6 » 우리나라의 에너지 수입 의존도는 97%로 매우 높은 수준이다. 그러나 에너지 비용, 그중에서도 특히 전기 요금은 일본의 1/3, 독일의 1/2 수준에 불과하다. 전기 사용료는 낮은데 편의성은 높다 보니 전력 소비가 매년 10% 이상 증가 추세를 보이고 있고, 이에 따라 에너지 효율을 높일 수 있는 스마트 그리드 기술이 더욱 주목받고 있다.

지문 구조 해설

1 스마트 그리드의 개념
- 스마트 그리드의 개념: ICT 기술을 접목하여 전력 공급자와 소비자가 양방향으로 실시간 정보를 교환하는 차세대 지능형 전력망

2 스마트 그리드의 등장 배경
- 에너지 부족을 해결하기 위한 노력
  - 대체 에너지원 개발
  - 전력 소모가 적도록 전자 기기 설계
  - 신기술을 융합하여 에너지 효율 증대
- 스마트 그리드의 등장 배경

3 기존 전력망과 스마트 그리드의 차이점
- 기존 전력망과 스마트 그리드의 차이점

기존 전력망	⇔	스마트 그리드
일방향적인 방식		양방향 정보 교환

4 스마트 그리드의 장점 – 전력 공급자 입장
- 전력 공급자 입장에서 스마트 그리드의 장점
  - 전력 공급량을 탄력적으로 조절할 수 있음
  - 고장 요인을 미리 감지해 정전을 최소화할 수 있음
  - 신재생 에너지를 효율적으로 사용할 수 있음

5 스마트 그리드의 장점 – 전력 소비자 입장
- 전력 소비자 입장에서 스마트 그리드의 장점
  - 전기 사용 시간 및 요금을 조절할 수 있음
  - 태양광을 이용해 전기를 생산하여 판매할 수 있음

6 우리나라의 에너지 사용 현황과 스마트 그리드의 의의
- 우리나라 에너지 사용 현황: 전력 소비가 매년 증가 추세
- 스마트 그리드의 의의

장점

의의

지문 정보 확인　1 ○　2 ✕　3 ○

지문 Point 분석　주제: 스마트 그리드의 특징

해제: 차세대 지능형 전력망인 스마트 그리드에 대해 설명하고 있는 글이다. 일방향적인 방식으로 공급이 이루어지는 기존 전력망과 달리 스마트 그리드는 ICT 기술을 적용하여 전력 공급자가 소비자와 실시간으로 정보를 교환하여 에너지를 공급하는 방식이다. 전력 공급자의 입장에서는 공급량을 탄력적으로 조절할 수 있고, 정전을 최소화할 수 있으며, 신재생 에너지를 보다 효율적으로 사용할 수 있게 한다는 장점이 있다. 소비자의 입장에서는 전기 사용 시간과 요금을 조절할 수 있고 전기를 생산하여 판매할 수도 있다는 장점이 있다. 우리나라는 매년 전력 소비가 증가하고 있는 추세이기 때문에 스마트 그리드 기술이 더욱 주목받고 있다.

지문 구조 한눈에 보기

화제 제시 **1**

↓

구체화 **2 3 4 5** — 스마트 그리드의 등장 배경, 특징, 장점

↓

문제 상황 및 의의 **6**

1 ▼ 세부 정보 파악　　　　　답 ④

㉠과 ㉡에 대한 설명으로 적절한 것은?

④ ㉠과 ㉡과 달리 전력 공급자와 소비자 간의 양방향 정보 교환이 가능하다.

··· 3문단에서 기존 전력망(㉡)은 양방향이 아닌 일방향적인 방식으로 소비자에게 전력을 제공하지만, 스마트 그리드(㉠)는 전력 공급자와 소비자를 네트워크로 연결함으로써 서로에게 필요한 정보를 실시간으로 주고 받을 수 있게 한다고 언급하고 있다.

➕ 오답 챙기기

① ㉠은 전력을 생산하는 주체가 고정되어 있다.

··· 5문단에서 스마트 그리드의 경우 전력 소비자가 태양광을 이용해 가정에서 전기를 생산, 판매할 수도 있다고 하였다. 따라서 전력을 생산하는 주체가 고정되어 있다고 볼 수 없다.

② ㉡은 상황에 따라 전력 공급량을 탄력적으로 조절할 수 있다.

··· 4문단에 따르면 상황에 따라 전력 공급량을 탄력적으로 조절할 수 있는 것은 기존 전력망이 아닌 스마트 그리드이다.

③ ㉠과 ㉡은 모두 신재생 에너지를 보다 효율적으로 사용할 수 있게 한다.

··· 4문단에서 스마트 그리드는 기존 전력 시스템과는 달리 분산형 전원 체제이기 때문에 전력 생산이 불규칙한 신재생 에너지를 보다 효율적으로 사용할 수 있도록 한다고 하였다.

⑤ ㉡은 ㉠과 달리 전력 공급이 자동으로 조정되어 블랙아웃을 예방할 수 있다.

··· 2문단에서 대규모 정전 사태인 블랙아웃과 같은 피해 사례를 줄이기 위해 스마트 그리드가 등장했음을, 4문단에서 전력 공급이 자동적으로 조정되는 것은 스마트 그리드의 특징임을 확인할 수 있다.

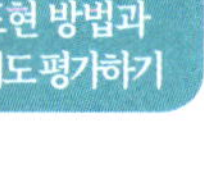

2 ▼ 핵심 정보 추론　　　　　답 ②

〈보기〉는 윗글을 활용하여 '스마트 그리드'에 대한 발표를 하려는 학생들이 추가로 조사한 자료이다. 〈보기〉를 활용하는 방안으로 적절하지 <u>않은</u> 것은?

보기

ⓐ 스마트미터 등 관련 인프라*를 구축하는 데 높은 기술 수준과 많은 비용이 요구된다.

ⓑ 전력 공급자와 소비자가 네트워크로 연결되기 때문에 외부 해킹 등 보안* 문제가 발생할 수 있다.

ⓒ 전기 요금이 비싼 낮 시간보다는 상대적으로 저렴한 밤 시간에 세탁기를 돌려 전기 요금을 스스로 조절할 수 있다.

ⓓ 플라이휠은 마찰이 최소화된 거대한 금속 바퀴로서 바람이나 햇볕이 풍부할 때 생산한 전기로 회전하고, 바람이나 햇볕이 없더라도 관성 때문에 돌던 힘을 유지해 지속적으로 전기를 만들게 된다.

ⓔ 여름철 한낮에 전기 요금을 비싸게 올려도 전기 사용량이 떨어지지 않는다면, 전력 공급자가 가정의 에어컨 조작 버튼을 통제하여 강제로 에어컨 온도를 높이는 등의 비상 조치를 취할 수 있다.

---

② 분산형 전원 체제인 스마트 그리드를 통해 보안을 강화할 수 있다는 근거로 ⓑ를 활용할 수 있겠군.

··· ⓑ는 전력 공급자와 소비자가 네트워크로 연결되는 경우 외부 해킹의 문제가 발생할 수 있다고 언급하고 있다. 이는 스마트 그리드로 인해 발생할 수 있는 문제 상황의 근거로 활용할 수 있지, 스마트 그리드를 통해 보안을 강화할 수 있다는 근거로 활용하기는 어렵다.

➕ 오답 챙기기

① 스마트 그리드를 구축하기 위해서는 기술적 보완*과 재정적 지원이 필요하다는 근거로 ⓐ를 활용할 수 있겠군.

··· 스마트 그리드에 필요한 스마트미터 등의 인프라를 구축하는 데 높은 기술과 많은 비용이 요구되기 때문에 이에 대한 지원이 필요하다는 근거로 ⓐ를 활용할 수 있다.

③ 전력 소비자가 스마트 그리드를 통해 전기 요금을 효율적으로 관리할 수 있다는 근거로 ⓒ를 활용할 수 있겠군.

··· 세탁기를 밤 시간에 돌리는 경우 상대적으로 저렴한 요금이 발생하게 되므로 전력 소비자가 전기 요금을 효율적으로 관리할 수 있다는 근거로 ⓒ를 활용할 수 있다.

④ 플라이휠을 시각 자료로 제시하여 신재생 에너지를 이용한 전력 생산을 안정화*하여 스마트 그리드의 효용을 극대화할 수 있다는 근거로 ⓓ를 활용할 수 있겠군.

··· 4문단에서 신재생 에너지의 경우 생산이 불규칙하다고 하였으므로, 바람이나 햇볕을 이용하여 지속적으로 전기를 생산할 수 있는 플라이휠을 이용하여 신재생 에너지를 안정적으로 생산하고 이를 바탕으로 스마트 그리드의 효용을 극대화할 수 있다는 근거로 ⓓ를 활용할 수 있다.

⑤ 기존 에너지 자원을 보다 효율적으로 활용하여 대규모 정전 사태를 예방할 수 있다는 근거로 ⓔ를 활용할 수 있겠군.

··· ⓔ에 제시된 전력 공급자의 비상 조치를 통해 과도한 전력 소비를 막을 수 있으므로, 대규모 정전 사태를 사전에 예방할 수 있다는 근거로 ⓔ를 활용할 수 있다.

어휘 충전

* 인프라: 생산이나 생활의 기반을 형성하는 중요한 구조물.
* 보안(保 보전할 보 安 편안할 안): 안전을 유지함.
* 보완(補 기울 보 完 완전할 완): 모자라거나 부족한 것을 보충하여 완전하게 함.
* 안정화(安 편안할 안 定 정할 정 化 될 화): 바뀌어 달라지지 아니하고 일정한 상태를 유지해 감.

STUDY **18** 어휘 확인

1 ㉣	2 ㉠	3 ㉢	4 ㉒	5 ㉡
6 ㉤	7 ㉣	8 ㉒	9 ㉠	10 ㉡
11 임명	12 수완	13 실시간	14 탄력적	15 접목

맹자의 사상

출전 김경일, 『청소년을 위한 이야기 동양 사상』　**지문 난이도** ★★★★☆

(1,214자)

1 ≫ 맹자는 공자에 이어 유가 사상을 완성한 인물이다. 그는 공자가 죽고 나서 약 100년 후에 공자가 태어난 곳과 멀지 않은 곳에서 태어났는데, 당시 그 지역에는 공자의 사상을 전파하려는 사람들이 많았다. 맹자 역시 공자의 제자인 자사를 스승으로 만나 자연스럽게 공자의 사상을 접하게 되었다. 맹자는 기본적으로 공자의 '인'과 '의' 사상을 이어받았으나, 그 내용을 들여다보면 공자의 주장과는 강조하는 바가 다르기도 하였다.

2 ≫ 먼저 맹자는 '의'를 강조하였다. 그는 공자와 달리 어진 마음만으로는 사회가 평화로워지기 힘들다고 생각하였다. 사람들 모두가 옳다고 생각하는 가치인 '의', 즉 상식이 통해야 사회가 평화로워진다고 보았다. 그리고 상식에 기초한 법률과 제도들이 잘 정비되어야 모두가 평화로워질 수 있다고 생각하였다.

3 ≫ 또한 맹자는 사람은 본래 선하게 태어난다고 주장하였는데, 이러한 주장을 성선설이라고 한다. 이 주장 때문에 사람들은 인간의 본성이 선한지 악한지에 대한 토론을 벌이게 된다. '성'은 사람의 마음과 성품을 뜻한다. '성'이라는 글자는 '마음 심'과 '날 생' 자로 구성되어 있다. 따라서 사람이 태어나면서부터 지니게 된 마음이라는 뜻이 자연스럽게 형성된다. 그러므로 성선설은 '인간이 태어나면서부터 지니게 된 성품은 선하다'는 것을 설명하는 단어인 것이다. 맹자는 우물에 빠지는 아이의 비유를 통해 성선설을 주장한다. 어린아이가 우물에 막 빠지려는 것을 본다면 모두 깜짝 놀라고 걱정하는 마음이 생긴다는 것이다. 그러한 마음이 없다면 사람이 아니라고 본다.

4 ≫ 맹자는 사람의 본성은 선하다고 주장하면서, 사람의 마음속에는 '인', '의', '예', '지'의 네 가지 특성이 들어 있다고 하였다. 그리고 이 네 가지 특성을 통해 사람은 본래 선하다는 것을 증명할 수 있다고 주장하였다. 우선 '인'은 공자로부터 이어지는 것으로, 사람과의 원만한 관계를 말하는 '어질 인'을 의미한다. 맹자는 특히 '인'은 다른 사람의 불행을 측은하게 여기게 되는 마음의 근원이라고 설명한다. '의'는 '옳을 의'로, 앞서 언급한 것처럼 사회에서 통용되는 상식이다. 또 잘못했을 때 부끄러움을 느끼게 되는 마음의 근원이 된다. '예'는 예의범절을 뜻하는 것으로, 다른 사람에게 사양하고 양보하고 싶은 마음이 비롯되는 근원이다. '지'는 '지혜 지'로, 옳고 그른 것을 판단하는 마음의 근원이다. 사람의 마음속에 존재한다고 맹자가 생각한 이 네 가지 마음을 '사단'이라고 한다.

성선설

사단

---

1 맹자에 대한 소개와 공자와의 비교
- 맹자에 대한 소개
- 맹자가 공자의 사상을 접하게 된 배경
  - 맹자가 태어난 지역에 공자의 사상을 전파하려는 사람들이 많았음
  - 공자의 제자인 자사를 스승으로 만나게 됨
- 맹자와 공자의 비교

2 맹자가 생각한 평화로운 사회를 만드는 방법
- 공자의 사상과의 차이점: 어진 마음만으로는 사회가 평화로워지기 힘들다고 생각함
- 맹자가 생각한 평화로운 사회의 요건: 상식이 통하는 사회, 상식에 기초한 법률과 제도들이 잘 정비된 사회

3 맹자가 주장한 성선설의 개념
- 성선설의 개념: 사람은 본래 선하게 태어난다는 주장
- 맹자가 주장하는 '성'의 개념
- 맹자가 성선설을 주장하는 근거: 우물에 빠지는 아이의 비유

4 사람의 마음속 선한 본성 네 가지와 사단의 개념
- 사람의 마음속에 들어 있는 선한 본성 네 가지: 인, 의, 예, 지
- '인'의 개념: 다른 사람의 불행을 측은히 여기게 되는 마음의 근원
- '의'의 개념: 잘못했을 때 부끄러움을 느끼게 되는 마음의 근원
- '예'의 개념: 사양, 양보의 마음이 비롯되는 근원
- '지'의 개념: 옳고 그른 것을 판단하는 마음의 근원
- '사단'의 개념: 사람의 마음속에 존재한다고 맹자가 생각한 네 가지 마음

✎ **지문 정보 확인** 1○ 2○ 3✕

지문 Point 분석　주제: 맹자의 성선설과 사단의 개념

해제: 맹자의 주요 사상을 설명하고 있는 글이다. 맹자는 공자의 사상을 이어받아 발전시켰으나, 공자의 사상과 다른 부분도 있다. '인'보다는 '의'를 강조하는 점이 그러하다. 또한 맹자는 사람이 선한 본성을 타고났다는 성선설을 주장하였으며, 이에 대한 근거로 사람의 마음속에 '인, 의, 예, 지'라는 네 가지 특성이 존재한다고 보았다. 이를 '사단'이라고 부른다.

지문 구조 한눈에 보기

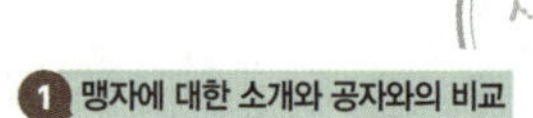

화제 제시 **1**	
구체화 **2** **3**	평화로는 사회를 만드는 방법 / 성선설의 개념
4	인, 의, 예, 지에 대한 소개 및 사단의 개념

1 ▼ 세부 정보 파악　답 ⑤

윗글의 내용과 일치하지 <u>않는</u> 것은?

⑤ 맹자는 공자와 마찬가지로 어진 마음만으로 세상이 평화로워질 수 있다고 보았다.

… 1문단에서 맹자는 공자의 '인'과 '의' 사상을 이어받았다고 하였다. 그러나 2문단을 보면 맹자는 공자와 달리 어진 마음만으로는 사회가 평화로워지기 힘들다고 생각하여 '의'를 강조했다고 밝히고 있다. 따라서 맹자가 공자와 마찬가지로 어진 마음만으로 세상이 평화로워질 수 있다고 보았다는 진술은 적절하지 않다.

➕ 오답 챙기기

① '성'이란 사람이 태어나면서부터 지니게 된 마음과 성품을 가리킨다.

… 3문단에서 '성'은 사람의 마음과 성품을 뜻하며, 사람이 태어나면서부터 지니게 된 마음을 뜻한다고 설명하고 있다.

② 맹자는 공자의 유가 사상을 이어받아 이를 더욱 발전시킨 인물이다.

… 1문단에서 맹자는 공자에 이어 유가 사상을 완성한 인물이라고 설명하고 있다.

③ 맹자는 사람의 마음속에는 네 가지 선한 특성이 들어 있다고 주장하였다.

… 4문단에서 맹자는 사람의 본성은 선하다고 주장하면서, 사람의 마음속에는 '인', '의', '예', '지'의 네 가지 특성이 들어 있다고 하였다. 또한 이 네 가지 특성을 통해 사람은 본래 선하다는 것을 증명할 수 있다고 주장하였으므로, 적절한 진술이라고 할 수 있다.

④ 맹자가 말하는 '지'는 세상 일의 옳고 그름을 판단할 수 있는 근거가 된다.

… 4문단에서 '지'는 옳고 그른 것을 판단하는 마음의 근원이라고 밝히고 있다.

2 ▼ 글의 관점 비교　답 ④

〈보기〉와 윗글의 '맹자'의 생각을 비교한 내용으로 가장 적절한 것은?

> **보기**
>
> 　사람의 본성은 선천적*으로 악하다. 예를 들자면 사람들은 이익을 좋아하고, 남을 질투하며, 귀에 아름다운 소리나 눈에 보기 좋은 색채를 좋아한다. 만일 사람들을 이러한 본성에 따라 살아가게 내버려 둔다면 결국에는 서로 다투고 빼앗는 어지러운 사회가 되고 말 것이다. 그러므로 사람은 스승의 가르침에 따라 예의와 도*를 배움으로써 비로소 서로 양보하게 되고, 안정된 사회를 이룩할 수 있다.
> 　사람이 학문을 하는 것은 선천적 본성이 착해서가 아니라, 후천적*이고 인위적인 노력에 의한 것이다. 예의범절이라는 것도 높은 도덕성을 지닌 성인(聖人)*이 만들어 낸 것으로, 학문을 통해 얻어진 결과이다. 만일 사람의 본성이 착하다고 하면 예의가 필요할 일이 없을 것이다. 사람의 본성이 악하다 보니 그 본성을 뜯어고치기 위해 군주*는 권력으로 백성들에게 예의를 지키도록 명령하고, 법률로써 나라를 안정시키는 것이다.

④ 맹자는 〈보기〉와 달리 사람은 다른 사람의 불행을 안타깝게 여기는 마음을 갖고 있다고 보았다.

… 〈보기〉에서는 사람은 악한 본성을 가지고 있으므로 가르침이 없이는 어지러운 사회가 될 것이며, 악한 본성을 고치기 위해 예의

와 법률이 필요하다고 말하고 있다. 그러나 맹자는 〈보기〉와 달리 사람의 본성은 선하다고 보았으며, 사람은 마음속에 들어 있는 네 가지 특성 중 '인'은 다른 사람의 불행을 측은하게 여기게 되는 마음의 근원이라고 하였다.

➕ 오답 챙기기

① 〈보기〉는 맹자와 달리 사람의 본성은 선하다고 보았다.

… 3문단에서 맹자는 사람은 본래 선하게 태어났다고 주장하였고, 〈보기〉에서는 이와 달리 사람의 본성은 선천적으로 악하다고 하였다.

② 〈보기〉는 맹자와 달리 사람에게는 '예의'가 필요하지 않다고 보았다.

… 5문단에서 맹자는 사람의 마음속에 있는 '예'는 예의범절을 뜻하는 것이라고 하였고, 〈보기〉에서는 예의범절은 높은 도덕성을 지닌 성인이 만들어 낸 것이라고 하였다. 따라서 〈보기〉에서는 '예의'를 인위적 노력으로 길러야 하는 자질로 파악하고 있다고 볼 수 있다.

③ 맹자는 〈보기〉와 달리 사람에게는 제도와 법률이 필요하지 않다고 보았다.

… 〈보기〉에서는 인간의 본성이 악하기 때문에 법률로써 나라를 안정시켜야 한다고 하였고, 2문단에서 맹자는 상식에 기초한 법률과 제도들이 잘 정비되어야 모두가 평화로워질 수 있다고 하였다. 따라서 〈보기〉와 맹자 모두 제도와 법률이 필요하다고 보았다고 할 수 있다.

⑤ 〈보기〉와 맹자는 모두 사람을 타고난 모습 그대로 두어도 된다고 보았다.

… 맹자는 인간의 본성은 선하다고 하였으나, 상식이 통하는 사회를 만들기 위한 노력이 필요하다고 하였다. 〈보기〉에서는 인간의 본성은 악하므로 가르침과 법률이 필요하다고 보았다. 따라서 〈보기〉와 맹자 모두 인간을 타고난 모습 그대로 두어도 된다고 보았다고 할 수 없다.

어휘 충전

* **선천적**(先 먼저 선 天 하늘 천 的 과녁 적): 태어날 때부터 지니고 있는 것.
* **도**(道 길 도): 마땅히 지켜야 할 도리.
* **후천적**(後 뒤 후 天 하늘 천 的 과녁 적): 성질, 체질, 질환 따위가 태어난 후에 얻어진 것.
* **성인**(聖 성인 성 人 사람 인): 지혜와 덕이 매우 뛰어나 길이 우러러 본받을 만한 사람.
* **군주**(君 임금 군 主 주인 주): 세습적으로 나라를 다스리는 최고 지위에 있는 사람.

좋은 영화 음악이란 무엇인가

출전 김정아, 『미디어 음악』 지문 난이도 ★★★☆☆

(1,219자)

1 » 영화에 ㉠쓰이는 음악은 아주 다양하다. 영상에 어울리는 기존의 곡을 사용하기도 하고 영상의 이미지와 완전히 일치할 수 있는 창작곡을 만들기도 한다. 기존 곡을 사용할 경우 관객들이 이미 알고 있는 곡을 영상과 접목해 좀 더 친숙한 느낌을 줄 수 있다. 창작곡을 사용할 경우 영상의 줄거리를 충실히 반영할 수도 있고 영상에 앞서 관객에게 내용을 미리 알려 줄 수도 있다.

2 » 영화 음악에서 가장 핵심 요소는 바로 음악이 영상을 도와줘야 한다는 것이다. 영화 음악은 영상 밑에 흐르면서 영화의 전반적인 흐름을 함께 따라가야 한다. 영상의 스토리에 부합하는 음악 아이디어를 내고 영상의 전개에 따라 수시로 변하는 음악을 좋은 영화 음악이라고 말한다. 영화 음악 감독들은 음악을 만들기 전에 이러한 개념을 충분히 숙지해야 한다.

3 » 영화관에 앉아 있는 관객들은 자신들의 시각 요소와 청각 요소가 모두 만족되었을 때 비로소 좋은 영화였다고 이야기한다. 영화의 내용과 음악이 함께 기억난다면 아주 잘 만들어진 영화이겠지만 음악이 너무 좋아서 영화 내용이 잘 기억나지 않거나, 음악은 너무 좋았는데 영상의 특정 장면들이 별로 생각나지 않거나 하는 일은 영화 전체를 위해서는 별로 좋은 일이 아니다. 이런 영화 음악은 좋은 평가를 받기는 힘들다. 왜냐하면 영화 음악은 영화라는 미디어 안에 포함되어 있는 범주로서의 역할을 충실히 해야 하기 때문이다.

4 » 가장 좋은 영화 음악은 무엇일까? 음악과 영상이 함께 좋은 기억으로 남을 때, 영화의 한 장면을 생각하면 음악도 함께 연상될 때, 영화 속 음악이 생각날 경우 그 영상도 함께 떠오를 때 우리는 좋은 영화 음악이라고 말한다.

5 » 그렇다면 영화 음악이 지켜야 할 규칙에는 어떤 것이 있을까? 첫째는 음악이 영화를 철저하게 도와주어야 한다는 것이다. 둘째는 '불가청성의 원리', 즉 영화 안에서 음악은 들리되 들리지 않아야 한다는 것이다. 모순처럼 느껴지지만 이것은 영화 음악가가 알아야 할 매우 중요한 사실을 담고 있다.

6 » 영화를 볼 때 우리는 효과음과 음악, 영상을 따로 의식하며 보지 않고 종합적으로 감상하게 되는데, 때로는 음악이 흐르는 영상을 보면서 음악은 인지하지 않는 경우가 있다. 음악은 실제로 들리고 있지만 우리는 그것을 심리적으로 인식하고 있기 때문이다. 음악이 영상을 방해하지 않을 때 관객은 영화 안으로 몰입할 수 있다. 할리우드의 영화 음악 감독들은 영화 안에서 음악은 드러나지 않아야 한다고 말한다. 이것이 불가청성의 원리와 상통한다.

지문 구조 해설

1 영화 음악의 유형

• 영화 음악의 유형: 기존의 곡을 사용하기도 하고, 창작한 곡을 사용하기도 함

기존 곡	창작곡
친숙한 느낌을 줄 수 있음	영상의 내용을 반영할 수 있음

2 영화 음악의 핵심 요소

• 영화 음악의 핵심 요소: 음악이 영상을 도와주어야 함
• 좋은 영화 음악
  – 영상의 스토리에 부합하는 음악
  – 영상의 전개에 따라 수시로 변하는 음악

3 좋은 영화와 영화 음악의 관련성

• 관객들이 생각하는 좋은 영화: 시각 요소와 청각 요소가 조화를 이루어야 함
• 영화 음악: 영화의 하위 범주로서의 역할에 충실해야 함

4 좋은 영화 음악의 요건

• 좋은 영화 음악: 음악과 영상이 함께 좋은 기억으로 남게 하는 음악. 영상과 음악이 동시에 연상되게 하는 음악

5 영화 음악이 지켜야 할 규칙

• 영화 음악이 지켜야 할 규칙
  – 음악이 영화를 철저하게 도와주어야 함
  – 불가청성의 원리를 따라야 함

6 영화를 볼 때 음악을 인식하는 과정의 특성

• 음악이 실제로 흐르고 있지만 이를 인지하지 못하는 경우가 많음 → 심리적으로 인식하기 때문
• 음악이 영상을 방해하지 않아야 영화에 몰입할 수 있음

지문 구조 한눈에 보기

핵심 개념 소개 **1**
↓
구체화 1 **2** **3**
– 영화 음악은 영상을 도와주어야 함
– 영화 음악은 영화의 하위 범주로서의 역할에 충실해야 함
↓
구체화 2 **4** **5** **6**
– 좋은 영화 음악의 요건
– 영화 음악이 지켜야 할 규칙
– 영화를 볼 때 음악을 인식하는 과정의 특성

지문 정보 확인 1 X 2 X 3 ○

지문 Point 분석 주제: 영화 음악의 유형과 좋은 영화 음악이 갖추어야 할 요건

해제: 영화 음악이 갖추어야 할 요건을 설명하고 있는 글이다. 글쓴이는 영화 음악으로 기존의 곡과 창작곡을 활용할 수 있다고 말하고, 뒤이어 좋은 영화 음악이 갖추어야 할 요건을 설명한다. 영화 음악이 지켜야 할 규칙은 음악이 영화를 도와주어야 한다는 것과 불가청성의 원리로 설명할 수 있다. 이 모든 것을 한마디로 정리하자면, 영화 음악은 영화 안에 포함되는 것이어야 하고, 영상과 어우러져야 한다는 것이다.

1 ▼ 세부 정보 파악   답 ②

윗글을 통해 확인할 수 없는 것은?

② 영화가 미디어로서 갖는 특징

⋯ 이 글은 영화 음악에 대해 설명하고 있다. 영화가 미디어로서 갖는 특징에 관한 내용은 이 글에서 찾을 수 없다.

➕ 오답 챙기기

① 좋은 영화 음악의 요건

⋯ 4문단에서 영상과 음악이 함께 좋은 기억으로 남아, 영화의 장면을 떠올리면 음악도 함께 연상될 때 우리는 좋은 영화 음악이라고 말한다고 하였다.

③ 관객이 영화에 몰입할 수 있는 요건

⋯ 6문단에서 음악이 영상을 방해하지 않을 때 관객은 영화에 몰입할 수 있다고 하였다.

④ 영화 음악에서 불가청성 원리의 개념

⋯ 5문단에서 '영화 안에서 음악은 들리되 들리지 않아야 한다는 것이다.'와 같이 불가청성 원리의 개념을 소개하고 있다.

⑤ 영화 음악으로 창작곡을 사용했을 때의 좋은 점

⋯ 1문단에서 창작곡을 사용할 경우 영상의 줄거리를 충실히 반영할 수도 있고 영상에 앞서 관객에게 내용을 미리 알려 줄 수도 있다고 하였다.

2 ▼ 글쓴이의 의도 추론   답 ⑤

윗글의 글쓴이가 〈보기〉의 '작곡가'에게 해 줄 수 있는 말로 가장 적절한 것은?

> **보기**
>
> 일본의 한 작곡가는 영화 음악을 작업하면서 아주 힘든 경험을 했다고 한다. 그는 한 인터뷰에서 본인이 작곡한 음악이 영상보다 너무 좋아서 튄다는 말을 영화 감독에게서 들었다고 말했다. 워낙 음악이 좋았기 때문에 음악은 대성공을 거두었고 많은 사람이 그 음악의 멜로디*를 기억하고 있었다. 그러나 어떤 장면에서 그 음악이 나왔는지 기억하는 사람은 드물었다.

⑤ 영화 음악이 영상을 도와주지 않으면 좋은 영화 음악이라고 볼 수 없다.

⋯ 글쓴이는 3문단에서 영화 음악이 너무 좋아서 영화 내용이 잘 기억나지 않거나, 영상의 특정 장면들이 별로 생각나지 않거나 하는 일은 영화 전체를 위해서 별로 좋지 않다고 하였다. 따라서 글쓴이가 〈보기〉의 작곡가에게 해 줄 수 있는 말로 가장 적절한 것은, 영화 음악은 영상을 도와주어야 한다는 것이다.

➕ 오답 챙기기

① 영화 안에서 음악은 관객들에게 영향을 미치지 않아야 한다.

⋯ 4문단에 따르면 좋은 영화 음악은 영화 장면과 함께 연상되는 것이므로, 음악이 관객들에게 아무런 영향을 미치지 않는 것은 아니다.

② 좋은 영화 음악은 영화라는 미디어* 안에 포함되지 않는 것이다.

⋯ 3문단에서 영화 음악은 영화라는 미디어 안에 포함되어 있는 범주로서의 역할을 충실히 해야 한다고 하였으므로 적절하지 않은 진술이다.

③ 영화 음악은 새로운 형식*을 시도하며 자유롭게 창작*되어야 한다.

⋯ 1문단에 따르면 영화 음악은 기존의 곡을 사용할 수도 있고 새로운 곡을 창작할 수도 있다. 이때 새로운 형식을 시도하며 자유롭게 창작되어야 하는지는 이 글에서 알 수 있는 내용이 아니다.

④ 아름다운 영화 음악은 그 자체만으로도 충분히 가치 있는 것이다.

⋯ 3문단에서 영화 음악은 영화 안에 포함되어 있는 범주로서의 역할을 충실히 해야 한다고 하였으므로, 아름다운 영화 음악이라고 할지라도 이것이 영화와 함께하지 못하면 좋은 것이라고 할 수 없다.

> 어휘 충전
> * **멜로디**(melody): 음의 높낮이의 변화가 리듬과 연결되어 하나의 음악적 통합으로 형성되는 음의 흐름.
> * **미디어**(media): 어떤 작용을 한쪽에서 다른 쪽으로 전달하는 역할을 하는 것.
> * **형식**(形 형상 형 式 법식 식): 사물이 외부로 나타나 보이는 모양.
> * **창작**(創 비롯할 창 作 지을 작): 예술 작품을 독창적으로 지어냄. 또는 그 예술 작품.

3 ▼ 어휘의 문맥적 의미 파악   답 ①

밑줄 친 부분의 의미가 ㉠과 가장 유사한 것은?

① 요즘엔 농사에 기계가 많이 쓰인다.

⋯ ㉠의 '쓰이다'는 '어떤 일을 하는 데에 재료나 도구, 수단이 이용되다.'라는 뜻으로 사용된 것이다.

➕ 오답 챙기기

② 모자가 작아서 머리에 잘 쓰이지 않는다.

⋯ '모자 따위가 머리에 얹어져 덮이다.'의 의미이다.

③ 선생님은 학생들에게 숙제로 일기를 쓰였다.

⋯ '머릿속의 생각을 종이 혹은 이와 유사한 대상 따위에 글로 나타내게 시키다.'의 의미이다.

④ 칠판에 쓰인 글씨가 너무 작아서 잘 보이지 않는다.

⋯ '붓, 펜, 연필과 같이 선을 그을 수 있는 도구로 종이 따위에 획이 그어져 일정한 글자의 모양이 이루어지다.'의 의미이다.

⑤ 그는 곡이 잘 안 쓰이면 무작정 길을 떠나 영감을 얻어야만 돌아온다.

⋯ '머릿속에 떠오른 곡이 일정한 기호로 악보 위에 나타내지다.'의 의미로 의미이다.

STUDY 19 어휘 확인				
1 ⓒ	2 ⓔ	3 ㉠	4 ⓜ	5 ⓛ
6 ⓛ	7 ⓒ	8 ⓔ	9 ⓜ	10 ㉠
11 숙지	12 전파	13 정비	14 몰입	15 기존

불평등을 허용하여 평등을 개선하는 차등 원칙

출전 김만권, 『그림으로 이해하는 정치 사상』 지문 난이도 ★★★☆☆

(1,191자)

1 » 롤스의 '차등 원칙'은 현대 자유주의 이론에서 가장 혁명적인 개념으로 여겨진다. 차등 원칙은 사회적 불평등이 사회의 모든 구성원에게 이로운 결과를 줄 때는 허용되어도 좋다는 주장이다. 차등 원칙의 핵심은 사회적 자원의 분배에 있다. 사회적 자원의 분배는 항상 구성원들 사이에 갈등의 근원이 되는 것으로, 생산하는 데 많은 노력을 기울인 사람들이 몫을 덜 받고 노력을 거의 하지 않은 사람들이 몫을 더 받는다면, 이런 분배 방식에 구성원들은 불만을 품게 될 것이다. 그러므로 차등 원칙은 기본적으로 사회 구성원들이 얼마나 적정한 수입을 얻고 있는지, 얼마나 많은 부를 가지고 있는지에 그 첫 번째 관심을 기울인다.

> **1 차등 원칙의 핵심과 주요 관심사**
> - 차등 원칙의 성격: 사회의 모든 구성원에게 이익이 될 때는 사회적 불평등이 허용되어도 좋다는 주장
> - 차등 원칙의 핵심: 사회적 자원의 분배
> - 차등 원칙의 주요 관심사: 사회 구성원들의 수입과 부

2 » 롤스는 사회적 자원의 분배가 기본적으로 평등해야 한다고 본다. 그러나 불평등 분배의 최소 몫이 평등 분배의 몫보다 크다면, 불평등을 허용할 수 있다고 본다. 예를 들어 철수, 영희, 현우의 평등 분배 몫이 3이라고 할 때, 불평등 분배의 경우 철수가 6, 영희가 5, 현우가 4라는 몫을 갖는다면 이런 불평등은 허용되어도 좋다는 것이다. 이런 불평등 분배의 발상이 사회적인 운영 원리로 구체화되어 나타난 것이 바로 차등 원칙이다. 다시 말해 사회에서 자원의 분배를 가장 적게 받고 있는 최소 수혜자에게 최대 이익이 되도록 재화를 분배한다면 이런 불평등은 허용되어도 좋다는 생각에서 출발한 것이 차등 원칙이다.

> **2 차등 원칙이 나타나게 된 배경과 차등 원칙의 전제 조건**
> - 평등 분배 몫인 3보다 최소 수혜자인 현우의 몫 4가 더 크므로 불평등이 허용됨 → 차등 원칙의 성격을 보여 줌
> - 차등 원칙이 나타나게 된 배경
> - 차등 원칙의 전제 조건: 최소 수혜자에게 최대 이익이 되도록 재화를 분배

3 » 차등 원칙은 언제나 사회적 자원의 분배 문제에만 적용된다. 왜냐하면 개인의 권리, 예를 들어 투표권이나 법 앞에서의 평등과 같은 정치적·법적 권리들은 불평등하게 분배될 수 없기 때문이다. 롤스는 이런 불평등은 어떤 이유로도 허용되어서는 안 된다고 본다.

> **3 차등 원칙을 허용해서는 안 되는 분야**
> - 차등 원칙은 사회적 자원의 분배 문제에만 적용
> - 차등 원칙에서 제외되는 분야: 투표권과 같은 정치적·법적 권리

4 » 차등 원칙에 입각한 대표적인 정책으로 최저 임금제가 있다. 최저 임금제란 시간당 최소한의 노동 임금을 정해 놓고 이 임금을 근로자에게 지불하도록 법적으로 강제하는 제도이다. 이는 최소 수혜자에게 최소한의 삶의 질을 보장해 주는 방법으로 임금 생활자의 소득을 증가시키며, 수준 이하의 노동 조건이나 빈곤을 없애고, 임금 생활자의 노동력 착취를 방지하며, 소득 재분배를 실현하는 데 기대 효과가 있다.

> **4 차등 원칙이 적용된 최저 임금제의 개념과 효과**
> - 최저 임금제의 개념: 최소한의 노동 임금을 정해 근로자에게 지불하도록 법으로 강제하는 제도
> - 최저 임금제의 효과

5 » 사회적 불평등이 최소 수혜자의 이익을 보장하는 것일 때만 허용될 수 있다는 차등 원칙의 의의는 바로 불평등을 허용하여 평등을 개선하는 데 있다. 즉 소득의 분배에 있어 가난한 자에게 더 많은 이익이 돌아가야만 사회가 더 정의롭고 평등해질 수 있다는 것이다.

> **5 차등 원칙이 지니는 의의**
> - 차등 원칙의 의의: 불평등을 허용하여 가난한 자에게 더 많은 이익이 돌아가도록 해 정의롭고 평등한 사회를 구현

지문 구조 한눈에 보기

중심 화제 제시 **1**
차등 원칙의 핵심 내용

↓

구체화 **2 3** **4**	차등 원칙 적용 조건
	차등 원칙 적용 예외
	차등 원칙의 구체적 사례

↓

마무리 **5**
차등 원칙의 의의

✎ 지문 정보 확인 1○ 2✕ 3○

지문 Point 분석 주제: 차등 원칙의 특성과 현대 사회에서 차등 원칙이 지니는 의의

해제: 사회적 불평등이 사회의 모든 구성원에게 이로운 결과를 준다면 허용되어도 좋다는 롤스의 차등 원칙에 대해 설명하고 있는 글이다. 차등 원칙의 주요 관심사는 사회 구성원들의 수입과 부에 있으며, 그 핵심은 사회에서 자원의 분배를 가장 적게 받고 있는 최소 수혜자에게 최대 이익이 되도록 재화를 분배한다면 사회적 불평등은 허용되어도 좋다는 것이다. 최저 임금제는 차등 원칙을 대표하는 정책으로 최소 수혜자에게 최소한의 삶의 질을 보장해 주고, 임금 생활자의 소득을 증가시키는 효과가 있다. 이처럼 차등 원칙은 소득의 분배에 있어 가난한 자에게 더 많은 이익을 돌아가게 하여 좀 더 정의롭고 평등한 사회를 구현하는 데 그 의의가 있다.

1 　▼ 핵심 정보 파악　　　　　　답 ⑤

'차등 원칙'에 대한 이해로 적절하지 <u>않은</u> 것은?

⑤ 불평등 분배*와 평등 분배의 결과가 같은 것이 바람직하다는 발상에서 출발한다.

⋯ 2문단에서 최소 수혜자에게 최대 이익이 되도록 재화를 분배한다면 이런 불평등은 허용되어도 좋다는 생각에서 출발한 것이 차등 원칙이라고 하였다. 이는 불평등 분배의 최소 몫이 평등 분배의 몫보다 크다면 불평등을 허용할 수 있다는 것이다. 따라서 불평등 분배와 평등 분배의 결과가 같은 것이 바람직하다는 것은 이 글의 내용과 일치하지 않는다.

➕ 오답 챙기기

① 개인의 권리인 투표권에는 적용*될 수 없다.

⋯ 3문단에서 차등 원칙은 사회적 자원의 분배 문제에만 적용되고, 투표권이나 법 앞에서의 평등과 같은 정치적·법적 권리들은 불평등하게 분배될 수 없기 때문에 허용되어서는 안 된다고 하였다.

② 사회적 자원의 분배가 핵심 원리로 작용한다.

⋯ 1문단에서 차등 원칙의 핵심은 사회적 자원의 분배에 있다고 하였다.

③ 사회 구성원들의 수입과 부를 가장 중요하게 다룬다.

⋯ 1문단에서 차등 원칙은 기본적으로 사회 구성원들의 수입과 부에 그 첫 번째 관심을 기울인다고 하였다.

④ 사회 모든 구성원에게 이익이 된다면 불평등을 허용*할 수 있다고 본다.

⋯ 1문단에서 차등 원칙은 사회적 불평등이 사회의 모든 구성원에게 이로운 결과를 줄 때는 허용되어도 좋다는 주장이라고 하였다.

> 어휘 충전
> * 분배(分 나눌 분 配 짝 배): 생산 과정에 참여한 개개인이 생산물을 사회적 법칙에 따라서 나누는 일.
> * 적용(適 갈 적 用 쓸 용): 알맞게 이용하거나 맞추어 씀.
> * 허용(許 허락할 허 容 얼굴 용): 허락하여 너그럽게 받아들임.

비판적·
문제 해결적
읽기

2 　▼ 세부 정보 추론　　　　　　답 ⑤

㉠이 '차등 원칙'을 대표하는 정책이 될 수 있는 이유로 가장 적절한 것은?

⑤ 사회에서 가장 적게 임금을 받고 있는 최소 수혜자의 몫을 개선할 수 있기 때문이다.

⋯ 2문단에서 차등 원칙은 최소 수혜자에게 최대 이익이 되도록 재화를 분배한다면 이런 불평등은 허용되어도 좋다는 생각에서 출발한 것이라고 하였고, 4문단에서 최저 임금제는 최소 수혜자에게 최소한의 삶의 질을 보장해 주는 방법이라고 하였다. 이로 볼 때 최저 임금제는 최소 수혜자의 몫을 개선해 주는 차등 원칙을 대표하는 정책이라고 할 수 있다.

➕ 오답 챙기기

① 정부가 주도하는 사회적 자원의 분배이기 때문이다.

⋯ 2문단에 따르면 차등 원칙의 핵심은 최소 수혜자에게 최대 이익이 되도록 재화를 분배하는 데 있으므로, 정부가 주도한다는 것

이 최저 임금제가 차등 원칙을 대표하는 정책의 이유가 되지는 않는다.

② 노동자들의 최소한의 삶의 질을 보장해 주기 때문이다.

⋯ 최저 임금제가 노동자들의 최소한의 삶의 질을 보장해 준다고 할 수는 있지만, 차등 원칙은 최소 수혜자의 이익을 보장하는 것일 때만 허용되므로, 이것이 차등 원칙을 대표하는 정책의 이유가 되지는 않는다.

③ 사회에서 많은 부를 가진 사람들의 이익을 개선해 주기 때문이다.

⋯ 2문단에 따르면 차등 원칙의 핵심은 최소 수혜자에게 최대 이익이 되도록 재화를 분배하는 데 있으므로, 최저 임금제가 많은 부를 가진 사람들의 이익을 개선해 주기 때문에 차등 원칙을 대표하는 정책이 된다는 것은 적절하지 않다.

④ 법 앞에서의 평등과 같이 모든 사람에게 적용되는 법적 권리이기 때문이다.

⋯ 차등 원칙은 사회적 자원의 분배와 관련이 있는 것이지, 모든 사람에게 적용되는 법적 권리는 아니다.

3 　▼ 생략된 정보 추론　　　　　　답 ④

〈보기〉의 사례와 윗글의 '차등 원칙'에서 공통적으로 추론할 수 있는 내용으로 가장 적절한 것은?

> 보기
>
> 　대학수학능력시험에서 시각 장애가 있는 수험생에게는 일반 수험생 시험 시간의 1.7배에 해당하는 시험 시간을 부여*한다.

④ 합리적인 이유가 있는 차별은 인정된다.

⋯ 차등 원칙에서는 최소 수혜자에게 최대 이익이 되어야 한다는 합리적 이유로 인해, 〈보기〉에서는 시각 장애라는 합리적 이유로 인해 차별이 인정되는 것이다.

➕ 오답 챙기기

① 선천적*인 차이는 고려되어야 한다.

⋯ 〈보기〉는 선천적 차이는 고려되어야 한다는 내용을 담고 있지만, 차등 원칙은 이러한 내용을 담고 있지 않다.

② 사회적 약자를 차별해서는 안 된다.

⋯ 차등 원칙과 〈보기〉 모두 사회적 약자를 보호해야 한다는 내용은 담고 있지만, 사회적 약자를 차별해서는 안 된다는 내용은 담고 있지 않다.

③ 모든 사람은 태어날 때부터 평등하다.

⋯ 차등 원칙과 〈보기〉 모두 모든 사람은 태어날 때부터 평등하다는 내용은 담고 있지 않다.

⑤ 모든 사람에게 균등*한 기회를 부여해야 한다.

⋯ 차등 원칙과 〈보기〉 모두 모든 사람에게 균등한 기회를 부여해야 한다는 내용은 담고 있지 않다.

> 
> 어휘 충전
> * 부여(附 붙을 부 與 더불 여): 가지거나 지니게 하여 줌.
> * 선천적(先 먼저 선 天 하늘 천 的 과녁 적): 태어나면서부터 지니고 있는.
> * 균등(均 고를 균 等 같을 등): 고르고 가지런해 차별이 없음.

생산적 복지, 일하는 사람을 위한 복지

지문 난이도 ★★★☆☆

(1,151자)

1 » 정부의 복지 정책이 강화되면, 그에 따라 국민의 복지 의존성이 높아지는 부작용이 발생할 수 있다. 예를 들어, 1970년대 영국 정부는 사회 안전망을 구축하여 국민의 삶을 '요람에서 무덤까지' 책임지는 정책을 폈다. 그러자 취업을 기피하고 사회 복지 급여에 의존하여 생계를 유지하려는 사람들이 생겨났다. 이처럼 지나친 사회 보장으로 인해 국민의 근로 의욕이 감퇴되고 사회 전체의 생산성과 효율성이 저하되는 현상을 복지병이라고 한다.

2 » 이에 따라 최근에는 개인의 노력과 시장 기능 및 국가 복지를 연계하는 복지 정책, 즉 사회 구성원들이 생산 활동에 직접 참여하여 근로 소득을 얻도록 유도하는 복지 정책으로 바뀌고 있다. 이를 생산적 복지 또는 근로 복지라고 한다.

3 » 한편 기존의 대표적 복지 정책으로는 선별적 복지와 보편적 복지가 있는데, 선별적 복지는 노동자와 중산층이 복지 비용을 부담하고 저소득층에게 복지 혜택을 제공하는 것을 중시한다. 저소득층에게 복지 서비스를 집중 제공하기 때문에 보편적 복지에 비해 낮은 비용으로 높은 효과를 얻을 수 있으나 서비스 대상자가 한정적이고 형평성이 낮다. 이 제도는 계층 간 차이를 극대화하고 복지 대상에 대하여 경제적으로 낙인을 찍을 수 있다는 문제가 있다.

4 » 반면에 보편적 복지는 모든 사람을 대상으로 하는 복지를 강조한다. 이는 모든 국민을 대상으로 하는 대대적인 복지 투자를 통해 국민들의 전반적인 삶의 질을 높이는 효과가 있다. 이 제도는 가능한 많은 사람에게서 많은 세금을 거두고 복지를 통한 사회적 분배를 최대한 강조하지만, 근로 의욕을 떨어뜨릴 수 있다는 비판을 받기도 한다.

5 » 생산적 복지는 이러한 선별적 복지와 보편적 복지의 장점을 취한 것으로, '일하는 사람을 위한 복지'로 불리기도 한다. 이는 사람들에게 일방적으로 복지 혜택을 주는 것이 아니라 복지의 수혜자가 자립할 수 있도록 기회를 제공하는 것으로, 경제적 효율 추구와 사회적 약자 보호를 동시에 지향한다. 개인과 국가가 적극적으로 자기 역할을 수행함으로써 기존의 국가 중심 복지 모형의 한계를 극복하려는 것이 생산적 복지 제도의 목적이다.

6 » 우리나라의 생산적 복지 정책으로는 생계 유지가 어려운 저소득 근로 가구에 대하여 근로 장려금을 지급하는 근로 장려 세제, 근로 능력이 있는 저소득층에게 근로 기회와 생계 급여를 제공하는 자활 근로 사업 등이 있다.

지문 구조 해설

1 정부의 복지 정책 강화로 인해 나타나는 부작용
- 정부의 복지 정책 강화로 인해 나타나는 부작용 → 생산적 복지의 발생 배경이 됨

2 생산적 복지의 개념
- 생산적 복지의 개념: 사회 구성원들이 생산 활동에 직접 참여하여 근로 소득을 얻도록 유도하는 복지 정책

3 선별적 복지의 장점과 단점
- 선별적 복지의 성격: 저소득층에게 복지 혜택을 제공하는 것을 중시함
- 선별적 복지의 장점: 낮은 비용으로 높은 효과를 얻을 수 있음
- 선별적 복지의 단점: 계층 간 차이 확대, 복지 대상의 경제적 낙인

4 보편적 복지의 장점과 단점
- 보편적 복지의 성격: 모든 사람이 복지의 대상임
- 보편적 복지의 장점: 국민들의 전반적인 삶의 질을 높임
- 보편적 복지의 단점: 국민들의 근로 의욕을 떨어뜨릴 수 있음

5 생산적 복지의 성격과 목적
- 생산적 복지의 성격: 경제적 효율 추구와 사회적 약자 보호를 동시에 추구함
- 생산적 복지의 목적: 기존의 국가 중심 복지 모형의 한계 극복

6 우리나라 생산적 복지의 예
- 우리나라의 생산적 복지 정책
  - 근로 장려 세제: 근로 장려금 지급
  - 자활 근로 사업: 근로 기회와 생계 급여 제공

지문 구조 한눈에 보기

문제 제기 1
복지병의 발생

↓

중심 화제 제시 2
생산적 복지의 개념

↓

다른 대상과의 비교 3 4
선별적 복지, 보편적 복지

↓

중심 화제의 구체화 5 6
생산적 복지의 성격과 목적, 구체적 사례

✎ 지문 정보 확인 1 ○ 2 X 3 X

지문 Point 분석 주제: 생산적 복지의 성격과 목적

해제: 기존의 대표적 복지 정책인 선별적 복지와 보편적 복지의 긍정적 측면을 동시에 지니고 있는 생산적 복지에 대해 설명하고 있는 글이다. 생산적 복지는 사회 구성원들이 생산 활동에 직접 참여하여 근로 소득을 얻도록 유도하는 복지 정책으로 '일하는 사람을 위한 복지'로 불리기도 한다. 생산적 복지는 사람들에게 일방적으로 복지 혜택을 주는 것이 아니라 복지의 수혜자가 자립할 수 있도록 기회를 제공하는 것으로, 경제적 효율 추구와 사회적 약자 보호를 동시에 지향한다. 우리나라의 생산적 복지 정책으로는 근로 장려 세제, 자활 근로 사업 등이 있다.

비판적·
문제 해결적
읽기

1　▼ 세부 정보 파악　　　　　　　　　　답 ⑤

윗글을 통해 해결할 수 있는 질문이 <u>아닌</u> 것은?

⑤ 생산적 복지*에 해당하는 외국의 구체적 예로는 어떤 것이 있는가?

⋯ 생산적 복지에 해당하는 우리나라의 구체적 사례는 6문단에 제시되어 있지만, 외국의 구체적 사례는 이 글에서 찾을 수 없다.

➕ 오답 챙기기

① 선별적* 복지의 장점은 무엇인가?

⋯ 3문단에서 선별적 복지는 저소득층에게 복지 서비스를 집중 제공하기 때문에 보편적 복지에 비해 낮은 비용으로 높은 효과를 얻을 수 있다고 하였다.

② 생산적 복지의 목적은 무엇인가?

⋯ 5문단에서 개인과 국가가 적극적으로 자기 역할을 수행함으로써 기존의 국가 중심 복지 모형의 한계를 극복하려는 것이 생산적 복지의 목적이라고 하였다.

③ 생산적 복지가 나오게 된 배경*은 무엇인가?

⋯ 1문단과 2문단에서 국가의 지나친 사회 보장으로 인해 국민의 근로 의욕이 감퇴되고 사회 전체의 생산성과 효율성이 저하되는 현상인 '복지병'이 발생함에 따라 최근에는 사회 구성원들이 생산 활동에 직접 참여하여 근로 소득을 얻도록 유도하는 복지 정책인 생산적 복지로 바뀌고 있다고 하였다.

④ 국가가 실시하는 복지 정책의 종류에는 어떤 것이 있는가?

⋯ 3문단에서 기존의 대표적 복지 정책으로 선별적 복지와 보편적 복지가 있다고 하였다. 또한 선별적 복지와 보편적 복지의 장점을 취한 생산적 복지에 대해서도 설명하고 있다.

> **어휘 충전**
> * **복지**(福 복 복 祉 복 지): 행복하게 살 수 있는 사회 환경.
> * **선별적**(選 가릴 선 別 다를 별 的 과녁 적): 가려서 따로 나누는 것.
> * **배경**(背 등 배 景 경치 경): 시간적·공간적·사회적인 주위 여건이나 환경.

2　▼ 구체적 사례에의 적용　　　　　　　　답 ⑤

윗글을 바탕으로 〈보기〉를 이해한 것으로 적절하지 <u>않은</u> 것은?

> **보기**
>
> ㉠ 무상* 급식 제도는 소득 수준에 상관없이 일정한 연령 기준에 속한 모든 학생에게 무상으로 급식을 제공하는 제도이다.
>
> ㉡ 결식* 아동 급식 제도는 생계*가 어려운 저소득층 학생들이 학교에 가지 않는 날에도 집에서 식사를 해결할 수 있도록 지원하는 제도이다. 학생들은 편의점, 일반 식당 등에서 급식 전자 카드를 이용하여 식품을 구매할 수 있다.
>
> ㉢ 희망 키움 통장 제도는 저소득층의 근로* 의욕*을 높이기 위하여 기초 생활 보장 수급자가 일자리를 가져서 최저 생계비의 70% 이상 수입이 있을 때, 정부가 일정 금액을 통장에 넣어 주는 제도이다.

⑤ ㉠은 ㉡에 비해 낮은 비용으로 높은 효과를 얻을 수 있는 복지 제도이다.

⋯ 3문단에서 선별적 복지는 보편적 복지에 비해 낮은 비용으로 높은 효과를 얻을 수 있다고 하였다. ㉠은 소득 수준과 관계없이

모든 학생을 대상으로 급식을 지원하는 보편적 복지이므로 비용이 많이 드는 반면에, ㉡은 저소득층 학생들만을 대상으로 급식을 지원하는 선별적 복지이므로 보편적 복지인 ㉠에 비해 상대적으로 비용이 덜 든다고 할 수 있다.

➕ 오답 챙기기

① ㉠은 많은 세금을 거두어 복지를 통한 사회적 분배를 강조하는 제도이다.

⋯ ㉠은 소득 수준과 관계없이 모든 학생을 대상으로 실시하고 있으므로 보편적 복지에 해당한다. 4문단에서 보편적 복지는 가능한 많은 사람에게서 많은 세금을 거두고 복지를 통한 사회적 분배를 최대한 강조한다고 하였다.

② ㉡은 복지 대상에 대하여 경제적으로 낙인을 찍을 수 있다는 문제점이 있다.

⋯ ㉡은 저소득층 학생들만을 대상으로 실시하고 있으므로 선별적 복지에 해당한다. 3문단에서 선별적 복지는 계층 간 차이를 극대화하고 복지 대상에 대하여 경제적으로 낙인을 찍을 수 있다는 문제점이 있다고 하였다.

③ ㉢은 근로 장려 세제와 유사*한 성격을 지니고 있는 복지 제도이다.

⋯ ㉢은 기초 생활 보장 수급자가 일자리를 가진 후에 최저 생계비의 70% 이상 수입이 있을 때, 정부가 일정 금액을 더 보장해 주는 것이므로 생산적 복지라고 할 수 있다. 6문단에서 우리나라의 생산적 복지 정책으로 생계 유지가 어려운 저소득 근로 가구에 대하여 근로 장려금을 지급하는 근로 장려 세제 제도가 있다고 했으므로 ㉢의 희망 키움 통장 제도는 이와 유사한 성격을 지니고 있는 복지 제도이다.

④ ㉠과 달리 ㉡, ㉢은 사회적 약자 보호를 추구하는 제도이다.

⋯ ㉠은 소득 수준과 관계없이 모든 학생을 대상으로 하고 있지만 ㉡, ㉢은 저소득층을 대상으로 실시하고 있다는 점에서 사회적 약자 보호를 추구하는 제도라고 할 수 있다.

> **어휘 충전**
> * **무상**(無 없을 무 償 갚을 상): 어떤 행위에 대해 요구하는 대가나 보상이 없음.
> * **결식**(缺 이지러질 결 食 먹을 식): 끼니를 거름.
> * **생계**(生 날 생 計 꾀할 계): 살아 나갈 방법. 또는 현재 살아가는 형편.
> * **근로**(勤 부지런할 근 勞 수고로울 로): 일정한 시간에 정해진 일을 함.
> * **의욕**(意 뜻 의 欲 하고자 할 욕): 무엇을 하고자 하는 적극적인 마음이나 욕망.
> * **유사**(類 무리 유 似 같을 사): 서로 비슷함.

STUDY **20** 어휘 확인

1 ㉢	2 ㉠	3 ㉡	4 ㉤	5 ㉣
6 ㉥	7 ㉦	8 ㉧	9 ㉨	10 ㉩
11 발상	12 적정	13 수혜	14 연계	15 지향

라이덴프로스트 효과

출전 송현수, 『커피 얼룩의 비밀』　지문 난이도 ★★★★☆

(1,285자)

❶ » 뜨거운 프라이팬에 떨어진 물방울이 바로 증발하지 않고 동그랗게 맺혀 통통 뛰는 모습을 본 적이 있는가? 직관적으로는 표면의 온도가 높을수록 물방울이 빠르게 증발하여 금방 사라지리라 예상되지만, 실제는 그와 다르다. 100℃ 프라이팬 위의 물방울은 몇 초 지나지 않아 완전히 증발하지만 200℃ 프라이팬 위에서는 오히려 물방울의 수명이 더 길어진다. 이러한 현상은 무엇 때문에 일어나는 것일까?

❷ » 액체 방울이 고체 표면과 충돌할 때 나타나는 현상은 ㉠'라이덴프로스트 효과'의 원리로 설명할 수 있다. 100℃보다 200℃ 프라이팬 위에서 물방울의 수명이 더 길어지는 것은 충돌 직전 물방울의 일부가 살짝 증발하며 물방울과 프라이팬 사이에 형성되는 얇은 수증기 막이 단열재 역할을 하기 때문이다. 얇은 수증기 막으로 인해 바닥과의 마찰이 거의 없어 물방울들은 작은 힘에도 쉽게 움직이기도 한다. 다시 말해 프라이팬의 열이 수증기 막을 거쳐 물방울에 전달되기 때문에 100℃보다 200℃일 때 오히려 열을 적게 받아 천천히 증발한다. 따라서 표면 온도가 낮을 때는 뜨거워질수록 열 전달량이 증가하다가 끓는점이 지나면 감소하고 특정 온도 이상이 되면 다시 증가하는 형태가 된다.

❸ » 즉 라이덴프로스트 효과란 어떤 액체가 그 액체의 끓는점보다 훨씬 더 뜨거운 부분과 접촉할 경우 액체가 끓으면서 증기로 이루어진 단열막을 만들어 내는 현상이다. 다만, 라이덴프로스트 효과가 일어나는 온도를 예측하는 것은 쉽지 않아 실험 과정에서 위험성도 고려해야 한다. 액체 물방울의 부피가 서로 동일하더라도 라이덴프로스트 효과는 복잡한 표면 성질, 액체 내의 불순물 등 상당히 여러 성질에 의존하므로 현상이 발생하는 지점은 서로 다를 수 있기 때문이다.

❹ » 이러한 현상은 뜨겁게 달구어진 철판 위에 물에 젖은 손을 올리는 차력의 원리이기도 하다. 열이 손에 직접 전달되는 100℃의 철판이 수증기 막을 형성하는 200℃의 철판보다 더 위험할 수 있다. 영하 200℃의 액체 질소에 손을 넣는 차력도 온도만 반대일 뿐 동일한 원리이다. 손의 온기로 인해 액체 질소 일부가 기화하여 손 주변에 질소 막을 형성하고 그 막이 초저온으로부터 손을 보호하는 역할을 한다.

❺ » 나아가 라이덴프로스트 효과는 우주와 같은 극한 환경에서도 유용하게 활용될 수 있는 가치를 지니고 있다. 우주 과학자들은 화성에서 자연적으로 발생한 드라이 아이스와 뜨거운 화성 표면이 맞닿아 생긴 고압 증기로 터빈을 돌리는 새로운 엔진을 제안하고 있다. 미래에 우리 인류가 화성에 거주하게 된다면, 아미도 라이덴프로스트 효과 기반의 발전기로 에너지를 얻고 있을지도 모른다.

지문 구조 해설

❶ 프라이팬의 온도와 물방울 수명의 관계
- 뜨거운 프라이팬에 떨어진 물방울이 동그랗게 맺혀 있는 현상 제시
- 100℃보다 200℃ 표면 위에서 물방울의 수명은 더 길어짐

❷ 라이덴프로스트 효과의 원리　[원리]
- 물방울과 프라이팬 사이에 형성된 수증기 막으로 인해 물방울이 열을 적게 받아 천천히 증발함 → 수증기 막이 단열재 역할을 함
- 뜨거워질수록 열 전달량이 증가하다가 끓는점이 지나면 감소하고, 특정 온도 이상이 되면 다시 증가하는 형태가 됨

❸ 라이덴프로스트 효과의 개념 및 유의점　[개념]
- 라이덴프로스트 효과의 개념: 어떤 액체가 그 액체의 끓는점보다 더 뜨거운 부분과 접촉할 경우 액체가 끓으면서 증기 막을 형성하는 현상
- 라이덴프로스트 효과가 일어나는 지점은 서로 다르기 때문에 실험 과정에서 위험성을 고려해야 함

❹ 차력의 원리에서도 발견되는 라이덴프로스트 효과　[현상]
- 라이덴프로스트 효과는 뜨거운 철판 위에 물에 젖은 손을 올리는 차력의 원리가 됨
- 영하 200℃의 액체 질소에 손을 넣는 차력에도 라이덴프로스트 효과의 원리가 적용됨

❺ 우주에서 에너지로 활용 가능한 라이덴프로스트 효과의 가치
- 화성에서 발생하는 드라이 아이스와 뜨거운 화성 표면이 맞닿아 생긴 고압 증기로 새로운 에너지를 얻을 수 있음

✎ 지문 정보 확인　1 ○　2 ✕　3 ○

지문 Point 분석　주제: 라이덴프로스트 효과의 원리 및 가치

해설: 라이덴프로스트 효과에 대해 설명하고 있는 글이다. 라이덴프로스트 효과는 어떤 액체가 그 액체의 끓는점보다 훨씬 더 뜨거운 부분과 접촉할 경우 액체가 끓으면서 증기로 이루어진 단열막을 만들어 내는 현상이다. 이러한 현상은 뜨거운 프라이팬에 동그랗게 맺혀 있는 물방울과 뜨거운 철판 위에 젖은 손을 올리는 차력의 원리와 관련이 있으며, 이후 우주에서 에너지를 얻는 데 활용할 수도 있다.

1 ▼ 세부 정보 파악   답 ⑤

㉠과 관련하여 윗글을 이해한 내용으로 적절하지 <u>않은</u> 것은?

⑤ 물방울의 수명*이 프라이팬 표면 위에서 더 길어지게 하기 위해서는 물방울을 떨어뜨리는 속도도 고려*해야 한다.

⋯ 이 글에서 프라이팬 표면 위의 물방울의 수명과 물방울을 떨어뜨리는 속도와의 관계에 대해서는 언급하고 있지 않다.

➕ 오답 챙기기

① 영하 200℃의 액체 질소에 손을 넣는 차력에서도 라이덴프로스트 효과의 원리*를 발견할 수 있다.

⋯ 4문단에서 영하 200℃의 액체 질소에 손을 넣는 차력도 온도만 반대일 뿐, 뜨겁게 달구어진 철판 위에 물에 젖은 손을 올리는 차력과 동일한 원리(라이덴프로스트 효과의 원리)라고 하였다.

② 프라이팬의 표면 온도가 물방울의 끓는점을 지나 특정 온도 이상이 되면 열 전달량이 다시 증가한다.

⋯ 2문단에서 표면 온도가 낮을 때는 뜨거워질수록 열 전달량이 증가하다가 끓는점이 지나면 열 전달량이 감소하고 특정 온도 이상이 되면 다시 증가하는 형태가 된다고 하였다.

③ 물방울과 프라이팬 표면 사이에 수증기 막이 형성되면 물방울은 바닥과의 마찰이 거의 없어 쉽게 움직인다.

⋯ 2문단에서 얇은 수증기 막으로 인해 물방울은 바닥과의 마찰이 거의 없어 작은 힘에도 쉽게 움직이기도 한다고 하였다.

④ 물방울과 프라이팬 표면 사이의 수증기 막은 액체가 끓는점보다 더 뜨거운 부분과 접촉할 경우 형성된다.

⋯ 3문단에서 수증기 막은 어떤 액체가 그 액체의 끓는점보다 훨씬 더 뜨거운 부분과 접촉할 경우 형성된다고 하였다.

> **어휘**
> **충전**
> * **수명**(壽 목숨 수 命 목숨 명): 생물이 살아 있는 연한.
> * **고려**(考 상고할 고 慮 생각할 려): 생각하고 헤아려 봄.
> * **원리**(原 근원 원 理 다스릴 리): 사물의 근본이 되는 이치.

2 ▼ 반응의 적절성 평가   답 ②

글의 관점과 형식 비교하기

윗글을 바탕으로 할 때, 〈보기〉의 실험에 대한 반응으로 가장 적절한 것은?

> **보기**
>
> 뉴욕 버팔로 대학교에서는 용암과 물이 만났을 때 발생하는 물리적인 과정에 대해 라이덴프로스트 효과를 이용하여 연구하였다. 일반적으로 용암에 물이 닿으면 격렬한 폭발 현상이 일어난다. 그러나 어떤 경우의 화산 활동에서는 용암과 물이 만나더라도 화산 폭발이 일어나지 않고 조용히 넘어가는 현상이 나타난다. 연구진들은 실험 결과 용암이 들어 있는 통의 길이가 낮을수록, 물이 느린 속도로 용암과 접촉할수록 증기로 이루어진 단열막이 유지되는 것을 발견하였다. 단열막이 유지된 상태에서 물방울이 용암의 표면에 닿아 폭발로 이어지지 않는 것이었다. 이러한 실험 결과를 통해 화산 근처에 사는 사람들의 피해를 예측하고 대비하는 데 도움이 될 것이라고 판단하였다.

② 라이덴프로스트 효과가 일어나는 지점*은 다양한 변수*의 작용으로 쉽게 예측하기 어렵겠군.

⋯ 3문단에 따르면 라이덴프로스트 효과가 일어나는 지점은 다양한 변수가 작용하기 때문에 쉽게 예측하기 어려우며, 실험을 진행할 때 그에 따른 위험성이 뒤따를 수 있다. 따라서 〈보기〉의 실험 내용 중 용암과 물이 만날 때 통의 길이와 속도 등에 따라 단열막이 유지될 수 있다는 점을 고려하면 라이덴프로스트 효과가 일어날 때 다양한 변수가 작용할 수 있음을 판단할 수 있다.

➕ 오답 챙기기

① 용암이 폭발로 이어지지 않도록 하기 위해서는 빠른 속도로 물과 접촉시켜야겠군.

⋯ 〈보기〉에서 물이 느린 속도로 용암과 접촉할 경우 라이덴프로스트 효과가 일어날 수 있다고 하였다.

③ 라이덴프로스트 효과가 일어나는 온도는 규칙적이기 때문에 안전하게 실험을 수행*할 수 있겠군.

⋯ 라이덴프로스트 효과가 일어나는 온도는 여러 변수에 의해 달라질 수 있음을 3문단에서 언급하고 있다. 또한 〈보기〉에서도 용암과 물이 만날 때 폭발이 일어나지 않는 지점을 찾기 위해 통의 길이와 물의 속도를 조절해 가고 있다.

④ 라이덴프로스트 효과는 지상에서만 실험의 적용이 가능하므로 우주 대기권에서는 연구가 어렵겠군.

⋯ 라이덴프로스트 효과는 우주권에서도 에너지를 얻는 데 활용 가능하다는 5문단의 설명을 고려하면 적절한 반응이 아니다.

⑤ 단열막이 오랫동안 유지되기 위해서는 용암과 접촉하는 물의 온도가 최대한 낮은 상태이어야 하겠군.

⋯ 〈보기〉에서는 용암과 접촉하는 물의 온도를 라이덴프로스트 효과의 변수로 고려하고 있지 않다.

> **어휘**
> **충전**
> * **지점**(地 땅 지 點 점 찍을 점): 땅 위의 일정한 점.
> * **변수**(變 변할 변 數 셀 수): 어떤 상황을 변화시킬 수 있는 요인.
> * **수행**(遂 이룰 수 行 다닐 행): 생각하거나 계획한 대로 일을 해냄.

DNA를 USB처럼 메모리로 쓸 수 있다고?

출전 콜린 바라스, 『알수록 궁금한 과학 이야기』   **지문 난이도** ★★★★☆

(1,212자)

1 » 하버드 대학교의 유전학자 조지 처치는 2012년 자신의 책을 우리가 보통 생각하는 인쇄가 아닌 완전히 다른 방식으로 인쇄했다. 디지털 양식으로 암호화하여 미생물의 DNA에 저장한 것이다. 도대체 어떻게 책을 DNA에 저장했다는 것일까?

2 » 저장의 원리는 다음과 같다. 우선 책을 디지털 형태로 변환한다. 53,400개의 단어와 11장의 사진으로 이루어진 책을 디지털로 변환하면 용량이 5MB에 불과하다. 그다음 디지털의 표현 형식인 0과 1을 DNA의 염기와 상응시킨다. DNA는 아데닌(A), 티민(T), 구아닌(G), 사이토신(C) 이렇게 4개의 염기를 가지고 있다. 처치 연구단은 0은 DNA의 염기 A 또는 C로, 1은 G 또는 T로 바꾸어 디지털 정보를 저장했다. 그들은 DNA 형태로 저장된 책을 70억 번이나 찍어 냈는데, 이 일은 ［ ㉠ ］나 다름없었다. 자기 복제는 DNA가 가장 잘하는 일이기 때문이다.

3 » IT 기업들은 이를 흥미롭게 지켜보며 DNA 메모리에 주목하기 시작했다. 거기에는 충분한 이유가 있었다. 데이터가 폭증하는 시대에 정보 저장의 한계를 극복할 수 있는 기술이 필요했기 때문이다. 일례로 매일매일 새롭게 올라오는 유튜브의 동영상과 인스타그램의 사진은 반드시 어딘가에 저장되어야 한다. 그런데 눈덩이 불어나듯 나날이 늘어나는 정보를 저장하기에 현재의 메모리는 턱없이 부족하다. 이에 과학자들은 DNA로 눈을 돌릴 수밖에 없었다. DNA는 적은 양으로도 많은 정보를 저장할 수 있기 때문이다. 마이크로소프트사도 현재 인터넷상의 공공 데이터를 저장하는 데 고작 신발 상자 정도의 DNA라면 충분하다고 내다보았다.

4 » 또한 DNA는 쉽게 변하지도 않는다. 춥고 건조한 환경이라면 수만 년도 끄떡없이 버틴다. 유전학자들은 심지어 43만여 년 전에 살았던 원시인의 뼈에서 DNA를 추출해 유전 정보를 읽어 내기까지 하였다. 데이터 관리를 위한 전력 소모도 없기 때문에 냉장 보관한다면 수천 년 동안 원형 보존이 불가능한 것도 아니다.

5 » 마지막으로 DNA 메모리가 주목받는 이유는 살아 있는 생명의 정보 저장 시스템이기 때문이다. 지난 40여 년 동안 우리는 카세트테이프, 플로피디스크, CD, DVD와 같은 저장 매체가 반짝 주목받다 사라지는 것을 지켜보았다. 기술은 거듭 발전하고 오래된 저장 매체에 저장된 정보는 다시 꺼내 보기 힘들어졌다. 하지만 DNA는 다르다. 지구에 지적 생명체가 존재하는 한 DNA에 대한 관심이 사라질 일은 없을 것이다.

지문 구조 해서

1 DNA에 저장된 책에 관한 화제 제시

조지 처치의 책 — 디지털 양식으로 암호화하여 미생물의 DNA에 저장함

원리

2 책이 DNA에 저장될 수 있는 원리

- 저장의 원리
  - 책을 디지털 형태로 변환
  - 디지털 표현 형식인 0과 1을 DNA의 염기와 상응시킴(DNA는 아데닌, 티민, 구아닌, 사이토신이라는 4개의 염기를 가지고 있음)
    → 0과 1을 각각 상응하는 염기 부호로 바꾸어 디지털 정보를 저장함

3 DNA 메모리가 주목받는 이유 ①

데이터가 폭증하는 시대 → 정보 저장의 한계
↓
DNA는 적은 양으로도 많은 정보를 저장할 수 있음

장점

4 DNA 메모리가 주목받는 이유 ②

- DNA는 쉽게 변하지 않음
  - 춥고 건조한 환경이라면 수만 년도 버팀
- 데이터 관리를 위한 전력 소모가 없음
  - 냉장 보관 시 영구적인 보관이 가능함

5 DNA 메모리가 주목받는 이유 ③

- DNA 메모리는 살아 있는 생명의 정보 저장 시스템임
  - 기존의 저장 매체가 주목받다 사라졌다면 DNA는 지적 생명체가 존재하는 한 영구적으로 남을 가능성이 있음

✎ 지문 정보 확인   1 X   2 ○   3 X

지문 Point 분석   주제: DNA 메모리의 저장 원리 및 가치

해제: DNA 메모리의 저장 원리와 장점에 대해 설명하고 있는 글이다. DNA 메모리는 책을 디지털 형태로 변환하여 용량을 최대한 압축시키는 것이 가능하며 복제도 매우 용이하다. DNA 메모리가 주목받는 이유는 데이터가 폭증하는 시대에 많은 정보를 적은 양으로도 저장할 수 있고, 쉽게 변하지 않으며, 살아 있는 생명 정보 시스템으로서 사라질 가능성이 희박하기 때문이다.

지문 구조 한눈에 보기

| 화제 제시 **1** |
| 구체화 **2 3** | 책이 DNA에 저장될 수 있는 원리 |
| **4 5** | DNA 메모리의 장점 |

1 ▼ 세부 정보 파악   답 ②

윗글의 내용과 일치하지 <u>않는</u> 것은?

② 디지털 부호* 0과 1은 4개의 DNA 염기로 자유롭게 변환될 수 있다.

⋯ 2문단에서 디지털 표현 형식인 0과 1이 DNA 염기와 어울릴 때 0은 DNA의 염기 A 또는 C로, 1은 G 또는 T로 바꾸어 디지털 정보를 저장한다고 하였다. 따라서 자유롭게 변환될 수 있는 것은 아니다.

➕ 오답 챙기기

① 책은 디지털 양식으로 암호화되어 DNA에 저장될 수 있다.

⋯ 1문단에서 조지 처치는 2012년 자신의 책을 디지털 양식으로 암호화하여 미생물의 DNA에 저장하였다고 언급하고 있다.

③ DNA 메모리는 인터넷상의 폭증하는 데이터를 저장할 수 있는 수단이다.

⋯ 3문단에서 DNA 메모리는 유튜브의 동영상, 인스타그램 사진, 공공 데이터 등 인터넷상의 많은 정보를 저장할 수 있는 장점을 가지고 있다고 언급하고 있다.

④ DNA 메모리는 데이터 관리를 위해 전력이 소모되지 않아 효율적인 장치이다.

⋯ 4문단에서 DNA는 데이터 관리를 위해 전력이 소모되지 않기 때문에 냉장 보관한다면 수천 년 동안 보관이 가능함을 언급하고 있다.

⑤ DNA 메모리는 살아 있는 생명의 정보 저장 시스템*이라서 오랫동안 연구될 가능성이 높다.

⋯ 5문단에서 DNA 메모리는 살아 있는 생명의 정보 저장 시스템이기 때문에 오랫동안 관심을 받을 수 있다고 언급하고 있다.

> **어휘 충전**
> * **부호**(符 부신 부 號 부를짖을 호): 일정한 뜻을 나타내기 위하여 따로 쓰는 기호.
> * **시스템**: 필요한 기능을 실현하기 위하여 관련 요소를 어떤 법칙에 따라 모아 놓은 집합체.

2 ▼ 글의 관점 비교   답 ③

윗글과 〈보기〉를 비교한 내용으로 적절하지 <u>않은</u> 것은?

> **보기**
>
> 현재 우리가 생성한 정보의 양은 가늠하기 어려울 정도로 포화된 상태이다. 이러한 상황에서 인간이 발견한 최고의 데이터 저장 물질은 DNA로, 1DNA당 455EB(1EB＝약 10억 GB)를 저장할 수 있다고 한다. 처치 연구단은 사진을 디지털 형태의 정보인 0, 1로 변환하여 픽셀 정보를 염기 서열로 바꾸었으며 성공적으로 DNA 형태로 저장할 수 있었다. 하지만 DNA 생성 속도는 초당 400B로, 200MB에 해당하는 DNA 메모리를 만들기 위해서는 많은 비용이 필요하며 저장된 정보를 다시 복원하는 성공률은 아직 90%에 머물러 있다고 한다.

③ 〈보기〉와 달리 윗글에서는 DNA 메모리가 갖는 한계점*을 지적하고 해결 방안도 함께 제시하고 있어.

⋯ 〈보기〉에서는 DNA 메모리를 적극적으로 사용할 수 있는 환경이 마련되어 있지 않으며 고비용 문제와 완벽한 성공률에 도달하지 못한 것을 한계점으로 언급하고 있다. 하지만 이 글에서는 DNA 메모리의 한계점을 언급하고 있지 않으며, 그 해결 방안 역시 제시하고 있다.

➕ 오답 챙기기

① 윗글과 〈보기〉 모두 우리가 데이터가 넘쳐나는 시대에 살고 있음을 인정하고 있어.

⋯ 이 글과 〈보기〉 모두 우리가 넘쳐나는 정보의 시대에 살고 있다는 입장을 보이고 있다.

② 윗글과 달리 〈보기〉에서는 1DNA당 저장할 수 있는 정보의 양을 구체적으로 제시하고 있어.

⋯ 〈보기〉에서는 이 글과 달리 1DNA당 455EB를 저장할 수 있다고 구체적인 수치를 언급하고 있다.

④ 〈보기〉와 달리 윗글에서는 DNA 메모리가 왜 가치가 있는지 다양한 근거들을 나열*하여 제시하고 있어.

⋯ 〈보기〉에서는 DNA 메모리가 많은 정보를 저장할 수 있다고만 하였지만, 이 글에서는 DNA 메모리가 주목받을 수밖에 없는 이유에 대해서 정보 저장의 효율성, 영구적인 보관 등을 근거로 장점을 나열하고 있다.

⑤ 윗글과 〈보기〉를 통해 각종 매체들이 DNA로 저장되기 위해서는 모두 디지털 표현 형태로 변환되어야 함을 알 수 있어.

⋯ 이 글과 〈보기〉 모두 DNA로 정보를 저장하기 위해서는 디지털 표현 형태인 0, 1의 부호로 변환해야 함을 언급하고 있다.

> **어휘 충전**
> * **한계점**(限 한계 한 界 경계 계 點 점찍을 점): 능력이나 책임 따위가 더 이상 미치지 못하는 막다른 지점.
> * **나열**(羅 그물 나 列 벌일 열): 죽 벌여 놓음.

3 ▼ 관용적 표현의 이해   답 ①

㉠에 들어갈 관용어로 가장 적절한 것은?

① 누워서 떡 먹기

⋯ ㉠의 앞뒤 내용을 살펴보았을 때, DNA 형태로 저장된 책을 무수히 찍어 내는 게 가능한 것은 DNA가 자기 복제를 수월하게 할 수 있는 특성에서 비롯된 것이다. 따라서 매우 간단하고 쉬운 일을 일컫는 ①이 적절하다.

➕ 오답 챙기기

② 가뭄에 콩 나기

→ 무슨 일이나 물건이 어쩌다가 하나씩 드문드문 나타나는 일.

③ 하늘에 별 따기

→ 매우 어렵거나 거의 불가능한 일.

④ 울며 겨자 먹기

→ 싫은 일을 억지로 마지못하여 하는 것을 비유적으로 이르는 말.

⑤ 손발이 척척 맞기

→ 어떤 일에 호흡이 잘 맞다.

STUDY 21 어휘 확인

1 ㉣	2 ㉢	3 ㉠	4 ㉤	5 ㉡
6 ㉡	7 ㉣	8 ㉠	9 ㉢	10 ㉤
11 표면	12 추출	13 질소	14 변환	15 염기

memo

메가스터디BOOKS

내용 문의 | 02-6984-6897   구입 문의 | 02-6984-6868,9

메가스터디BOOKS

www.megastudybooks.com

내용 문의 | 02-6984-6897   구입 문의 | 02-6984-6868,9